ららほら2

ららほら

2

震災後
文学を語る

まえがき

藤田直哉

『ららほら2』、「一〇年目に震災後文学を語る」特集をお送りする。

特集の趣旨はシンプルで、震災後文学を語ることで、この一〇年の日本の文化や社会の変化を振り返り、震災について見つめ直すことである。

東日本大震災から一〇年目の今年、東京オリンピックが開催された。世界では、新型コロナウイルスのパンデミックが起こり、二〇二一年の冬までに、全世界で二億人近くが感染、五〇〇万人近くが死亡している。

これらのかげに隠れて、東日本大震災は、あまりにも語られなくなってしまったように感じられる。震災後文学についても、文芸誌などでいくつかの記事は出たが、いまだきちんと総括されていないのではないだろうか。そこには今なお論じられるべき論点、引き継がれるべき課題、現在の我々そのものを映し出す何かがあるはずだ。それを総合的に語る機会が必要ではないか？　それが本書の狙いである。

前著が「当事者」を中心としたのに対して、今回は東京で活動する（広義の）文芸批評家を中心にしている。これは意図的なことであり、両者の、主題、感覚、実感、言葉の差から見えてくるものもあるだろうと思う。

収録されている六つの対談は、赤坂にある書店「双子のライオン堂」で開催された、『ららほら』刊行記念の対談をベースにしたものである。対談と言いつつ、参加者が自由に発言し対話していくという、「哲学カフェ」的なスタイルの座談会を目指した。

内容とゲスト名は以下である。

第一回　震災後文学を日本文学に位置づける　仲俣暁生（二〇一九年七月十三日）
第二回　東日本大震災と、芸能の力　矢野利裕（二〇一九年八月十七日）
第三回　震災後文学とアナーキズムと反出生主義　荒木優太（二〇一九年九月十四日）
第四回　なぜ二〇一〇年代の日本文学はディストピアが主流になったのか
円堂都司昭（二〇一九年十月十九日）
第五回　文学の自由と倫理──『美しい顔』をめぐって　長瀬海（二〇一九年十二月二十一日）
第六回　震災後文学と東北文学──木村友祐作品をめぐって　杉田俊介（二〇二〇年二月十五日）

参加者として、坂田邦子、藤井義允、竹田信弥、片上平二郎、今藤晃裕、宮本道人、竹本竜都、檀原照和、西崎航輝（ソーシャルディア）、パヴォーネ・キャーラ、高田雅子、吉田威之、スズキロク（敬称略、およそ登場順）ら、錚々たる研究者・編集者・書き手の皆様にお越しいただき、議論を収録させていただいた。他にも、名前は記さないが、多くの方々にご参加いただいた。皆様に、深くお礼を申し上げる。

「一〇年目に震災後文学を語る」という特集名なのに、収録の時期が二〇一九年から二〇二〇年である点についてはお許しを願いたい。ちょうど第六回が開催された二〇二〇年二月十五日が、新型コロナウイルスのパンデミックをＷＨＯが宣言する一ヶ月ほど前であり、それ以降、パンデミックが発生し、座談会を企画したりすることもできず、本書の作業も停止してしまった結果である。加筆修正は二〇二一年に行なっているので、新しい知見なども一部盛り込まれている。

パンデミック後の世界で震災後文学を語ることの意義は、何度も自問自答した。しかしやはり、東日本大震災の経験や、そこから得られた知見は、パンデミックの状況下に生きる我々にも、ひょっとすると気候変動による異常気象や自然災害が続くかもしれない未来に生きる人々にも役に立つはずだと筆者は考える。仮に役に立たなくても、文学はそれ自体として語るべき価値があるはずだ。

目次

第1回

震災後文学を日本文学に位置づける

仲俣暁生×藤田直哉

〈発言者〉
円堂都司昭
坂田邦子
長瀬海
藤井義允
竹田信弥

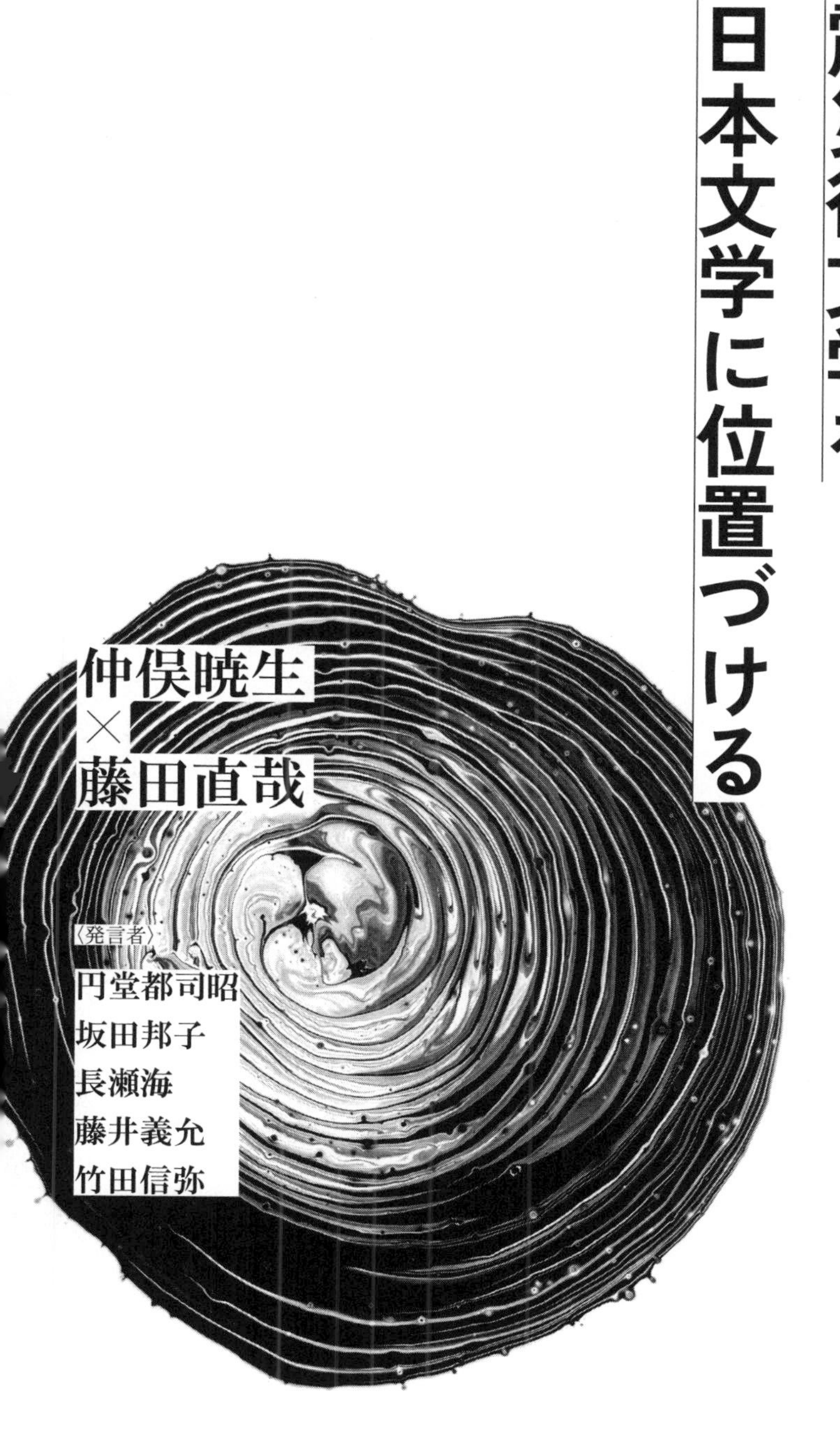

地域アート的に文学を作れないか

仲俣　東日本大震災の後に、新たな文芸誌、あるいは文学のメディアを出さなければいけないと藤田さんが思われた経緯からお話しいただけますか？

藤田　『東日本大震災後文学論』（南雲堂）という本を、限界研という批評家集団で作り２０１７年に刊行しました。その前、２０１５年に『文學界』で「新人小説月評」をやってまして、震災の影響を受けている作品は出て来ている感じがしました。ただ、直接被災した人でそれを文学に昇華させて書いている人はまだ出てきてないなと思っていまして。例えば戦争を経験した人、大岡昇平は『野火』や『俘虜記』などで文学的に昇華した。『俘虜記』は体験記に近いんですけど、『野火』では芸術的な構成が増えてきて、その二十数年経って一人の視点ではなく複数の視点で戦場の全体に迫ろうとした『レイテ戦記』を書いた。それに相当するような作品があまり出てきていないなと当時は思ったんですね。震災の全体像に迫ったり、そこで起こっている社会的、政治的なことをフィクション化したようなものがあまりないと。

仲俣　限界研のこの本が出る前の、議論をしていたのは何年頃ですか？

藤田　２０１６年ですね。この年、『シン・ゴジラ』と『君の名は。』という、震災を昇華したエンターテインメントが大成功しました。それで、なんとなく震災が昇華された気分になったんです。しかし現実はザラザラしたものがあるはずで、それに触れられていないのではないかという感覚がずっとあったんですよ。それが『ららほら』を企画するそもそものきっかけでした。その後、仙台短編小説賞の審査を手伝うのですが、震災から10年近く経っても、全然過去のものになっていないのが分かります。

仲俣　『ららほら』の前書きとして藤田さんのすごく長い文があって、『東日本大震災後文学論』でも長い評論をお書きになっていました。それらの論と、この『ららほら』で書かれたものとの間で、藤田さんの中での変化はありましたか？

藤田　大きな変化がありますね。『東日本大震災後文学論』はやっぱり、文学とか日本とか震災後の状況を分析して、かなり俯瞰的に図式化して書く傾向があって、自分自身がその一部という感じではない書き方なんですね。『ららほら』は現地に直接行って会った人に書いてもらうとか、あるいは被災地のリアリティになるべく接近しようとしているので、ぼくの立ち位置が上から見ているか下から見ているかという差がありますよね。その態度の差は大きいと思います。

仲俣　限界研の研究自体、震災から数年経ってから始まっているわけですよね。２０１６年に限界研で議論して、17年に本が出ている。『ららほら』のクラウドファンディングは18年なので、時期的にけっこう接しているんですけれど、その頃に僕と藤田さんとがよく会うようになったきっかけは文芸評論の文脈だけじゃなくて、地域アートとか地域メディアと呼ばれる、東京以外の地域での文化表現や地域の記憶とどう絡むかという問題意識でした。こうした活動が『ららほら』にもつながっていったんでしょうか?

藤田　大きな影響があったと思います。2016年に『地域アート』(堀之内出版)という編著を刊行しましたが、そこで論じてきた2010年以降の日本の美術の主流は、それぞれの地域とか人々のコミュニティに即して、そこに介入しようとするタイプのものが多かったんです。被災地でもいろんな活動をしていて、新しい世界観とかを作り上げている状況があって、それが面白くてずっと取材していたんです。このような新しい美術のパラダイムに相当するものが文学にもあるんだろうかと考えたんですよね。被災地とかローカルなものに直接介入してそこの文化を変えていくような運動体としての文芸誌ができないかと考えて、『ららほら』を創刊しました。上から神のように俯瞰するのでもなく、肉体を持ってこの世界に生きる当事者として、人と共に何かをするような、超越ではなく内在であるような、そういう批評のあり方を模索し、試したという感じです。『ららほら』も『地域アート』を編集してくださった長瀬千雅さんという編集者が『SYNODOS』さんと繋いでくれて、「Good Morningアカデミアというクラウドファンディングでお金を募った」という形になります。

仲俣　『ららほら』のクラウドファンディングも『地域アート』という本も、その編集者の方との共同作業だったんですね。

藤田　そうですね。「地域アート」的なやり方というか、作家が自分で制御するんじゃなくて、リレーショナルに地域と接触しながら相互作用でやるという本づくりができないものかという実験のようなものですね。なるべくぼくの「我」も減らしていこう、というつもりもあります。人の縁とか偶然性に委ねてみよう、完全主義的にコントロールするのはやめてみよう、とか。

仲俣　『東日本大震災後文学論』の議論をしているときには、東日本大震災の後のある種の全体像なり、一つの象徴となるような大きな作品はまだ十分に書かれてないんじゃないか、という思いが藤田さんのなかにはあった、と。でもその見立ての是非という問題だけでなく、アプローチの手法としても単純に図式化したり構図を見るだけじゃなくて、実際に現地に足を運んで人と会って、リレーショナルなアートの世界ですでに起きている作品の作り方、評価の仕方も含めて見ていこうという変化があった。『ららほら』はその二つの大きな流れでできたということですね。

藤田　その通りですね。もうひとつ大きな理由があるんですが、『東日本大震災後文学論』でも書きましたが、SNSなどが非常に発言しにくい状況になったなという問題意識があります。ある種の民間検閲的な状況になった。ディストピアだとも言える。室井光広さんという福島出身の芥川賞作家がいらっしゃるんですが、室井さんは『てんでんこ』という雑誌を震災後に作ったんですね。ぼくも寄稿させていただいていて。商業雑誌でなくて少部数の媒体で自作を発表することを室井さんは選ばれてて。だとすると、小さい媒体を作ることで、言いたいことが言えるんじゃないか。タブーなくいろんな言説が言えるんじゃないか。文学的なことができるんじゃないか。そんなことを考えました。この、本書のベースとなる対談をさせていただく双子のライオン堂さんも、店主の竹田さんが室井さんの教え子でもありまして、室井さんがメールをして縁を繋いでくださったわけです。

仲俣　今日のような場も含めて、僕と藤田さんとが意気投合したのは、震災後文学についての議論というよりも、表現をめぐるあらゆる議論がＳＮＳなどであまりに可視化されすぎて、むしろやりにくかったり、柔軟な議論ができにくくなっているときに、本音で話せるようになるといいよね、ということでした。今日のこの話もたぶんどこかに載るんですけど、今日はとことんやろうと思っています。ところで、『ららほら』はもともと雑誌のかたちでやろうと思っていたんですよね。

藤田　もともと雑誌ですね。紙メディアで少部数というのは決まっていて、そういう媒体だから公共化できるはずのこともあると思っていました。ウェブ版も考えていたんですが、それはやめました。炎上をやっぱり気にしてしまう。すぐに友敵で単純化されて攻撃されたり擁護されるんだけど、実際に人間の考えや気持ちってそう単純なわけではないわけで。そういう複雑なあり方を許容できるような、ゆっくりとした思考の場をちゃんと用意しないとダメかなと。

仲俣　わかりました。では実際に『ららほら』ができるまでの、被災地の現地に入ったり、人に会ったときの取り組みについても少し話してもらえますか。

藤田　２０１７年に10日くらい被災地を北から南まで回って、２０１８年にも福島の原発のすぐ近くに何回も行きました。大体人に紹介していただいて、芋づる式に行ったり歩いたり、そういう感じでしたね。今思い出すと、よく分からないけど、とにかく歩いていましたね。

仲俣　福島の被災地でいきなり「私は文芸評論家です」と言っても通じないでしょう。実際、どういう語り口で声をかけていったんですか。

藤田　まずは、人の紹介が主でしたね。最初は、被災地でプロジェクトをやっている人たちにまず話を聞いてみたんです。瀬尾夏美さんとか小森はるかさんとか。芸術公社さんが主宰されている「みちのくアート巡礼キャンプ」に参加させていただいて、講師をされていたお二方にどうやられているのかの話を伺ったんです。被災者と一緒に働いたり何年も暮らしたりして、ドキュメンタリー映画や、絵画、小説などの形で作品を発表されていました。もう、現地に住んで一緒に作業をしたりして、信頼を得て、ふとした被災地の方々の姿を捉えていらっしゃったんですよね。

仲俣　藤田さんが震災後の文学についての文芸誌を立ち上げるという話を聞いて、僕のやっている「マガジン航」にそこのことを書いていただいたときは、被災者自身が書いた小説などのフィクション表現を中心に集めるメディアを作ろうとしていると思ったんです。だけど結果的に出来たものには、そうではないテキスト、いわばノンフィクションが集まりましたよね。そのあたり、目論見と実際とが変わっていった過程はどういう風だったんですか？

藤田　最初はやっぱりフィクションを書いてもらいたかったんですよ。でも、やっぱりそうはならなかった。それが、一つのリアルだとぼくは理解するしかなかった。文学的な構想力とか、緻密な構成とか、優雅な文章とか、そういうのとは違う、もっと剝き出しの何かがあるような気がしたんですよね。

仲俣　『ららほら』に書かれている方のなかには、本を出されている方も何人かいるけれど、多くは一般の被災当事者の方で、そういう人たちに原稿依頼をしたんですね。この人に頼もう、というときの基準は？

藤田　まず最初に、お会いした。そうすると、話になるんですよ。一時間か二時間くらい、濃密な話を伺えるんです。その後に、オーダーしています。一例を言うと、最初にある平山睦子さんは、おばあちゃんで、旦那や義理の父が家父長的な家で、クリーニング屋をやっていたんです。津波で家がなくなって、町がなくなって、家族も亡くなってしまった。だけれど、一方で、解放されてもいる。その複雑な心境のようなものが、語りにくい言葉で語られているんです。こういう状況に生きている人間の複雑さの「真実」性を表現できている震災後文学があっただろうか、と思ってしまったんですよね。他にも、被災地の海岸部で、お母さんたちが集まって談笑しているんだけど、その内容が「津波が来て、子どもと手を繫いでいたけれど、手を放して流されて死んじゃった」みたいな内容だったと伺いました。それを話して、爆笑する。それは、SNSに書けば「不謹慎」と言われるに決まっているので出せない。結果としてなかったことになる。でも、そういう現実があり、そのことは日本人の大半の想像力の中では存在しないことになっている。それは、笑いとは言っても、そう言って笑いにしなきゃ耐えられない心境があるわけで、不謹慎なものではないに決まってるんですよ。その笑いの質は、その外側にいるぼくらの日常的な想像力の範疇で理解しようとしても絶対に間違いになる。まずは、こういう生きられている現実、そこに生きている人間の真実を出したかった。

仲俣　震災当日、2011年3月11日の感覚についても伺いたいです。あのとき藤田さんはどういう風に受け止めましたか？　そのときからこういうものをやろうと思っていたわけではないでしょう？

藤田　全く思わなかったですね。人並みな経験しかしてないですよ。東京の自宅にいて、揺れて、テレビ観てビビって、という。

仲俣　僕も現地に入ったのは2013年でずいぶん遅いんですが、藤田さんは『ららほら』の前に被災地に行こうと思ったことはありましたか。

藤田　ぼくは意識的に行かないようにしていましたね。意地を張っていたんです。当時、東工大の大学院に所属していたんですが、周りの人たちはみんな現地に入っていろいろ調査して、そのあまりのリアリティに圧倒されていました。なので、逆に、隔たりがある立場を維持する方が、文学や批評の役割に近いし、言説の多様化に寄与するだろうと思っていました。それで、『東日本大震災後文学論』を終わらせて、ようやく行ったんです。

仲俣　この本が出たあとで、藤田さんはある意味で「転向した」というか、ベタというか泥臭いというか、当事者の話を聞いたり表現するということをなさった。しかも、震災が起きてからかなり時期を置いてからやっている。そのあたりの動機をもう少し伺えるといいなと思うんですけれど。

藤田　東日本大震災と、原発事故そのものが、自分自身のやってきた研究のテーマの延長線上にあって、その意味を考えなければいけないというのが当初の想いだったんですよね。使命感というか。ＳＦ作家が３・11を論ずる『３・11の未来』(作品社)という論集を、ぼくは２０１１年に編集したんですよ。巻頭が小松左京さんの文章で、小松さんの絶筆でした。なので、これは大変なことになった、これは偶然だが、小松さんの態度や考えを受け継がなければいけないという気持ちを抱いてしまったんです。原発事故の、文明史的な意義とか、日本の歴史における意義をどうにか解き明かさないといけない。さらには、小松さんは『大震災'95』で、現地を歩いてルポを書かれているんですよね。博士論文では、戦後の日本で、ＳＦやサブカルチャーが発展したのは、科学技術立国化した日本で、それ以前の宗教や神話を再帰的に創造しなければいけなかったからだという仮説を挙げていました。そういう問題関心から、原発と自然、神話みたいなものにずっと興味を持っていました。さらに私的なことを言えば、父親が東芝で働いていて、東芝というのは一時期の世界最大の原子炉メーカーですよね、そこでまさに発電とか送電やってて、電力会社としょっちゅう仕事してるんですよ。で、要するにぼくも原子力産業どっぷりで生きてきたようなものなわけですから。そのことと向き合わないと、自分が先に進めないな、という気持ちがありましたね。ただ、そういう文明史的な観方は、高所から見下ろす感じで、個々の人間に対して冷たいんですよ。自分を人類の外に置いて考えるようになっちゃうし。それで、『地域アート』をやっているうちに、もっと等身大の生身の人間のようなところに接近して近くで見なければ、とぼくが変わってきたところもあるかもしれないですね。

仲俣　あとはプライベートな、お子さんが生まれたということもありますか。

藤田　それは結構関係あるでしょうね。結婚も、偶然の縁に委ねるというか、自分のコントロールを手放すことに近いですよね。子どももそうですよね。自分を無責任な非当事者とは思えなくなって、この世界に埋め込まれた人間だと考えるしかなくなるわけですよね。

　原発と神話の関係で言えば、東北のことを何も知らなかったなって感覚が大きくて。震災直後とか、もう少し観念的に考えちゃってて。でも、いろいろ回って分かったけど東北はもっと固有の受け止め方というか、文化的な土壌がある。そういう民俗学的なものの力、凄まじさを分かっていなかったことに対する反省は痛切にありました。80年代に札幌のニュータウンに生まれ、18歳から東京に住んでると、そういう文化には全く接していなかったので、本当に分かっていなかった。驚きましたよ。山岳信仰が今でもわりとあるとか、亡くなった子どもが歳をとり続けるということを信じるとか。これを把握しないで、自然災害や原発事故をどう受け止めているのか、想像しても間違いになっちゃうなと思いまして。それで、具体的に生きている人々の持ってる世界観の中での震災の受け止め方を知りたいと思っていたんです。

震災後文学を振り返って

仲俣　あの震災は藤田さんの中で、文学の問題や小説の問題と深く結びついていたわけですよね。今日はそのことについて、いちばん話をしてみたいと思うんです。結局、『ららほら』には小説作品は掲載されないんですよね？

藤田　ないですね。小説ってどういう定義にするかにもよりますが。でも、フィクションではあると思っています。彼らの過去を語って自分のことを語るときに、自己物語化を必ずするので、そこにフィクション性がありますよね。彼らがどう自己物語化をしているかをみるようなものなので、「ららほら」って小さい嘘って意味ですから、彼らが現実と調停するためそれをどう作っているのかというところが肝心かなと思うんです。死者が実在するとか、自然を擬人化するとか、それこそがフィクションであるとぼくは思ってしまう。

仲俣　でも同時に、藤田さんが『東日本大震災後文学論』を作っていたときに潜在的に期待していたような、当事者による、時間を経た中で出てくるかもしれない言葉が、『ららほら』に文章を載せた人からいつか出てくるのかもしれないですね。

藤田　そう期待したいですよね。フィクションで言えば、あまり言えないことをフィクションを通して言うという技法が歴史的にあるんですよね。戦争の怨念とか戦没者の恨みとか、天皇への心情をゴジラで表現するとか。あるいは公共的な空間で言いにくいような、原発についてとか、様々な告発がジャンジャン出てくるかと思いきや出てこない。意外とみなさん怒ってるけど穏やかなんです。そういうのが一切なかったのがぼくの驚きだし、何かの答えだろうなって感じもして、その裏切られる感じを尊重したいと思うんです。

仲俣　「東日本大震災」とか「3・11」とか言い方が難しいですが、この未曽有の出来事の語り口も、原発事故と津波のどちらを主題化するかで際だって違ってくる、という問題がありますよね。それぞれにどう関わったかによって、表現の仕方が違ってくると思うんです。それに、これまで何も書いたことのなかった人が、いきなりこの大きなテーマを小説で書く、ということもあまり考えられない気がします。もちろん過去にも復員兵が、たとえ拙い言葉であっても自身の戦争経験を書こうとするとか、阪神淡路大震災の後に当事者による、言い方はよくないけれども一種の素人文学というか、必ずしも洗練されてはいないかもしれないけれど、当事者からのみ出てくるような言葉はあったと思います。でもそうしたものと、すでに洗練した言葉の使い手が書いた小説なりそれ以外の文学表現との間は、随分と遠い気がするんですよね。そのあたりはどうですか？

藤田　それで言うと、２０１６年までの震災後文学論では、被災者に近く、かつ洗練された言語の作家が足りないと言っていたんですよ。でも、それが２０１７年以降に出て来たんですよね。17年に沼田真佑さんは『影裏（えいり）』で文學界新人賞を受賞し、芥川賞。若竹千佐子さんも『おらおらでひとりいぐも』で文藝賞を取られて、震災に直接は触れてないんだけど、巨大な波を経験した後に生き残ったおばあさんが、それは不幸な状態ではないというひっくり返しをする話を、東北弁で語ってる。

仲俣　二回連続して芥川賞受賞作として出てきた、と。

藤田　二回連続出てきた。当事者性のある、東北的な文学が盛り上がって、しかもそれなりに芸術性が高く成功し、評価されたのが２０１７年で、『ららほら』をやらなきゃいけないという動機がなくなりかけたわけです(笑)。

仲俣　その次の年にも、北条裕子さんが『美しい顔』で芥川賞にノミネートされました。この作品についてはあとでも話題になると思いますが、震災という主題をこのように扱ったことへの評価だけでなく、先行するノンフィクションからの「盗作」かどうかをめぐって大きな騒動になりました。ところで沼田さんの『影裏』はずいぶん短い作品でしたよね。いろいろな人の『影裏』への評価をみると、洗練された芸術的な小説として評価されているように思えます。僕も最初に読んだときは、あまりに高く評価されすぎじゃないか、とかなり意地悪な目で見ていたんですが、少し経ってから読み直すと、なかなか良い小説だなと思いました。でもそれとは別に、おそらく藤田さんが期待していたであろう、まだ存在していない大きな文学作品を期待する気持ちもまだあると思うんです。

藤田　ええ。『レイテ戦記』みたいに震災後に起きたことの全体を描く小説や、この社会的な状況を爆発的な笑いに変えるとか、そういうのはまだないですよね。大江健三郎は原爆や戦争に対してそういうことをやろうとしたわけですよね。震災後のいろんな社会的・政治的な分断や対立、混乱や矛盾を引き受けて心理的に昇華させるドストエフスキーのような小説も、まだ出てないんですよね。

仲俣　藤田さんはまだ満足してないと思うし、今回お集まりいただいた批評家や物書きの方にも、のちほど震災後の日本の小説をはじめとする文学作品に対する評価と、来るべき作品について、つまり震災についてまだ何が書かれてないか、という話があると思うんです。その前に、僕と藤田さんの文学なり小説に対する考え方について、これから話していこうと思います。まず最初に、すでに小説を書いている一線の既存の作家は、震災後文学の決定的な作品をまだ書いてないんじゃないか、という印象はありませんか？

藤田　ありますね。

仲俣　震災後、個々の作家は小説を書き続けているわけですが、たとえば断筆してしまったというような人はいないわけですよね。

藤田　既存の作家で震災後に優れたものを書いてる人もいますが、それは震災前からの能力を使って震災後の状況に対応したという印象なんですよ。例えば高橋源一郎さんの『恋する原発』は素晴らしいと思うんだけど、あれは9・11のときのアイデアの再利用ですよね。『シン・ゴジラ』と『君の名は。』もそれに近い。震災そのものの直撃を受けて、古川日出男さんとかは逆に混乱してグチャグチャになっていったけれども、既存の作家はわりと「応用」だったという印象があります。

仲俣　2013年に東北大学で五十嵐太郎さんがやっている『S-meme（エスミーム）』という出版ワークショップに、仙台の出版社・荒蝦夷（あらえみし）の土方正志さんと一緒に招いていただき、地元の社会人や大学院生の前で震災後の文学について話をしたことがあるんです。そのときに2011年から2013年までに出た小説をまとめて読んだんですね。その時点で象徴的だったのは、やはり川上弘美の『神様 2011』（二〇一一年、講談社）と高橋源一郎の『恋する原発』（二〇一一年、講談社）でした。どちらも震災後のかなり早い時期に出た作品ですが、『神様 2011』はデビュー作の短編『神様』（一九九八年、中央公論社）のリメイクで、『恋する原発』も9・11後に書かれて途絶していた作品のやはりリメイクでした。小説家として震災に即応しなければと考えたとき、二人とも新作ではなく、震災前の時代に書かれたテキストを状況の変化に合わせて作り替えるという手法を取った。それがとても特徴だったと思うんですね。

もう一つ、単行本としてまとまったのはもう少し後ですけれど、多和田葉子さんの『献灯使』（二〇一四年、講談社）も象徴的な作品だと思います。この作品のようなディストピア小説も震災後文学の一つの特徴ですが、正直、僕はこの連作をあまり高く評価できなかった。というのも、震災後の日本は放射能まみれで、奇形な生き物が生まれてくるような汚れた場所になってしまっている、という想像力の働かせ方に大いに違和感があったんです。こうしたタイプの一連の小説を評価する方向の議論を展開したのが、木村朗子さんの『震災後文学論』（二〇一三年、青土社）でした。

実際、その後に書かれた文学作品についての議論は焦点が定まらないままという感触があります。どの小説にも震災のエピソードは出てくるけれど、それをどう批評に乗せたらいいのか、よくわからない。僕はそんなふうに震災後の小説を読んできたんですが、藤田さんの考えはどうですか？

ポストモダン文学と震災後文学

藤田　認識はかなり近いですね。それに真正面から答えられるかわかりませんが、今日のテーマは日本文学の歴史の中に震災後文学をどう位置づけるかだと思うんですが、せっかく仲俣さんとお話しするので、ちょっと引いて考えてみたいんです。80~90年代には村上春樹が流行ってましたよね。つまり、80年代的なポストモダンでポップな感じで消費者社会的な小説が流行していた。その前は70年代には連合赤軍事件があり、暴力的、熱血的な時代があって、その後にポップ的な消費者社会文学が出て来た。で、90年代にJ文学が出て来て、ぼくが活動し始める2000年代は日本文学はインターネット、ニート、フリーター物ばかりになっていました。サブカルチャーと融合したファウスト系、佐藤友哉、舞城王太郎とかの活躍も著しかったですね。ぼくはポストモダン文学の影響を受け、その延長線上でインターネットとサブカルチャーの影響を受けた文学作品、もしくは芸術作品みたいなものを論じることで最初の批評家のキャリアを始め、ゼロ年代批評にどっぷりつかっていました。そうしたら、急に東日本大震災が起きて世の中のモードが大きく変わった感じがあって、純文学もサブカルチャーも、大きく変わったと痛感しました。それまでは阿部和重、舞城王太郎、佐藤友哉、西尾維新が時代の最先端で、同時代的な作家であると感じられたんですが、震災後は急にそういうリアリティがなくなってしまった。2000年代は自由でアナーキーな小説が多かったんですが、震災後は真面目で倫理的になりましたよね。言ってしまえば、現実が虚構であるとか、情報であるという楽観性の感覚が、物質とか地面とか土着とか、そういう重いものの方に震災を契機にひっくり返った。テーマで言えば、死者とか弔いが中心になった。若松英輔さんは死者実在論を言ったし、滝口悠生の『死んでいない者』(二〇一六年、文藝春秋)ではお葬式が延々と描かれる。ゼロ年代は、もっと遊戯的かつ技術的な時代で、「魂」なんていう言葉を発するとバカにされる雰囲気があった。しかし、震災後の知的環境では、宗教とか神というテーマも急にリアリティを持ってきた。古川日出男さんは本当に神がかりみたいになっているし、上田岳弘さんも神とか超越性を主題にしていますよね。それが率直に驚いたんです。

仲俣　それが文学にとってある種の豊かさになっているのかどうか、ということですよね。僕が日本の現代小説を面白く読めるようになり、自分なりに批評し始めたのはたぶん藤田さんより10年くらい早くて、1990年代後半のことでした。まだ村上春樹を日本文学史のなかにどう位置づけるか自体が曖昧だった時代で、そのときの感じとしては「評価されるべきでしょう」くらいの時期でした。

その後に藤田さんが挙げてくれたいわゆる「J文学」の作家たちがいちばん元気だった時期がきて、僕もそれなりに面白いなと思って読み、評論を書いてきました。震災後、たしかにそうしたモードというか、パラダイムは終わった気がしています。そこで今日は、東日本大震災の時期に、日本の現代文学は大きな変化を迫られたのではないか、という仮説なり論点を藤田さんと一緒に考えようと思ったんです。

藤田　ぼくもデビュー前から仲俣さんの評論は読ませていただいていて、文学の見取り図とかは教えていただいていたんです。ぼくより前の世代、特に渋谷系とかにすごいコミットされていて。その頃の小説は、すごくアクチュアルに感じて読んでいました。

仲俣　「J文学」という言葉を生んだといわれる批評家の佐々木敦さんとは、彼がまだ音楽評論や映画評論を中心にしていたときから編集者としての付き合いが始まっていたので、90年代に彼が「J文学」と呼ばれるような一連の作品の見取り図を作ったとき、今度は自分が書き手として、佐々木さんとは少し違う角度から同時代の小説について語りたいと思った。たぶんそれが僕が日本の現代小説について書き始めたきっかけなんです。

ところで話が少し前後するけれど、カタストロフや大きな災害のような、多くの人に共有された出来事という一般的な話と、一回きりの固有の出来事としての東日本大震災をどう分けて考えるか、そこは論点の一つにしていかないといけないと思っているんです。なぜなら東日本大震災の前には阪神淡路大震災があったし、大都市圏に限らなければその他にも平成の間に大きな地震(北海道南西沖地震、中越地震、中越沖地震など)は何度もあったわけです。それからもう一つ、日本にはいわゆる「戦後文学」と呼ばれるものがあって、「震災後文学」という言い方もそのような、「そのことの後であること」が文学にとって避けがたい一つの条件と言えるかが論点になる。やや挑発的な言い方をすれば、「東日本大震災後文学」なんだから、西日本は関係ないと言えるのか。もしそうなら、「震災後文学」などは局地的な問題でしかないことになるわけです。

僕自身の日本の現代小説との関わりをさらに遡ると、デビューから間もない頃の村上龍や村上春樹を大学時代に読んでいて、彼らの小説の新しさってなんだろう、というところから文学について言語化することを始めました。藤田さんと僕とが共通しているのは、高橋源一郎の『さようなら、ギャングたち』を読んで、これからきっと小説はものすごく面白くなるんじゃないかと期待したことなんですね。それは結果的には裏切られていくわけなんだけど、そのときの期待した気持ちを持続し続けられるかどうかが、さっき藤田さんがおっしゃった「ポップ文学」や「ポストモダン文学」に対する現時点での評価と深く関わることになるわけです。

さらに言うと日本のポストモダン文学は、ようするに「全共闘後文学」なんですよ。全共闘の時代がいわば「戦争」みたいなもので、その「戦争」で傷ついた人や、あるいはそこから距離をおいて見ていた村上春樹みたいな人にとっても、学園紛争なり全共闘運動なりが自分にとっての小さな戦争としてあった。彼らの小説はその「戦後文学」だと思って僕は読んでいたんですね。

そうすると東日本大震災の前にはバブルの時代があったけど、その時代にも「全共闘戦後文学」があり、その前には本当の戦後文学があった、ということになる。さらに言えば、阪神淡路大震災の後に、村上春樹の小説は根本的に変わったと僕は考えています。東日本大震災がもし日本の文学にとって大きな問題であるならば、95年の阪神淡路大震災は文学にとってなんだったんだろうか、ということとセットで考えるべきだと思うです。

藤田　なるほど。全共闘後文学というのは面白いですね。仲俣さんの批評家の立ち位置の特徴というのが、昔ながらの古い情緒的日本文学じゃなくて、アメリカの影響を受けたポップな文学を擁護する書き手として特徴が表れたと思うんですね。

仲俣　それはたぶん世代論的なものでもあると思います。いまはもうそういうことはないですが、10代後半から20代前半の自分は、文芸誌に載るような小説がまったく読めなかったんですよ。村上春樹や村上龍という書き手を発見したときの喜びは、「ああ、やっと自分の読める日本語の小説が見つかった！」という喜びだったんです。

藤田　正直に言うと、ぼくは、震災後に、自分が馴染んでいて、賭けた文学というか思想の潮流が大きく変わってしまって、途方に暮れている部分もありました。仲俣さんの『ポスト・ムラカミの日本文学』(二〇〇二年、朝日出版社)って、デザインが佐藤可士和さんなんですよね。文学のイメージを刷新しようとする意図をすごく感じます。

仲俣　あのシリーズ(『カルチャー・スタディーズ』)を企画した菅付雅信さんの趣味だと思います(笑)。でも菅付さんと僕はほぼ同世代だし、あの本が出た2002年はまだそういうポップな感覚が文学と同居することが、新しく感じられた時期だったんですね。あの本で僕は『海辺のカフカ』(二〇〇四年、新潮社)について、阪神淡路大震災とからめて論じています。じつは村上春樹の初期の読者のなかには、『ノルウェイの森』(一九八七年、講談社)で読むのやめたという人がすごく多いんですよ。その後に『ねじまき鳥クロニクル』(一九九四—九五年、新潮社)という素晴らしい作品があるのに。この作品を書いた頃には村上春樹は日本にいなかった。そのせいかわからないけれど、日本の戦後文学史は中上健次で終わる。私が読み始めた頃の村上春樹や村上龍は国語の教科書の年表にはまだ載らなくて、大江健三郎と中上健次でなんとなく終わる……という感じだった。だからそのあとの系譜を自分なりに書いてみたいな、と思ったんです。

次に『極西文学論』(二〇〇四年、晶文社)という本を書きましたが、あれはいまの日本は「極東の島国」じゃなくて、アメリカよりさらに西にある「極西の島国」だろうという、かなり強引なマッピングをしただけの本なんです(笑)。でも日本をユーラシア大陸の東端にある国とみるよりも、太平洋のいちばん左にある国として位置づけたほうが、いまの自分たちの居場所を表現する上ではぴったり来るという実感があった。もっとシンプルに言うと、いま自分たちが生きている時間と空間はどこなんだろうという問いを、小説を題材に書きたかったんですね。

時間軸に関しても、上の世代は全共闘運動で傷ついていて、そこではきっとなにかあったらしいことはわかる。でもその前の「戦後文学」に関しては、もうよくわからない。そして自分自身といえば、東日本大震災のときに感じたような、以前と以後とで風景が一変するような同時代的な体験を一切しないで来ている気がします。藤田さんはどうですか？　批評家になる前も含めた個人史のなかで、以前／以後ができるような分岐点はありましたか？

阪神淡路大震災後に日本文化はどう変わったか

藤田　95年は大きいですよね。オウム、震災、インターネット、それらが同時に来たんですよね。拓銀の破綻も前後にありまして、世の中が暗くなって高度成長のノリが終わって不安が出てくると同時に、熱狂的な『エヴァンゲリオン』ブームがあり、その後、オタクカルチャーや萌えが急速に発展し、インターネットも普及して、世の中大きく変わったなって印象がありましたね。そして、そういう自分が生きている環境の「リアル」みたいなものを描いている作品にとても飢えていましたね。

仲俣　僕は95年には『WIRED』日本版の編集部で働いていました。だから自分にとっての１９９５年はWindows95とインターネットの年なんですね。阪神淡路大震災やオウムといった国内的な大事件よりも、グローバリゼーションの始まりを肌身に感じ始めたんです。

　もう一つ、また時間軸がとっちらかるかもしれないけれど、自分自身の中で現代小説が面白くなってきたのが90年代後半でした。97年に阿部和重の小説を読みはじめたんですが、コンテンポラリーな日本の小説のなかで、自分でもなにかそれについて書きたいと思えた初めての作家が阿部和重でした。その前のバブルの時代、１９８５年から89年のピークを過ぎて90年代前半までの日本の現代小説は、僕にはほとんど面白くなかった。どんな時代かといえば、よしもとばななの時代、あるいは高橋源一郎や島田雅彦の時代ですね。この人たちは今も小説を書いてるから、長く書き続けている点では尊敬するけれど、自分には必要なものとは思えなかった。じゃあその頃の自分は何を読んでいたかというと、新本格ミステリを読んでいました(笑)。つまり97年以降にやっと日本の現代文学が面白く思えるようになったことと、それまで新本格を読んでいたことは、自分のなかではセットなんですよ。だから80年代初めのポストモダン文学と２０１１年の震災とを直接つないでしまうと、自分の中ではリアリティがなくなってしまう。96～97年からようやく日本の現代文学が面白くなってきて、２０００年代もすごく面白かったのに、２０１１年でその何かが終わってしまったな、という感覚があるんですね。

藤田　なるほど。線の引き方はいくつかありますね。70年代から２０１１年をひとつのくくりにするのもあると思います。政治的なコミットメントをたくさんする熱血な時代から距離を置いてデタッチメントをして、身辺の、日常の生活や身の回りを整えるとか恋愛や友達と楽しく過ごすことを重視する価値観の文学が発展していくのが２０１１年くらいまであったのかもしれないですね。その代表者が村上春樹で、村上春樹は95年で目を覚ましたんですよね。地元の神戸が壊れてオウムが出てきて、現実から身を引いて虚構の中に閉じこもる態度が、オウム真理教のようなフィクションを信じてテロを起こすようなものを生むことに繋がったと感じたんでしょう。『アンダーグラウンド』(一九九七年、講談社)で、当事者のインタビューを繰り返したのは、そういう意味だったでしょう。しかし春樹が転向したことに反し、現実はネットで盛り上がり、オタク文化も隆盛し――ライトノベルやセカイ系なんていうのは、反省しなかった村上春樹だと思うんですが――また狂騒的モードというか、ポップ的モードというか、地に足をつけないモード自体はまだ続いたわけですよね。

仲俣　そうした藤田さんの見方だと、このときに日本的なポストモダン文学から村上春樹が離脱し、それまでのデタッチメントからコミットメントへ、という形で書き方を変えていった、という言い方もできますね。

藤田　そうですね。村上春樹が社会にコミットメントしたら、逆にその子孫であるライトノベルとかセカイ系のオタク文化がかつての村上春樹の位置を継いで、世の中にコミットしない「引きこもり」「虚構」に生きることを肯定しようとした。それがゼロ年代の基本的な時代精神であったとぼくは思っています。新海誠は『君の名は。』『天気の子』でコミットメントに転向したと思いますが。阿部和重は、デビュー作の『アメリカの夜』で、80年代的な「バブル」「イメージ」の時代の限界から、「衰退」と「実体」の時代への移行を書いているので、仲俣さんがよしもとばななどと線を引くのは分かります。

仲俣　その上で、の話なんですが、村上龍や村上春樹は自分のなかではやっぱり80年代の作家なんですね。90年代以後の彼らは、ローリング・ストーンズがまだ現役でやってるのか、というのと同じくらい、ずいぶん長く小説を書き続けてるという印象があった。そのあとに来るのが、『ポスト・ムラカミの日本文学』で論じた作家たちです。保坂和志と阿部和重は、僕にとっては最初の同時代的な共感の対象だったし、さらに吉田修一や星野智幸、堀江敏幸といった自分と同世代、つまり１９６０年代生まれの作家を共感的に読んできました。

　だから、さっき言った「すでに経験のある現代小説の作家が、必ずしも東日本大震災後に決定的な作品を書いてない」というのは、こうした同世代の作家たちに対して言いたいことで、なぜ書けないのだろうという疑問とセットなんですね。『極西文学論』はイラク戦争が続いていた時期に『群像』で書いていた連載がもとになっているんです。この連載開始に先立つ２００３年の初め、本当にイラクとの間で戦争が始まるのかどうか、よくわからない時期があった。始まるはずがないという言説と、始まるという言説が拮抗していたんです。実際に攻撃が始まったときは新宿の寿司屋で昼飯を食べながら開戦のニュースを見て、ついに戦争が始まるということに衝撃を受けつつ、いろいろと考えました。この間亡くなられた加藤典洋さんの『アメリカの影』(一九八五年、河出書房新社)の影響もあって、「戦時下」における日米関係から日本の現在を考える必要に迫られたんです。

というのも、僕らはアメリカに戦争で負けて、民主化した国で育った子どもたちなわけですよ。だから、もしイラクが戦争に負けて解放され、民主的な国になるならばそのほうがよいのかもしれない、つまりイラクに対する攻撃には絶対に反対と言い切れない自分がいました。戦争に反対することは、じゃあ先の戦争で日本はアメリカに負けないほうがよかったのか、という問いとセットになって、すぐには結論が出なかったんです。

「日常化した戦争」の終わり

藤田 「アメリカの影」問題は今の政治状況にもつながりますよね。アメリカ化、つまり、戦後民主主義は是か非か。そして、原発事故も、要するに日本がアメリカの属国であるから起こった部分があるわけですよ。日本の原子力政策は、アイゼンハワーの「アトムズ・フォー・ピース」に追随して起こったわけで、要するに核抑止の代わり、冷戦時代における極東の軍事的な防波堤みたいな側面があったわけですよね。だから、原発による被害を考えることは、当然、「アメリカの影」を考えることになりますよね。ところで、2011年以降政治小説が増えて、端的に言うと安倍批判小説みたいなのが出てきましたよね。平成で一番売れた文庫小説家は百田尚樹なんですが、百田尚樹なんかは「ウォー・ギルト・インフォメーション・プログラム」を信じていますよね。それは江藤淳が言ったことで、戦後の日本人はアメリカに占領されて、憲法も手を付けられ洗脳され、アメリカ的価値観、朝日新聞的リベラルに洗脳されていると主張している。要するに戦後民主主義批判ですよね。でも不思議なことに、百田は原発推進派なんですよ。日本の土地や福島の土着的な文化や生活が奪われたその原因を撃とうとはしない。百田の『日本国紀』を安倍首相もブログで読んでいるとアピールする。政治的には、リベラル、民主主義という戦後のアメリカ化した日本を拒絶したいムードがありますね。

仲俣 東日本大震災の後の時代は、政治的には短い民主党政権が終わり、安倍政権が長く続いた時代ですよね。だからいま論じていることが、本当に「震災後」という時間軸だけの問題で起きているのか、民主党政権後のバックラッシュみたいないまの政治状況の中での出来事なのか、それ以外のファクターも絡んでいるのかということは、しっかり腑分けしないといけない。イラク戦争が起きた2003年は小泉政権の時代でしたが、小泉は幅広い人気のあった政治家で、「自民党をぶっ壊す」と言って、のちに民主党を支持するような人でさえ、小泉を支持していた時代があった。2003年から4年にかけての時代は、もしかしたら、ここから新しい日本が生まれるんじゃないかという幻想があった時期でした。

そうしたなかで、大塚英志さんが「日

本の現代小説は戦争を描いてない」というようなことを言っていましたよね。あの頃の大塚さんは憲法前文の私案を出したりして、戦後民主主義の擁護者としてふるまっていた。思えばあの時期は憲法論も盛んでした。

ただ、日本の現代文学が本当に戦争を描いていなかったかといえば、そんなことはないんじゃないかと僕は思っていました。日本の現代小説にあるミクロな政治性も、ある意味でイラク戦争の「戦時下」に対する応答じゃないか。そう考えて書いたのが『極西文学論』だったんです。ただ、日本の現代文学に描かれた「戦争」のほとんどは、実際には起きなかった戦争のメタファーなんですね。たしかに自衛隊は戦地に行ったかもしれないけれど、日本という場所自体が戦場になったわけではないから、一種、危機の先取りとして書かれていた気がするんです。

それに対して東日本大震災は、放射能や津波のような自然災害も含めて、もしかしたら自分も死ぬかもしれない、という実感を与えた。そのことで僕自身の小説の読み方もそうですが、作家たちのなかでも小説の書き方に一種の「亀裂」が入ったんじゃないかと思うんです。震災が起きるまで、日本のポストモダン文学はきわめて洗練されたかたちで、いい成長の仕方をしていた。その矢先で震災が起きた、という印象があるんです。

藤田　なるほど。ゼロ年代は確かに「日常化した戦争」の作品が多かったですよね。三崎亜記『となり町戦争』（二〇〇五年、集英社）とか、セカイ系もそうだし、伊藤計劃もそう。思うにポストモダン文学も時期によって分かれてて、80年代がポップな、高橋源一郎であるとか、あるいは村上春樹。よしもとばななも入れていいと思うんです。消費空間としてのポストモダン的な状況を描いた作家がいるわけです。阿部和重とか、95年以降はメタフィクション、ポストモダン文学が必死さを持つんです。『エヴァンゲリオン』もそうなんですが、佐藤友哉とか阿部和重とか、切迫感が強くないですか？　自傷的になっていくというか。最終的に２０１１年でひとつ断たれると思うんだけど。ポストモダン前半は、高度消費者社会というか、日本の平和で豊かな時代に相当しています。95年で、経済的に陰りが出てくる。そこで一つ、切断線がある。オタク文化は２０１１年で終わったみたいなことを竹熊健太郎さんや森川嘉一郎さんが言ってますが、そこで言っているのは、オタク文化は、80年代的な平和で豊かな同じような日常が続くことを前提としたコンテンツで、先ほども言ったように、80年代の感覚を虚構的に維持してきた文化だった。震災後は、そういう感覚になりにくい時代になってしまった。でもやっぱり震災後もオタク文化は続いていて、今では異世界転生モノとか『けものフレンズ』とかが、現実逃避的なんだけど、現実が存在することの不安感も作品の中に構造化されるようになった。

仲俣　大雑把に言えば、日本のポストモダン文学は二段階で進んだと思うんです。76年に村上龍がデビューし、79年に村上春樹がデビューしている。その70年代後半から80年代後半のバブル期を越えて、92年くらいまでがポストモダン前期。その後のバブル崩壊から00年代のリーマン・ショックまでがポストモダン後期。ポストモダン後期はオウム事件や阪神淡路大震災もあって、全体としてダークで殺伐とした時代だったと言われるんですが、いま思えばまだ、その殺伐さを楽しめる牧歌的なものもあった。そうしたポストモダン後期も、2011年に完全に命脈を絶たれたという気がしています。

震災後の（メタ）フィクション

藤田　最近の学生を見ていると、殺伐さやシビアさがダイレクトに響いて嫌がっているんですよね。それを見ると、90年代的な、自傷や自嘲を楽しめたり、それを求めた文化も、ある種の余裕の産物でもあったのかなとも思いますね。震災後の話ですが、2011年以降って遊戯性とポップさがなくなってるけど、メタフィクションという形式そのものはむしろ広範化しているのが興味深いんです。どこにその形式があるかと言うと、ひとつはディストピア小説の形で、もう一つは語ることの困難とか倫理とか重いテーマ。もう一つは歴史とか痕跡をどう伝承するかという問題系。ポストモダン文学が発展させたメタフィクションの技法自体は残ってるんだけど、使い方の方向が違う。これをどう理解したらいいのかなと思いまして。その典型なのが上田岳弘さんでネット時代的な、コンピューター的なハイテクメタフィクションを書きつつ、日本神話の再構成を志向していますよね。彼は、95年と2011年の二度の震災を小説で扱っています。そういう神話的想像力を持っていて、土着的なもの、神話的なものにアプローチしながら同時にポストモダン的な、ネット時代的なゼロ年代的感覚も持っていて、2011年以降の日本文学を代表する面白い作家だなと感じました。

仲俣　日本のポストモダン文学が行き詰まったことにはいろいろな理由があって、一つにはその世代の作家が芥川賞の選考委員になったりして、偉くなってしまったんですよね。そうなると文壇的な意味では「上がり」になってしまう。エンターテインメント系や小説誌でも書くような作家は多作だけれど、純文学系の作家は、作品が発表されるインターバルがどんどん開いている気がしています。

僕はそのあとに出てきた若手の世代の小説家をあまり丁寧に追っていないんですが、印象だけで言うと、ものすごく洗練されている。洗練されているけれど、これは別に否定の意味じゃなく、小ぶりというか、それこそ先ほどの『影裏』のような短い作品が多い。後続世代の作家にも、ポストモダン的な手法が残っているというのはまったくその通りですね。あるところで「震災後文学」を五冊、選んでほしいという話があって、そのなかで僕は多和田葉子の『地球にちりばめられて』（二〇一八年、講談社）を選びました。これはとてもいい小説で、震災後文学の代表作の一つだと思います。先ほども言ったとおり、僕は『献灯使』はあまり評価できなかったんですよ。

藤田　それは震災後の放射能汚染を煽りすぎだってことですか？

仲俣　そうですね。あの時期にはあの書き方しかできなかった、ということもあるでしょう。多和田さんは基本的にドイツにいるし、そのドイツが震災後すぐに脱原発を表明したから。『献灯使』もいま読むと悪い小説じゃないですよ。でも震災後すぐに読むと、多和田さんほどの作家にしては、想像力の働かせ方をそちらに向けるのは、ちょっと余裕がないなと思ったんです。

藤田　一部の福島の人たち、もしくは福島を擁護する人たちは、ああいう作品も放射能デマに等しいんだと話していますよね。で、木村朗子さんはそれに抗ってそういうものが震災後文学のコアだとおっしゃっていて。

仲俣　あのとき読むと、僕の中にもつよい拒絶感があった。そういう風に書くのではない書き方はないのかな、と。最近、『地球にちりばめられて』の続編の『星に仄めかされて』（二〇二〇年、講談社）が書かれたけれど、これらの中では日本という場所がなくなっている。地球の反対側のドイツの視点、自分では直接的に揺れた大地や震災自体を経験していない作家が、一から想像力で書いた小説としては、こういうディアスポラみたいな話に繋げて書く距離感のほうが、はるかにいい小説になると思ったんです。震災後文学の議論で言及すべき作品として、あとはやはり、いとうせいこう『想像ラジオ』（二〇一三年、河出書房新社）があると思います。

藤田　『想像ラジオ』もメタフィクションですよね。死者を想像してしまうこと、フィクションを作ることの是非を問う小説ですね。おそらく表象不可能性の議論を踏まえながら、しかし想像してもいい、それが偽物であると表現している限り……というギリギリの葛藤の末のメッセージがある作品でした。

仲俣　その問題がかなり議論を呼んで、結局、芥川賞はとれなかった。でも表象可能性、不可能性の議論には僕はあまり入り込む気はないんです。あれはようするに、いとうさんが「小説を書けるようになってしまった」という話じゃないですか。震災で書けなくなる作家がたくさんいた反面で、いとうさんだけが、あのときにスイッチが入って、「小説が書けて」しまった。

藤田　書くことの倫理と、表象不可能性みたいな議論はパラレルだと思うんですよね。書いていいんだ、物語が必要なんだ、という使命感が駆動したんしょうね。そこは、ヒップホッパーとしてのいとうせいこうが関係しているようにも思うんですよ。つまりヒップホップって地域をレペゼン（表象）するわけじゃないですか。わりとそういうノリで死とか死者とか追悼みたいな、神がかりになりかねないものをポップに脱臼させつつ、現代化させる狙いの本だろうなと思うし、それで三島由紀夫みたいな方向性からズラすことに賭けたんだと思う。

仲俣　そうですね。だから古川日出男の『馬たちよ、それでも光は無垢で』（二〇一一年、新潮社）ともその意味では似てる。新潮社の編集者、矢野優さんと車で被災地に行くというノンフィクションが、いつの間にか小説に「侵食」されてしまった。

藤田　被災地に、自分の小説のキャラが出てきて、語り掛けられる。最初に読んだとき、本当にどう理解していいのか苦しみました。昔のライトノベルのあとがきで、作者とキャラが掛け合いをするのがありましたが、あれと同じじゃないかと思ったんですよね。だから滑稽でチープなんだけど、同時に深刻で厳粛な雰囲気もあり、それが古川日出男なんだな、と今では整理がつくのですが。

仲俣　先ほど話題にした「震災後文学」の五冊の中に、この作品も入れるかどうか迷って、最後には外したんですが、あの作品はいまも論じがいはあると思っています。ようするに、古川さんは事実としてのリアリティより、小説のなかのリアリティのほうを重視したわけですよね。小説のキャラクターが現実に出てくるというのは、「小説の中に震災を入れる」のではなく、書いてしまった作品の登場人物や、動物さえもが現実に染み出してくるという形で、フィクションの固有の領土を確保しようとした作品だと私は理解しました。川上弘美さんの『神様２０１１』と同じで、震災直後に小説を書くなら、こうするしかなかったのだろうという、一つの症例だと思うんです。

藤田　誠実な混乱って感じがしますね。

仲俣　ええ。そのほかには絲山秋子の『離陸』(二〇一四年、文藝春秋)を挙げました。震災にも直接言及しつつ、より大きな死、この世界からあちらの世界へと離陸していく人々への鎮魂という、比較的にスケールの大きな作品として印象深いですね。

　絲山さんも最近は『御社のチャラ男』(二〇二〇年、講談社)のような面白いものを書いていますが、ながらく鬱で苦しまれていた人でもあるから、被災とは直接的に関係のない苦しみと、震災後に人々のあいだで広範に共有されたであろう悲しみとの間で、なんらかの相互作用があったのかもしれない。絲山さんの小説にもポストモダン的な手法がありますが、同時代の作家として私がずっと読み続けてきたなかで、もっとも頑張っている人だと思います。藤田さんにとっての「震災後文学」のベストはどうですか。

藤田　やっぱり図抜けてるのは上田岳弘さんと、滝口悠生さんかな。この二人はすごいと思います。あと、沼田真佑さん、若竹千佐子さんもぼくは評価したいです。この人たちはすごいですよね。

仲俣　ただまあ、何度も言いますが、全体に短いですよね(笑)。かなり洗練されているから、短いなかに濃縮されてしまうのでしょうか。

藤田　上田さん、滝口さんはでかいものをも書いてるんで、ちょっと違うかもですが、洗練されてはいますよね。芥川賞とるまでは短い枚数で、っていう文壇事情もあると思うんですよ。長編をいきなり連載させたり単行本化しても売れないでしょうし。それ以外では、個人的には、今思うと、やっぱり『恋する原発』や辺見庸さんの『瓦礫の中から言葉を』(二〇一二年、ＮＨＫ出版)も重要だったと思うんです。

仲俣　どういうところへの評価ですか。

藤田　辺見さんは石巻出身で共同通信で働いていて、言説空間がいかに硬直していくのかを『1984』を使って本書で警告していて、早いもんだなと感じました。震災後に言説空間がどう硬直していくかのシミュレーションがほぼ合ってるんですよね。「下からの検閲」「おのずから」そうなっていくとも書いてある。辺見さんは故郷が壊滅してしまった当事者でもありながら、文学にある不謹慎さを擁護していくわけです。坂口安吾は、空襲を経験したけど、空襲は美しいと書いた。震災は、それを書けないとしたら何故かという問題提起を、自分の故郷の壊滅に遭遇した人が言ってるから、非常に両義的で問題提起的だと感じたんです。なんだか開いてくれる感じがあって、これはぼく好きでしたね。

震災後の表現の(不)自由

仲俣 そこの話に行きましょうよ。やっぱり、まだほんとうの当事者は書いていない。そもそも死んでしまった人は書けないわけですし、技術的にまだ書けない段階の人もいるかもしれない。逆に、震災で直接的には生き死にには関わらなかった人が、自分の中で起きた繊細な変化と震災がシンクロするようなことを書く小説は数多くありますよね。絲山さんの『離陸』に対する僕の評価も、僕自身が震災で被害は何も受けなかったがゆえに、あのような距離感の小説を評価しているのかもしれない。いまここに批評家が何人も集まって、こうやって震災後の文学について話す理由は、タブーというほどではないけれど、いまの言説空間における表現の不自由さや制約の掛かるメカニズムがあるからだとしたら、それはここでは外したいですよね。

藤田 そうなんですよ。2011年以前に文学や文化に接してた人間としては、不自由になっていることは率直に思うんですよ。あいちトリエンナーレで「表現の不自由展・その後」というのがあったけど、多分美術も近い気分を共有していると思う。大正時代とかにエログロナンセンスを楽しんでた人たちも、昭和になったら禁止されたりしてつまんないと感じたのと似てるかもしれない。人格形成を前の時代にしちゃってるから、新しい時代はこれでいいのかなって疑問に思ってしまうんですよね。アップデートするべきなのか、それとも、古い感覚を維持したままでいるべきなのかと。

仲俣 ネット上での言動や、ある種の批評家の振る舞いはそうなのかもしれないけれど、小説家が小説を書く際の想像力の働かせ方の中まで、そのような制約が及んでいると思いますか。

藤田 思いますよ。文芸誌に載る作品も小ぶりで穏やかですよ。島田雅彦さんの『スノードロップ』(二〇二〇年、新潮社)は、皇后雅子様と革命家が恋をして天皇と三角関係になるみたいな話をしているらしいんですけど。

仲俣 さすが、前期ポストモダン世代の本領発揮ですね(笑)。

藤田 ただ、今文芸誌にそういうの書いてもそれほどとんでもないことは起きないらしいんですが。でも、そういう自由な想像力は、今は新人の小説の中ではあまり見かけないですよね。

仲俣　僕もゼロ年代にはときどき文芸誌に文章を書く機会があったけれど、そのときも、文芸誌に載る作品をぜんぶ読もうなどとは思わず、面白いものがあれば勝手に書くというスタンスでいたんです。ただ、いまは文芸誌に力がないとは言っても、あれだけの文字数を載せられる媒体は、純文学の領域の中では大きな帯域幅を占めている。いま藤田さんが『ららほら』という新しい媒体を立ち上げるのは、それとは違う言説の領域を確保したいという気持ちがあるわけですよね。

藤田　そういう気持ちがありますね。いわゆるPCや言葉狩りの問題があって、それに反対すると今では差別主義者や反動と言われがちなんだけど、そういう友敵構図じゃなくて、文学の中にはもっと複雑で繊細で矛盾して葛藤していることに対しても自由に言説を積み重ねていくことで公共性を確保する部分があるはずじゃないですか。その機能が最近壊れていないかという気持ちもしてます。ちょっと前に落合陽一と古市憲寿さんの対談がすごい炎上しましたけど、ぼくは擁護したんです。批判する人は、言説の内容が社会に影響を与えて規範を変えていくことを問題視して批判しているんですよね。でも、ぼくは、こういう人たちがこういうことを考えていてこういうことを言いたい、ということを知るサンプルに使えると思うんですよ。それ自体をなくすのは、世界や社会や人間を正しく知るという目的のためには良くないのかなと感じるんですよ。

仲俣　ネットでテキストが流通し、それが読まれてオーディエンスからの反応が生まれるメカニズムは、文学作品であれ、作家同士の対談であれエッセイであれ、これまで文芸誌や紙のメディアが作ってきた時間の進み方の感覚とはずいぶん違います。紙のメディアの中ではかなり広い自由があったのに、同じ言葉が、ネット空間に晒されることでその自由を失っている気がします。

藤田　そうですね。ぼくは比較的ツイッターを使っている批評家ですが、ツイッターではイデオロギーも激化するし全部断片だけ見てワーワー言ってて、これが根本的に文学の理念に敵対していると感じるんですよ。SNSがやっぱり内面化されてくるところはあるんですよね。

仲俣　その問題とは別に、ツイッターも他のSNSも全然やってない、ネットには一切書かないような人でさえ、いまの状況のなかで想像力や表現に制約の枷がはめられているとしたら、そこにはより大きな問題がある気がします。

藤田　ややこしいのは、これがいわゆる差別発言とかポルノの自由を求める論調と混同されがちなことなんですよ。そういう話ではない。そして、検閲主体も誰なのかも分からない。権力なのか。そうではなく、もっと自主的なものか。あるいは、検閲ではなく、正当な倫理なのか。それが見分けがつかないんです。

文学と倫理
――北條裕子『美しい顔』をどう読むか

仲俣　そろそろ北条裕子さんの『美しい顔』(二〇一九年、講談社)の話もしないといけないですね。あの作品をめぐる騒動が露呈したのは、フィクションとノンフィクションとの間では震災という表象に対する倫理の水準や、そもそも考え方が随分違うということでした。結局あれは、新潮社と講談社とがバトルしたという単純な話ではなくて、新潮社の文芸部門とノンフィクション部門、講談社の文芸部門とノンフィクション部門との間での価値観の違いという、多層的で複雑な構図だった。ようするに、同じ社内でも文芸とノンフィクション部門では考え方が合わなかった。ノンフィクションの言説がもつメカニズムと、文学との関係はどうあるべきかという話を、同じ新潮の社内でも調停できなかったという話らしいんです。

藤田　なるほど。個人的な意見ですが、盗作云々はテクニカルな問題であって、引用文献をつけなかったミスはそれはそれで謝ればいいと思うんです。法的・慣習的にはそれでいいんだけれど、今回の問題の本質はそこじゃない感じもするんです。震災をネタに自分を偽被害者としてPRする、そしてそれを利用するメディアの人が出てくるという内容ですよね。両者の関係の間にはある種のエロティシズムがある。その内容についてまず腹が立ったというのが一つあると思うんです。あんまり論点にならないけれど。要するに「在日特権」とか「弱者利権」的な視線ですよね、嘘で被害者を演じて金を稼いでいるんでしょ、という。偏見を助長することによる世論への影響はあると思うし、多分実態とも大きく違ったと思うんです。被災した人たちが書いたものを利用したことの倫理的な是非もあります。金菱清さんの論点だけど、被災した人たちが辛い思いして書いた文章をそのままに近い形で使って、芥川賞候補作家になって、名誉も金もその人に帰属する。悲惨な経験をして、一生懸命書いた人たちにはお金や名誉はいかないわけです。ある意味で文化盗用みたいな、体験盗用というか、生の経験それ自体の盗用に近い問題ですよね。ぼくはその問題提起自体は分かる一方で、文学はこれまでもそうしてきたという意見もその通りだと思う。

仲俣　あの騒動も、インターネットという場所がもつメディア特性が絡んでいるので、いろいろと面倒な話になっているけれど、作品そのものをどう評価するかといえば、群像新人賞を与えるくらいの出来ではあると思います。でもやはり、冒頭のカメラマンに対する露悪的な場面が読むとかなり不快で、そもそもあまり上手な小説でもない。そこに盗作や倫理の問題が出てきてしまったので、作品の水準をめぐる議論ができないまま、倫理の問題に行ってしまった。そのあたり藤田さんはどうですか?

藤田　率直に言うと、とても面白かったですね。タブーを破って奔放に跳ね回るような文体は面白く、こういうものが書かれて喝采する人の気持ちはわかるんです。こういう人間は、震災以外ではいますからね、現実に。でもぼくは被災地に行って金菱さんにも会ってるから、書くのにも、書いてもらうのにも、どんなに苦労してるかもわかるし、生きるか死ぬかのギリギリまで行ってるわけですから、それを勝手に使って、ばっちり化粧した顔でドヤられてると、そりゃ腹立たしいでしょうね。文学の自由と倫理の関係が震災後に変わってきたことの、顕著な例が本作の騒動だと思うんですが。

仲俣　北条さんの作品の若い女性主人公の饒舌な語りは、ある意味で、ゼロ年代の舞城王太郎の小説がもっていた饒舌体とも響き合う、ある種のエクストリームな小説の流れも踏んでいるので、現代文学の系譜にそれなりに位置づけられます。ただ技術的な欠点をどうジャッジするか、あるいは単純にこれそんなに面白くないんじゃない？　といった話にならず、ノンフィクション作家がこう言ったから、とかいうような話になっていくと、文学の自立性を確保することは、なかなか難しくなっていきますね。

坂田　『ららほら』を東北の人たちがどう読んだか、というリアクションはありますか？

藤田　直接ぼくにはあまり来ていませんが、執筆者の周囲の方の感想を聞くと、「そんな風に実は考えていたの？」「あなたの人生はそういう風に変わったんだ」みたいなリアクションが来たそうです。

坂田　私は仙台で被災していて、自分の当事者性にはいろいろな意味で不安定なものを感じています。率直に言わせていただくと、そんな私にとって『ららほら』にはあまり胸を揺さぶられるものはなかったんです。執筆者の何人かはすでに知り合いで、正直何度も聞いたような言葉だなと思いました。繰り返されて熟れた言葉になっていました。２０１７年の芥川賞までの作品についても同じで、何を読んでも「これは全然当事者的じゃない」と感じてしまって。それに対して、北条裕子さんの作品を読んだ時、その想像力にとても驚きました。私はメディアの研究をしていて、震災後ずっとノンフィクションによる震災の伝え方について考えてきました。ノンフィクションでは表現できることに限界があり、全然伝わらないもどかしさがありました。北条裕子さんは、ジャーナリズムの方がフィクションだとおっしゃっていて、その時まさにその通りだと思ったんです。私、ずっと『美しい顔』が読めなかったんです。怖くて。今週の水曜日、講義で『美しい顔』を学生たちと読んで議論しました。被災していたのは私ともう一人の院生だけだったんですが。私はずっと読めなかったこの作品を授業の直前に読みました。最初から涙が止まりませんでした。作品の主人公が私が知っているある女性とぴったりと重なりました。メディアに晒された主人公と同じ気持ちを抱いているだろう人が頭に浮かび、作品の中の場所や登場人物まで具体的に頭に浮かぶんです。その上でなんで？　と恐ろしく感じました。本当に北条さんが当事者じゃないとしたら、そうしたらどういう才能なの？　と。震災の当事者と知り合いで一緒に書いたんじゃないかとさえ思いました。

仲俣　でも北条さんは謝ってしまったんですよね。たしかに小説にはそういうところがあります。北条さんはあの作品を、震災の当事者にシンパシーを感じて書いたのではなく、自分の抱える固有の苦しみを表出するにあたり、あの震災を使ったというような言い方をしていました。でも、たとえそうだとしても、そうした経緯を何も知らずに小説を読んだ人が、心を揺さぶられるということがある。揺さぶられるからといって、それがよい小説であるかどうかはまた別の話ですが、批評家が読むように小説を読む人ばかりではないので。

坂田　実は私、石井光太さんについてはともかく、金菱さんがなぜそこまで反発するのかよくわからないんです。私も同じような経験をしているので、私ならこれは当事者がずっと言えずにいたことだって伝えたいんですよね。

仲俣　その部分は僕は当事者ではないので評価が難しいところですが、良い話を聞けたと思います。いまの話を逆に言うと、石井光太さんはノンフィクション作家ではあるけれど、彼自身が「文芸的」な書き方をしてる人でもあるから、引用の問題や、直接的な類似表現を引っ込められていれば、ここまで大事にならずに調停ができたと思うんですよね。

坂田　あの作品が本当に彼女の才能なのかどうかは、二作目で評価するしかないでしょうか。

藤田　それは大変貴重なご感想をいただけたと思います。メディアが「現実」なりを作り出す、その期待に応じて演じていくようになるということは、被災地に限らず様々な場所で普遍的に起こっていることだと思うんですよね。だから、被災地で起こっていることと読者が思ってしまうような内容を書けたことは不思議だとは思わないんです。逆に見ていくと、そういう現実がありそういう経験をしている人間がいるにもかかわらず、それが表に出たり、共有できないタブーになっているのかの方に問題があると思うんですよ。

仲俣　作品が世に出る機会はそう簡単に奪われてはいけないと思うので、改稿されて単行本になったことは良かったと思うんです。しかもこれは、たぶん北条さん個人の問題でもない、ある種の構造の問題でもあるのではないかと思います。そこで、ここからは会場のみなさんと少しディスカッションしたいと思います。ディストピアの話題も出たので、まずは円堂さん、いかがですか?

円堂　多和田葉子『献灯使』とか吉村萬壱『ボラード病』(二〇一四年、文藝春秋)とか、現実の日本とは違う世界に設定しているにせよ、原発事故の影響について露悪的に表現した作品が純文学では多かったでしょう。一方でフランスの週刊新聞「シャルリ・エブド」では相撲の力士が奇形になった風刺漫画を描かれて、日本では批判されたわけじゃないですか。『献灯使』が一般レベルで知られればその手の批判は出るだろうし、文学っていうフィールドのなかだから受け入れられる表現だという印象はありましたね。

仲俣　たしかに、もし『献灯史』がベストセラーになって、奇形的なことも含めた表現に関して社会から批判が集まったら、そのときは擁護したい気がします。文学作品としての評価では、こうした想像力の行使の仕方に危うさを感じるけれど、「それはしてはいけないことだ!」という批判に対しては、「下手な小説を書く自由もある」と言いたい(笑)。そこが二重構造で難しいところですよね。

円堂　過去の映画でも、被爆の表現で恐竜が怪物化する『ゴジラ』はよくても『ノストラダムスの大予言』での奇形化した人間の食人の描写は、被爆者団体から抗議を受け作品が封印された。いいかどうかの線引きは明確でなくときどきで違うし、表現するにはそれとつきあい続けるしかないんだろうけど。

仲俣　自然主義リアリズムとは言わないまでも、普通に現実を表象するタイプの小説のほかに、ある種のディストピアも含めて、神話的なフィクションの系譜もありますね。藤田さんはそちら側だと、どのあたりの作品を評価します？

藤田　ディストピア物として、村田沙耶香さんや『ボラード病』を評価しています。ぼくはディストピア物が基本的に好きなんですよ。ただ、授業で学生たちに読ませると、とても面白がる学生がいる一方で、すごい暗い気持ちになって嫌がる傾向もあるんで、ちょっと考え直さなきゃいけないかなと思っていまして。80年代とか90年代のディストピア物は、この現実と全然違って、自分とは無関係な刺激的な別世界という感じで楽しんでいたような気がします。あるいは、こういう独裁的な環境に生きていることのメタファーですよね、家庭とか学校とかもそうでしょうし。そこで立ち上がることの心理的意義を伝える事には意味があると思うんですよ。ただ、最近の受け取り方としては、今はもうそう思えなくて、不安で暗い気持ちになって絶望感を抱くだけになってしまうんでしょう。現実はそうかもしれなくても、前向きになろう、復興頑張ろう！　ってなんとか意欲を奮い立たせている人たちにはこれが心理的に辛いだろうということは想像がつきます。タブーや表現の自由の話に戻ると、ディストピアものって、基本的に、多くの人がハッピーに思ってるけど、本当は悲惨だとか、何かが隠されているみたいな構図ですよね。『１９８４』も『すばらしき新世界』も『華氏４５１』も。検閲によって、現実が隠されている話ですよね。ディストピアものが流行るということは、そういう現実感覚というか、気分が多くの人に共有されているからなんじゃないのかな。そう感じやすい時代であるし、あるトピックに関して意見が割れて、その事実が確定しにくい状況の中で、プロパガンダ戦とイデオロギー戦が苛烈に起きる状況になってるから、右も左もディストピアのように感じるんじゃないか。右や保守派の論客たちもディストピアものを結構書いているんですよ。三橋貴明の『新世代のビッグブラザーへ』（二〇〇九年、PHP研究所）とか、百田尚樹の『カエルの楽園』（二〇一六年、新潮社）とか。イデオロギーが対立する側が、どっちも相手のせいだって主張しているんですよ。

長瀬　長瀬海です。非常に面白くお話を聞かせていただきました。僕も以前、震災後文学について論考を書いたことがあります。それを書くにあたって、すごい調べました。モレッティの『遠読』的な手法で、２０１１年から出た小説を全部見ていったら、やっぱり即時的な反応が多いんですよ。木村朗子さんは２０１１年後の文壇では、震災を題材に語ること自体がある種困難さを帯びていて、強い倫理性が求められてしまうから、2011年直後に文学者たちは言葉を容易に発せられなかったと言っているんですが、それはちょっと違うかなって思います。あの頃、つぶさに調べてみるといろんな人が震災に言及した小説を書いているし、現在を書こうとすると震災をモチーフにせざるをえなかった面もあると思います。それが、2017年ごろを境に一気に減っていったんです。代わりに政治と文学の問題が出てきて、みんな政治に走っていった。安倍政権の問題だったりを文学で書かざるをえなくなったという見方ができると僕は思っていて。そういうなかで、今、文学が震災を描くとしたらどういう風に描くかって考えたときに、僕は北条裕子のような作品を評価するべきだと思った。確かに北条裕子の手続きは甘かった部分はある。でも、倫理性を求める空気が強いなかで、北条さんがああいう作品を出したことの意味はもっと考える必要があるんじゃないでしょうか。2018年、2019年の現在、震災を題材に描くとしたら、やはり北条裕子のような手法があって然るべきだし、そこは認めてあげたい。

藤田　とても大事な評価、ありがとうございます。北条さん、ストレートにやりすぎてるのかなと思うんですよ。『ゴジラ』は、反核反米で戦後日本批判の作品だけど、怪獣という「幼稚」なものを敢えて噛ませて、所詮は映画ですよ、という逃げ道を作っていますよね。いとうせいこうさんの『小説禁止令に賛同する』（二〇一八年、集英社）という、検閲の状況下でどういう風に書くかをテーマにしている小説が震災後に出ているんですが、何かが言いにくいときにはそういう隠微なやり方をむしろ作家たちがやらざるをえないわけじゃないですか。『ボラード病』だって原子力の話にはしていないわけです。

仲俣　むしろ水俣病みたいなイメージですよね。

藤田　原因の物質を出したのは「三つ葉工業」っていう名前なんですが、三つ葉って原子力のマークを想起させるんですけどね。それはともかく、そういう変形をせざるをえないと作家たちが思っている状況で、北条さんはあまりにストレートだったわけですよね。そこが勇気があって気持ちがいい一方で、攻撃のターゲットになりやすかったのではないかな。

仲俣　高橋源一郎、笙野頼子、いとうせいこう、三人とも全員、日本のポストモダン文学の象徴ともいえる人たちです。その人たちがいま、政治のど真ん中に行ってる。これまでも大江健三郎さんみたいな人もいるから、常に文学者と政治の距離感は不思議なものだけれど、彼らもまた、ごく自然な反応としてそっちに行っている。震災の問題もある意味、政治の題材として書いてきた人も多いですよね。

藤田　星野智幸さんとか、安倍首相をテーマにしたような田中慎弥さんの『宰相A』（二〇一五年、新潮社）や『美しい国への旅』（二〇一七年、集英社）もそうですかね。あるいは平野啓一郎さんとか中村文則さんもそうでしょうか。

仲俣　まあ、星野さん自身は、自分はずっと早くから「政治的」な小説を書いてきたのに、政権批判が文学のなかでもアリとなった途端、みんながベタな政治小説を書いている、という言い方で、昨今の政治小説の乱立に対して批判的なことを言っていますね。ただそれも、遠くから見れば同じように見えるかもしれない。

それに震災後文学という言葉が、あの出来事の後に書かれたすべての文学、つまり震災を題材にしていないものも含めた総称だとしたら、そもそも小説作品の出版自体が減っている気がします。文芸誌に載っても単行本にならないのは検閲ではなくて、売れないから出せない。とにかく市場に流れる純文学作品の量自体が減っていると思います。そうすると何が起きるかというと、作家は売りたいから、ネット上の読者の視線や政治的な判断をますます気にするようになる。作家が表現者として作品のテキストだけに責任を持つという状況ではなくなっています。

坂田　倫理と政治でちょっと違う気がするんですけれど、政治的に表現が不自由になっているというよりは、政治に忖度するよりは、社会の中の倫理に忖度している感じはすごい強いです。

仲俣　政治に対する社会の感覚を先取りして、倫理観に気を使っているという意味であれば、そのとおりだと思います。

藤田　とはいえ、文学が面白いと思うのは、作家のいわゆる政治的発言と、書いていることが裏切り合っているところがあることなんですよね。星野智幸さんも、時代を批判しているけれども、作品の内容には日本ロマン派みたいな精神が内在化していたりする。内在的などす黒いモノ、時代の狂気と通じるようなものがあって、それと格闘しているようなところがある。そこが実は一番、文学の大事なところだと思うんですよね。玄侑宗久さんも『光の山』（二〇一三年、新潮社）などで書いていることと、それ以外のエッセイで書いてることは結構違う。東日本復興委員で活動してきたけれど、『光の山』はどうもそういう立場への皮肉な目線とか怒りもあるように読める。自己懐疑というかな。福島に放射性物質集めているおじいさんがいて、癌にもならず長生きして、放射能パワーですごくなって、山がミラクルマウンテンになってになって、紫のオーラが出て観光地になってみんな来ましたという、すごいポジティヴな話なんだけど、その全部が明らかに皮肉で、すごい怒りがあるようにも読めるんです。それが文学という、ストレートではない表現の存在意義と関係している気がするんですよね。

仲俣　そういえば最初に話題にした『S-meme』では、学生たちが『光の山』を震災後文学賞に選んでいました。

科学をどう表象するか

仲俣　最後に話題にしたいのが、科学の問題です。放射能や原子力の危険性の問題に関しては、震災以後ずっと不毛な議論が続いています。そのなかで僕が注目しているのが、小林エリカの『光の子ども』（二〇一三年—、リトル・モア）と『マダム・キュリーと朝食を』（二〇一四年、集英社)です。どちらの作品にも、そもそも放射能とか核という科学の発見はどこから始まったのか、という問いがある。まだ連載中のマンガ作品『光の子ども』では、キュリー夫人とラジウムの発見から放射能がどういう風に人類の認識を変えていったのか、というところまで立ち戻り、そこから3・11へと向かって行くと予測できるのだけれど、それは単純な反原発でもなければ、もちろん原子力もOKという話にもならない。こういう距離感で問題を捉えようとする認識が出てきたのはいいなと思います。

藤田　ぼくは正直、ちょっと苦手でしたね。放射性物質のある世界を擬人化したりファンタジー化するのは萩尾望都や『神様２０１１』もやってるんだけど、これは何故ファンタジーにするのかが見えなかった。『神様２０１１』は、日本の土着的な神話的想像力や無意識の感覚が、放射性物質のある科学的な世界観と入り混じるとこうなる、という寓意じゃないですか。つまり、原発事故が私たちの無意識的な神話的想像力を変えることのシミュレーションなわけですが、『マダム・キュリー』のファンタジー性は一体何なのかがぼくには見えないんですよ。

仲俣　『マダム・キュリー』よりも、マンガの『光の子ども』のほうがいいですね。こちらは基本的に科学史の話なんですよね。ソリッドな科学史、いわば人類史のなかにファンタジーを混ぜて描く手法はマンガという表現の持つ自由度だと思います。

藤田　確かに、原子力のイメージって、サブカルチャーで構築されてきたわけですよね。山本昭宏『核と日本人』(中公新書)とか吉見俊哉『夢の原子力』(ちくま新書)を読むと分かるけど。ファンタジー的だったりサブカルチャー的に表象をいじくることで、私たちの想像力に介入しようとしたのだと評価できるかもしれませんね。

仲俣　それに、たとえば「ラジウム温泉」なんて、僕も実際に入ったことはないけれど、なんとなく身体にいいように思っていたじゃないですか(笑)。核をめぐるそうした歴史的な経緯を忘れない営み自体は、あるべきだと思います。

藤田　確かに、歴史的な系譜は大事でしょうね。学生と話したら、日本が科学技術立国だったことも知らないんですよ。むしろ、おもてなしの国とか自然の国とか、アニメの国ってことになっている。そういう人たちの想像力の中に、原子力とか科学のことを入れるにはそうするしかないのかもしれない。しかし、自然の力で、科学技術立国の象徴たる原発が破壊され、今後のナショナルアイデンティティはどうなっていくのかっていう視野の中での議論がされるべきだと思うんですけど、あんまりそれが国民的に盛り上がっているという感じがないのは、個人的にはちょっとよく分からないことですね。自分たちの行末をどうするべきかという議論を、大半の人はしようとも思わないということなんだろうか。

ディストピアと表現のタブー

藤田　ディストピアとかタブーについての話なんですが。震災後文学の授業を二松学舎大学でしていたんですが、そこでの反応を見ていると、被災地はもうピカピカに復興して何の問題もないと思ってる学生がすごく多くて、驚いたんです。被災地に行けば、まだ震災でやられた建物がたくさん残っているじゃないですか。経済的にも、活気も、元に戻るわけではない。でも、PRされるのは、駅前の綺麗な建物でも祭りのときとか、明るいイメージですよね。首都圏で流布されているイメージと、実態のあまりに乖離っぷりに、「こりゃディストピア物っぽいな」と感じることは多かったですよ。ひょっとすると、震災は多くの人に、地方の惨状を目にし意識させたからこそ、東京を中心にイメージされていた「日本」像とのギャップの感覚を生んで、ポジティヴなイメージで現実を覆い隠したディストピアに生きていたのかもしれないと思わせたのかもしれません。あるいは、ポジティヴで素敵な世界に生きていると思いたい都市部のプチブル層の気分を害さないようにしようという善意こそが、ディストピア的な状況を生んでいるのかもしれませんね。

仲俣　それを考えるには、アメリカとの関係や原子力の来歴といった、そもそも論に行かざるをえない。たしかに政治小説は増えてきたけれど、「なんとなく反安倍」のスケールで留まっていて、もっとダイナミックな世界を描けずにいます。

　まったく別の話ですけど、早川書房から出たばかりの劉慈欣の『三体』を読んでいます。この小説は、地球文明全体が終わるという、ディストピアもあれだけスケールをデカくすればギャグになるみたいな小説なんですが、それが中国のような国家体制の中で生まれてくるわけです。SF的想像力のなかにある表現の可能性と、もっと泥臭い、地に足のついたリアリズムとの間で分裂しているように見えるけれど、『三体』ではその両者が繋がってるんですよね。

藤田　『三体』は文化大革命の話があったりして、中国の今の状況の寓話に読める箇所がいくつもありましたね。

仲俣　そう考えると東日本大震災だけでなく、そもそも先の戦争もそうですね。南洋の海に沈んだ人もいれば、中国戦線の泥のなかで死んだ人もいる。いろんな生き残り方や亡くなり方をしているがゆえに、「太平洋戦争／大東亜戦争／第二次世界大戦」をトータルに表象することは難しい。震災の死者のオバケが出た話が『ららほら』の前書きにあるけれど、これを読んで思い出したのが、村上春樹があるエッセイで、『ねじまき鳥クロニクル』の取材でノモンハンに行ったとき、夜に泊まっていたホテルが揺れた、それは自分が揺れたのか、それとも世界が揺れたのか、両者が不可分な体験だった、というようなことを書いていたんです。当時、僕はそのことに対して批判をしたんですよ。あなたがノモンハンで受けた精神的トラウマ、つまり個人的な心象と、現実の社会の出来事を安易にシンクロさせるのは良くない、と。それは一種の倫理的な批判です。ただ、そのように批判はするけど、シンクロしてしまったこと自体はしょうがない(笑)。文学者や表現者には、そういうことが起きるものなのだろうな、と思っています。そういう意味で、藤田さんの『ららほら』への長い序文はすごく良かったです。

藤田　ありがとうございます。ああいう文体と内容のことを書いたのは初めてなんですよ。結構勇気がいりました。起きちゃったんだから、仕方ない、書くしかない、ということですよね。内面の、ちょっとバカにされるかもしれない、気が狂ったと言われるかもしれない、そういうことも出さないといけないな、という気持ちですよね。幽霊を見たのも初めてだったし。自分の中で処理がうまくできないんですよね。なんだか、世阿弥が、複式夢幻能で、諸国巡礼の僧が、みちのくとかのある場所に行って人の話を聞くと、夢の中でかつてそこにあった世界やいた人の霊を見るというのをよくやっているじゃないですか。ぼくはそれを知らなかった。けど、そういうことが起きた。そのことの意味がよく分からないというか。あ、世阿弥の複式夢幻能って、リアリズムみたいなものだったのかと思いましたよ。

坂田　当事者の人たちの言葉を集める人たちの話もありますよね。多分一番当事者性を感じたのは藤田さんなのかもしれないですね(笑)。彼らは当時のグチャグチャが消えて綺麗に語ってるし、あっさり終わっている感じがしますね。沿岸部で被災された方たちも同じ話しを繰り返しているので、今ではすごく滑らかにお話をされるんですよね。痛みがかさぶたになってしまっていて、剝げば血が溢れるのかもしれないけど固まっているから大丈夫みたいな。だからジョークも言えるし。でも当時同じことが話せたかと言えば違うと思いますし、聞けたかというと絶対聞けなかったのだろうと思います。私は当時あちこちで話を聞きました。一方で、自分自身も避難しなければいけないなか、津波の被災者の人たちのことを置いて逃げる罪悪感とかいろいろと感じていたので。この人たちもっといろいろな思いをしてるはずなのに、いざ書くとなるとこんなにも書けないことなのかって思います。

藤田　基本的に、多くの人はわかりやすく咀嚼され、フォーマット化された「物語」のパターンを受け取りやすくなっています。多分、脳の仕組みとして。新聞とかメディアも、フォーマット化しているんですよね、おそらく、悪意なく。でも、それには収まらない経験や言葉、断片が現実にはあるわけで、文学という言語のあり方は、そこに意味を持ちうるんじゃないかと思うんですよね。それにじっくり取り組む読者共同体が存在する数少ない領域ですし。

坂田　見えるけど形にはならない言葉があって。逆に遠くからじゃないと見えないもの、初めて見る人じゃないと見えないものも多分あって。北条裕子さんもずっと何もできなかったと思って書き始めたそうですが、何かがいきなり降りてきた瞬間じゃないと多分できなかったのだろうと思います。彼女が本当に書いたとしたら、私が話を聞いた人たちの心持ちを伝えたいです。でも一般的な言葉になっていたので共感されましたよね。

仲俣　僕はとくに共感はしませんでしたが、エネルギーがあると思いました。実体験の有無と関係なく、あの小説にはエモーショナルに伝わる力はあると思いました。

坂田　想像だけで書いたとは本当に思えないんです。メディアを研究するなかで、メディアに晒されてきた人たち、同じ経験をしてきた人たちの話も聞いてきているので。

仲俣　北条さんにはモデルの経験もあるようで、被写体として視線に晒されてきた経験はあったのでしょうね。

坂田　彼女の経験は読み手に分からないので、純粋にこういう作品がやっと出てきたんだと思ったのが私の率直な感想です。

仲俣　北条さんの小説が潜在的にもつ可能性というのは、ちょっといい話ですね。震災後の小説や文学のあり方を倫理的に議論するよりも、そこから面白い力のある小説が出てくるのか、そういうものはどういう場に生まれるのか、という話をしていきたいですね。これからも小説は書かれ続けるのだろうけれど、質はともかく量として細ってきている。ネット上をみると、いま読者の関心はフェミニズムを主題とする小説に向かっているようだけれど、このことも震災経験となにか共通の根があるのかもしれませんね。

藤井　藤井義允です。今思ったのが、僕は2000年代は学生だったので、東浩紀さんとかあそこらへんの熱狂は知ってて小説面白いなっていうのがあったんですけど、2011年、震災後あたりから面白いというよりは真面目になった印象が強くて。読みたいなって思いよりは義務感で読んでるところが強くなっちゃったんですね。一方で見てると、ネットとかの空間は明るくなってる感じがすごくある。炎上とかは置いておいて、若い人たちがゆるやかな共同体を作っている感覚はあって。

藤田　それは感じる。ポジティヴで明るい感じで、ゆるやかなコミュニケーションで幸福感を得ている感じはすごいする。

藤井　それがディストピアに繋がっているのかもしれないですけど、ネットとかの言説、彼ら若い人たちの明るい言説がハッピーな方を流れてて、暗い方を文学が担っちゃってる部分が強いのかなって話を聞いていて感じました。

藤田　世代差はあるかもね。現状をわりとハッピーに感じている若い世代と、バブルなどを知っているから日本が酷い状態になっているとしか思えない世代とは、感覚が違うかもね。後者は、だから、ヘンな麻薬とか宗教で頭をハッピーにされて騙されてないか、と思ってディストピアの形式使うのかもしれないね。飯田一史さんが『東日本大震災後文学論』で怒って、斎藤美奈子さんがそれを引き受けてた問いだけど、暗い気持ちにさせて被害者ぶってどうするんだと。ちゃんと前向きにやらないとダメだよ、って言ってたね(笑)。そういう気持ちも分かるというか。ハッピーでいたいんだよね。

仲俣　最初に言ったとおり、村上春樹や村上龍の小説を読み始めた頃は、近代文学も戦後文学もまったく読めなかったんです。昔の子どもだから、軍艦のプラモデルとかを作っていて、太平洋戦争のディテールとか、知識としてはものすごい知ってるんですが、戦争が文学作品になったとたんに、文体も問題意識としても入り込めなかった。もしかすると、今後に震災後文学がそうなる可能性もありますね。

坂田　年齢はあるかもしれないです。『新聞記者』という映画観ましたか？　劇場には本当に大人しかいないんです。現状が暗いと悲観的に思ってるのは大人だけなのかなとも思います。何が暗いの？　って学生たちは無邪気に言いますし。

仲俣　そういう事態は実際にありえるし、そのこと自体を対象化して書く人が出てきたら面白いですね。新人類が還暦を迎える頃、本当のニュータイプが出てくる(笑)。

藤田　世の中のモードと、コミュニケーションのモードの差はあるかもですね。高度成長の時期の、発展とか成長をベースにした生き方とは違う、共同体とかコミュニケーションから生の意味や幸福感を得る文化に若い世代は移行しているのかもしれない。オリンピックやってオリンピックムードになって、前にポジティヴな祝祭があるというモードでどんどん震災を忘れていく状況で、それがウルトラナショナリズムにつながるんじゃないかと、昭和的な考えからは思っちゃうけど。でも、そのハッピーさを掻き乱すとしても、見たがらないものを拾って残していくのも文学の役割だと思うんです。前向きな勢いの強さが、見えなくしてしまうものがあるから。明治維新のときも、高度成長や科学技術立国の頃も、やっぱり文学や文化はそういう役割を担ったと思う。もう時間ですが、最後に、竹田さんから、一言お願いいたします。

竹田　双子のライオン堂の竹田です。このイベントを一緒にやろうと思った理由ですが……僕はずっと東京にいて震災の時は東京も揺れたじゃないですか。僕はすごい恐怖だったんです。半年くらい揺れにたいするノイローゼみたいなものがあった。でも、そういう話を東京の友人や職場の人と話せるところ、タイミングも場所もなかった。〝東京が揺れた恐怖〟についてはメディアとかからもほとんど聞こえなかった。当たり前といえば当たり前で、現地はそれ以上の状態なわけだから。被災した友人もいるし、お店のお客さんでも被災された方がいて、いろいろ話を聞いていると、そこでも皆さん「うちは全然被害ないから」と周りと比べちゃってて。そうなると東京で感じた恐怖の話はどこでもできないなって。そんなことを思っている前後で、『ららほら』に寄稿している室井光広さんの『三田文學』の連載が衝撃的に終わった。室井さんとは大学の先生と教え子の関係でずっと面倒を見ていただいていたんです。彼は南会津生まれで、東日本大震災の時は東京にいらしたんですが、故郷が、仲間たちが……ということで、かなり苦しんでいたようで、連載も異様な形で終わったんですね。この時は少し交流がなかったころだったので、あの連載をみたあと僕はかける言葉がなかった。3年くらい経ってからフラッとメールが来たんですね。それから交流がまた始まり、震災の話や文学のこれからの話を断片的にするようになってきた中で、『ららほら』が送られてきたんです。ここで藤田さんと交流が始まる。この縁が重なって、仲俣さんと藤田さんが一緒にこのイベントをやりたいと相談してくれました。文学の中でも何度目かの震災文学というワードがこの一年くらい出てくるようになっていて。けれども、やっぱり話しづらさはあった。でも、東北の出版社荒蝦夷さんとの交流もあって震災関連の本のコーナーもある当店は、そういう議論ができる場、東京で語れる場にしていくのもありかなと思ったりして、この開いてるか閉まっているか分からないゆるい本屋という空間で震災文学について話し合うイベントを一緒にやりましょうとなりました。

藤田　こういう場で語れるようにしていただいて、感謝します。きっと、誰か必要な人に届いてくれるでしょう。

第2回

東日本大震災と、芸能の力

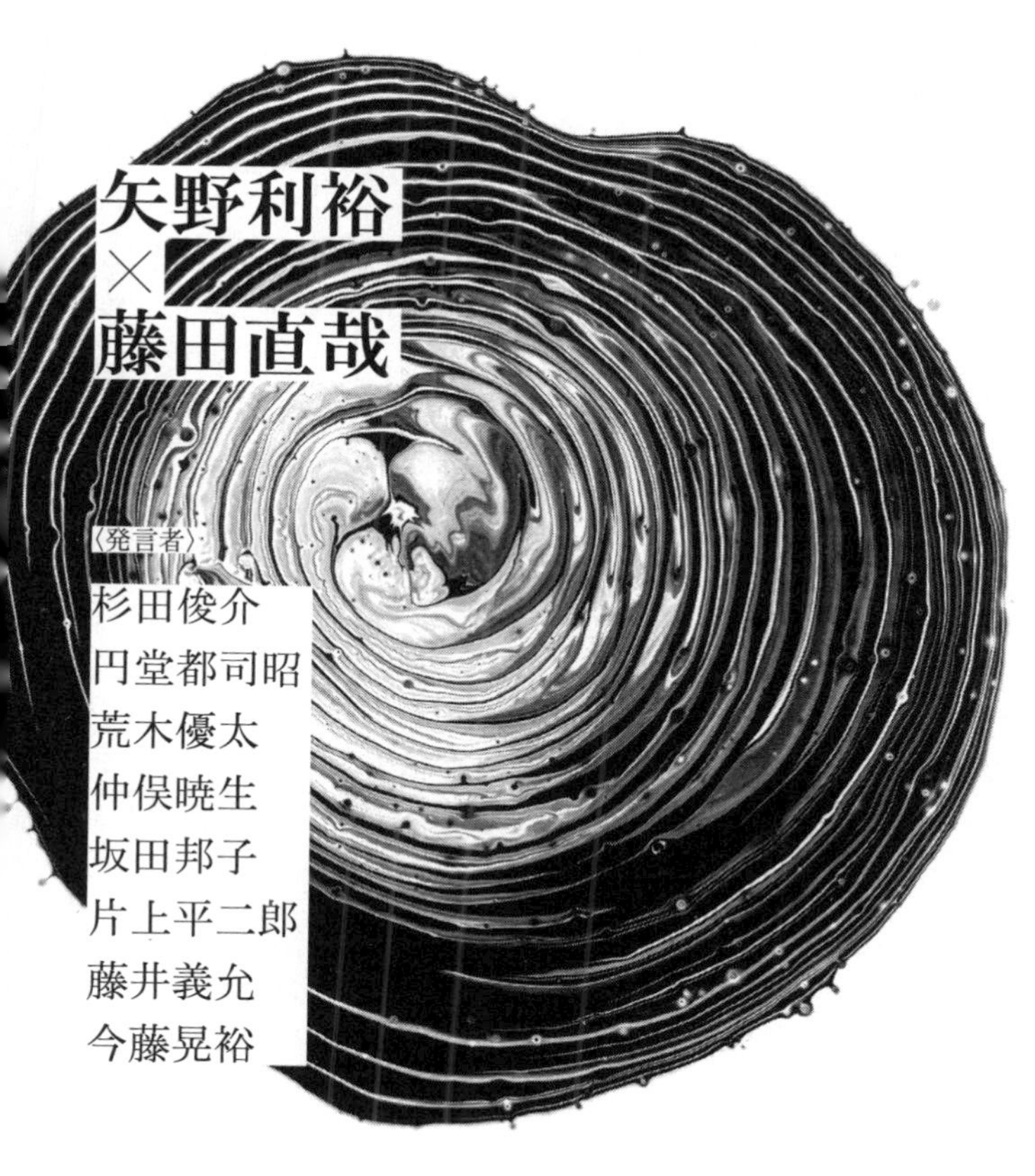

矢野利裕×藤田直哉

〈発言者〉
杉田俊介
円堂都司昭
荒木優太
仲俣暁生
坂田邦子
片上平二郎
藤井義允
今藤晃裕

藤田　第二回は、『ＳＭＡＰは終わらない』（二〇一六年、垣内出版）、『ジャニーズと日本』（二〇一六年、講談社現代新書）、『コミックソングがＪ-ＰＯＰを作った―軽薄の音楽史』（二〇一九年、Ｐヴァイン）などの著者、矢野利裕さんにお越しいただきました。あとで詳しく語ると思いますが、矢野さんは「芸能」寄りの美学をお持ちで、明るく励ましていくことをむしろ肯定される批評家の方かなと思います。それは震災後に多くの芸能人たちが使命として担おうとしたことですが、それは文学の、ひたすら暗く内向的な傾向とはちょっと違ったと思うんですよ。そのあたりのことが、今回の対談の軸になっていくといいのかなと思います。

矢野　『ららほら』で印象的だったのは、平山睦子さんのエピソードです。震災前までは「精神科の薬」を飲んでいたんだけど、震災後に女医さんに聞いたら「飲まなくて大丈夫ですよ」と軽く言われて「いいんだ！」と思った、と。女医さんが「後光を放つ観音様に見えた」「常識の中で暮らす息苦しさから解放された」と書いていて、こういう話は当事者じゃないと出ないなと思いました。震災というものが、それまでの関係性におけるストレスからの解放として機能している。

　他方、大学の先生をやってらっしゃる大澤史伸さんは、ゼミの合宿中に北海道でまた被災してしまうんですよね。そこで、教師と学生という関係性から被災者仲間という関係性と変化することで、新しい人間関係を築き直す。震災や災害はいままでの関係性とか社会のあり方を一回壊すものですが、それがポジティヴに作用した人もいた、あるいはそういう面を見つけた、というところが印象的でした。このような震災前のあり方だったら出てこなかった声を集める場をセッティングすることが大事だと思っていたので、藤田さんが『ららほら』のようなものを作ることは、貴重で素晴らしい試みだと思いました。

藤田　ありがとうございます。どちらも矢野さんがまとめてくださったように、関係性が大きく変化していますよね。それと、どちらにも躓く細部が随分ありますよね。そういう細部こそが、この本の「文学性」になるかなと思ったんですよね。坂口安吾が「文学のふるさと」という文章で、ぼくらを突き放すような事実性が「文学のふるさと」だと言っているんですよ。ただただ世界や人間がそうであるという、残酷かつ厳然たる生の有様みたいなものがあるわけですよね。

矢野　『東日本大震災後文学論』では、藤田さんが「わかりやすい構図に回収できない、不可解なもの」に向き合うべきだと書いていますね。

藤田　当事者は、分かりやすい言葉を、サービスとして語ってくれてしまうパターンみたいなのがあるんですよね。絆の力で頑張ります、亡くなった人の分も生きます、みたいな。なるべくそうじゃない言葉をちゃんと発して流通できるようにしていくのがこの本の肝かなと思っていましたね。

矢野　そういう意味では問題意識が結実した形になりましたね。

藤田　もう一個の問題系が、震災後に自由に語れなくなっているということですね。

矢野　なるほど。正直な話をすると、僕は震災以前以後の変化というものを他の人たちよりちゃんと感じ取れていないいな、と思っています。震災直後に感銘を受けた言葉は、パフォーマーの吉田アミさんがたしかツイッターで書いていた「もともと震災で変わるような表現なんてしてないから」というものでした。震災に対していろんな人がいろんな思いを抱えていることは頭では理解していたつもりですが、個人的には「自分は変わらないよ」という態度を持った人の態度に共感し、勇気づけられました。逆に言うと、自分は当事者じゃないという意識の中で、震災を自分のものとして向き合っていないまま来ている。震災の中で変わったことはいっぱいあるんだけれど、文学それ自体が変わったかどうかということもピンと来てないと言えばピンと来ていません。

藤田　それは大変勇気のある、貴重なご意見だと思います。

震災について語ることにピンとこない

杉田　批評家の杉田俊介です。質問なんですけれども、たとえば戦後文学について、第二次世界大戦の衝撃は、近代化の衝撃に比べれば大したことないんだ、というようなことを言う文学者たちもいたんですね。中村光夫とか吉田健一とか。今の発言はそのような意味でおっしゃっているのか、それとも東京と被災地の差異があって、感じ取ろうとしても感じ取れない自分への屈託とか違和感の話なんでしょうか。どういうレベルで言われているのか気になったんですけれど。

矢野　吉田さんは表現者としての立場から言っているから、「私はそもそも社会の変化で揺らぐような表現はしていないよ。たとえそれが大きな出来事であっても」というツッパリ方だと思います。それは震災を軽視しているのではなくて、自分の表現に対する信頼を示した言葉です。それは、いち表現者のあり方として、とても頼もしいと感じました。それとは別に、「震災で変わった」という言い方に対して僕自身が実感できないでいます。

杉田　社会が変わったという実感がないのか、自分が変わったという実感がないということなのか。

矢野　社会は変わったと思う部分もありますが、自分自身は全く変わった気がしません。僕は震災を主題にして何かを書くほど向き合えていないと思うし、向き合い方もわからない。藤田さんのように、実際に足を運んでなにかをするというエネルギーもなかったです。だから、そのあたりのお話を伺いたいなとは思っています。

荒木　矢野さんなり吉田さんなりが何も変わってないよって言うこと自体が、どこかである種変わっているから、私はそうじゃないっていう言説として受け取れる気もするんですが。

矢野　そう言われたらそうかもしれません。別に変わっていないことを誇っているつもりはないんですよ。正直な気持ちを言っているだけで。言論人も含め多くの人が震災に衝撃を受けているなか、自分が震災と向き合えないという思いがありました。自分の内発的な問題意識のなかで、震災という主題はどうしても遠いものでした。

杉田　例えば加藤典洋がよく言っているように、僕は戦争になんて興味ないですよ、っていう無責任さやナンセンスがむしろ文学にとって大事だ、みたいな論もあるじゃないですか。全員が震災を語らないといけないという抑圧的な空気があるとしたら、そんなもの知らないよ、っていう。

矢野　震災に限らず「誰もがこのことについて語らなければいけない」という空気は、基本的に嫌ですね。だから、震災について語らなければウソなのだ、という物言いはあまり好きではないです。

当事者性と、笑いについて

杉田　あとひとつ補助線として、当事者性ってことを藤田さんが言っていましたね。僕は障害者介護の仕事をしていたんですけど、当事者主権や当事者研究という文脈があります。当事者の主張がすべて「正しい」とされるのはおかしい、という主張は当事者たちの中からも出てきているんですね。虚偽を言う当事者も、すごくエゴイスティックな当事者もいる。それは人間だから、当然いるわけです。ので、当事者の言うことは「正しい」とは限らないが「重み」がある、という主張をする人もいます。そもそも「当事者」という概念がふさわしいのか、という話もあります。70年代のマイノリティ運動の時の当事者性、それが80年代の消費者主権などを経て、ゼロ年代の「生きづらさ」みたいな話もあって、それが震災の当事者性をめぐるポリティクスへも流れ込んでいる面があると思います。

藤田　当事者が言うことが権威化したり抑圧になってしまうことへのジレンマも当然ありますよね。だから、『ららほら』では当事者性が高い人の文章が前の方にあり、後に行くに従って少し間接的な人へという構成にしてみたんです。で、第二巻は、東京で活動している批評家という、「非当事者」の語りを中心にしてみようと思ったんです。当事者の言葉の重みには何も反論できないし、倫理的に強いわけです。しかしそれだけでいいのか。ぼくは博士論文が筒井康隆なので、軽い言葉や、不謹慎さの意義をむしろ強調してきました。だけど、被災した当事者たちの前に行ったときに、これを軽くギャグにできるかどうかっていうと、できないなという実感がありました。ぼくの大学院の指導教官は井口時男という批評家だけれど「東日本大震災を笑うことはできるんだろうか」って問題提起をしているんですね。文学は何もかもを自由に書き、不謹慎なことも表現してもいいような特権的な場であった。それが今できるのか。した方がいいのか、しない方がいいのか。文学という領域の行末や本質に関わる結構深刻な分岐点に立っている気がするんですよね。で、なんだかそれを考えたいなという気がするんです。

矢野　良くない出来事を笑うかどうかという話と当事者性の話という二つの論点があると思います。震災の後に文藝春秋から『つなみ』というムックが出ました。当時の被災者の子どもたちが書いた作文集です。そこで書いているような家族を亡くした人は、僕からすると震災の当事者に違いないんだけど、本人からすると「家族を助けられなかった私」というかたちで部外者の意識を持っている。大学で本橋哲也の授業を受けたとき、やはり当事者性をめぐる議論が印象的でした。本橋哲也さんも、真に当事者と言えるのは死者なのだと言っていました。死者は言葉を持たないから、ゆえに当事者的な言葉は語りにならない、と。この話を聞いたとき、ものすごく誠実な考えだと思った一方で、じゃあどうすればいいのだろうという気持ちも強くありました。「沈黙することが大事なのだ」という主張も、直感的には違うのではないかと思いました。だから、震災のようなことがあったとき、当事者じゃないと語ることができないというのは簡単には言えない。むしろ、外側にいる人は外側にいる人なりの言葉で語ってかまわないのだと、基本的には思っています。ただ、外側から悪趣味に笑えるのかと言えば、それも慎重にならなくてはいけない。

杉田　当事者のパラドックスは二つあって、一つは今おっしゃった他者性がインフレしていくというか、絶対的に語りえないものこそが他者になると。もう一つは当事者性という言葉を使うと、マイノリティとマジョリティの区別がなし崩しになっていくんですね。関係者とか第三者とかも広い意味での当事者の枠の中にどんどん入ってきますね。だから当事者という言葉を使えば使うほど当事者性が薄れていく。こっちは当事者性のデフレ化。当事者性のインフレ化とデフレ化の両方のパラドックスがある。

藤田　震災後の日本文学や社会は、良くも悪くも、真面目になって倫理的になって宗教的になって政治的になっていると思うんですよね。それは、世の中を良くしていて賛成できる部分も多いんですよ。でも一方で、今がディストピアで、暗くて息苦しいという表現も多く現れている。そういう転調のきっかけとして東日本大震災を捉えることはできるかなと。

矢野　外側から指をさして笑いに変えるのは、無制限でやられていいことではないと思います。僕が考えるのは、あらゆる悲劇的な場面においても、その場所には笑ってしまう瞬間があったのではないか、ということです。『ららほら』にも、まさにそういう解放感を感じました。すごく悲劇的な場面でも、《芸能》とか《演芸》みたいなものの力によって心が軽やかになる瞬間はあっただろう、と。鼻歌を歌うとかそういうレベルで。そういうささやかな喜びを見つけるという意味で、悲劇的な場面に対して笑いを見出す態度が大事だと思うんです。

藤田　なるほど、それはとても重要なことだと思います。実は『ららほら』の潜在的な問いの一つが「笑い」「ユーモア」の機能で、室井光広さんは、震災後に書いた別のエッセイで、ガルゲンフモールという現象について語っているんです。ガルゲンフモールは死に直面して自分が死ぬときにそれをギャグにするような行為のことで、フロイトが例に出してるのは、死刑囚が死刑になる直前に「今日は幸先がいいようだ」って言う例ですね。死の運命すら超越しているかのような態度が、精神を緩めるわけです。それが人間の精神の健康に必要だみたいなことを言ってるんですね。他にも事例で言うと『フタバから遠く離れて』というドキュメンタリー映画で、双葉町の帰宅困難区域の人たちが初めて被災した故郷に戻ったときに、壊滅的な状況になっているのを見て「これは駄目だ〜」って言いながら笑ってるんですね。もちろん、泣き笑いですよ。震災や死のような過酷なものを、外からネタにしたり嘲笑するのは良くないにしても、内側には確かにそういう瞬間があるということを忘れるのも、人間理解としても、笑いの理解としてもどうかなとは思うんです。

矢野　アイロニーとユーモアという区分もありますね。アイロニーとして笑うのはちょっと違和感があるけど、ユーモアの発生を見つけることは大事だと思いますね。

藤田　柄谷行人の分類でいえば、アイロニーは、自分を棚に上げて他者を攻撃するタイプですね。ユーモアは、「それは大したことじゃないよ」と自他を和らげて包み込むようなものでしょうかね。矢野さんの『コミックソングがJ-POPを作った』や『ジャニーズと日本』やいとうせいこう論で非常に気持ちいいなと思ったのは、音楽の軽薄な力みたいなもの、あるいは面白さの力の強調です。その力を非常に肯定していて、革命的な力すら持っていて、政治的なものに対する直接的な反抗よりも、音楽とかの面白さのほうが政治的な効果を持っているんじゃないかとすら主張されていると思います。いわゆる声にならない声みたいなものを音楽に乗せたり、異質ないろんなものや身体の動きで解放することで効果を持つんじゃないかという主張があって、ぼくは現状を意識してあえて強く主張しているんだと読んで思ったんですよね。

文学史(物語)を作るということ

矢野　そうですね。たしかに『コミックソングがJ-POPを作った』においては、理念が先行しがちな状況に対して軽薄な喜びのほうを強調する気持ちがありました。それは、ポリティカル・コレクトネスをどのように考えるかという話と遠く響き合う話かなとも思います。もう一つ、「新感覚系とプロレタリア 文学の現代—平成文学史序説」というものを『すばる』(二〇一七年二月号)に書きました。この論考の狙いは二つあって、批評側の話と小説側の話です。批評側の話としては、どうも状況論が少ないということです。例えば、30年後くらいに「2000年代、2010年代ってどういう時代だったのかな」って見たとき、参照するものが意外とないんじゃないかと思っていました。自分は中高一貫校が仕事場なんですけれども、副教材の国語便覧とか眺めていると結構すごいことになっている(笑)。30年後、文芸評論の代表が池上彰や茂木健一郎になっちゃうのかな、とか(笑)。あと、J-POPの歌詞論とか書いていた見崎鉄さんとかが評論家として掲載されている。この国語教科書中心の文学史は、自分の実感とかなり異なるので介入したい気持ちがありました。

文学史もある視点からの遠近法で生まれるものだから、文学史に対する批判も強いですよね。歴史を描くことは権力とセットになっているし、当然の批判ではあります。ただ、そのような歴史批判がむしろ、別の権力関係に絡め取られているとも思います。だから、無理にでも同時代の文学を既存の文学史に接続してヘゲモニーを奪取するような気持ちがありました。あと、単純にメタ的な状況整理ができないと閉塞していくので。「平成文学史序説」は、文学史家の不在を提起する意図がありました。これが批評側の話です。

小説側の話も、今の話に関わります。すなわち、「今の小説どうなってるの?」ということです。ということで平野謙を召喚して、「三派鼎立」という図式で当てはめてみる、するとどうなるか、ということですね。あの論考は「現在は三派鼎立の時代である」という主張をしたものではなくて、「現在は主題なき時代だ」と主張したものでした。小説で言うと、それは2000年代後半における保坂和志の影響が大きかったと考えています。とくに、『小説の自由』(二〇〇五年、新潮社)をはじめとする小説論の三部作。保坂さん的な考えでは「あらかじめ言いたいことがあって、それを書くために小説があるわけではない」ということになります。小説でしか描けないことを追究すると、必然的に手法の洗練に傾く。そこに政治性が宿る可能性もありますが、そのときは主題が後景化される傾向にあると感じていました。それこそ、プロレタリア文学に対するブルジョア文学じゃないけど、中立的で無色透明な立場こそマジョリティ的である可能性があります。そう考えたとき、現代の小説を更新する鍵は主題に対する意識ではないか、と。同時期には、木村友祐さんの『野良ビトたちの燃え上がる肖像』(二〇一六年、新潮社)がありましたが、あの作品はその意味で主張も明確ですごい異質だった。だから、こういう作品が大事なんだと言いたかったですね。

藤田　ありがとうございます。かなりたくさんの論点があったので全部拾えるかわからないですが、文学史を作らないとならないっていう意識は話は面白くて、『ららほら』の態度と反対なのですが、よく分かる気がします。文学史の場合でもなんでも、細かい差異は承知で強引にストーリーを作らざるをえないわけですよね。それを強引だと言うことはたやすいんですが、でも誰かが作らないと誰かが作ったストーリーに乗っ取られるし、広まらない。『ららほら』は、当事者の細かいヒダとかいろんなものを扱った結果、これだ！　というバシッとしたストーリーとかキャッチーな部分がないという、読まれにくさの弱点を明らかに抱えていますよね。やっぱり多くの人に届くのは『シン・ゴジラ』とか『君の名は。』みたいなわかりやすいストーリー。「これだから大衆は」と嘆くのはたやすいんですが、次世代の考え方や認識をどうするかと考えていくと、そう逃げるわけにもいかないですよね。

矢野　このへん、意見がいろいろ分岐していくと思います。文芸誌の『すばる』(二〇一六年二月号)でこの三人(矢野・杉田・藤田)でブックガイド(「近代日本の文芸批評を知るための40冊」)を作ったりしてたとき、文芸誌の内部で文学史をしっかり作っていこうという意識がありました。文芸誌でデビューしたからには、文芸誌読者、編集者、あるいは小説家を相手に、歴史的なところから現代の状況までしっかり語ることが必要だなと思いました。「それは自分の役割ではないよなあ」という気持ちもなくはないですが、さしあたり他にやる人がいなければやっておきたいな、と。

レペゼン(不)可能性
――『想像ラジオ』

藤田 物語の話に戻りますが、いとうせいこう論で物語のことを書かれていましたけど、ぼくらは物語批判を当たり前に教わってきたし、影響受けてきたと思うんですね。ぼくはどちらかというと物語批判の人間で、ナショナリズムは物語だとか、アイデンティティは物語だとか、歴史も物語だって思ってて、物語を全部廃してミクロな断片が、事実だけがゴロゴロあるようなもののほうがいいんじゃないかってアナーキーな考えを持っていたんですが、『ららほら』の前書きで書いているように、物語はいるなという風に転向したんですね。正直、作中に出てくる「ナオくん」への説教をぼくは、我が事として読んだわけです(笑)。そして、やっぱり「物語」は被災した人たちにも必要だし、生きていくためにもどうも必要だなと思ったんです。いとうせいこうさんもそう思われたんでしょうね。先ほどの話ですが、「当事者」で言えば、一番強いのは死者ですよね。それは震災の被災地の実感としてもそうで、家流れたとか家族半分亡くなられたという方も、全滅してないから、自分が死んでないので当事者じゃない、語れないという罪悪感がある。そうすると一番の当事者は死者で、死者の言葉を語ると一番権威を持ちますよね。誰も反論できないからです。一番罪悪感を掻き立てるから。だから、死者の声を代弁すると権力を持ってしまう。三島由紀夫がやったこともそうです。靖国なんかそういう政治的な争点ですよね。『永遠の0』(二〇〇六年、太田出版)だって死者の代弁ですね。左翼の場合は、拷問で死んだ小林多喜二を利用して同じことをやった。それをやめようという議論を吉本隆明らが戦後にやった。映画の文脈では、アウシュヴィッツを映画にしてしまうことに対するランズマンとスピルバーグの議論があった。死者を表象してはいけない、勝手に語ってはいけないのではないか、物語化するのは暴力ではないかと議論した。そういう議論をいとうせいこうさんは知ってるにもかかわらず、レペゼンして勝手に想像して死者を物語化して語り、「しかしこれはフィクションです」と明言するという戦略を採ったわけですよね。それは死者の、厳粛な語ってはいけないというタブー感を破るために、ある種笑いじゃないんだけど、ラップのような楽しいものでぶつけて、なんらかの状況に対抗しようとした作品なんだと『想像ラジオ』(二〇一三年、河出書房新社)については思っていたんです。

矢野　そうですね。大きな災害について、言葉ではその出来事自体のすさまじさに対抗できない、ということがしばしば言われました。9・11と阪神大震災をめぐっても言われていた記憶があります。東日本大震災の後の状況を見たとき、意外といろんな言葉が紡がれたなという印象がありますが、『想像ラジオ』に関しては、書けないと思い詰めていたいとうせいこうが、震災を契機に本格的に作家として復帰したことが興味深かったです。このことの意味は考えたいなと思っていました。当時の書評を見ると、「想像」が大事だという評価がされていましたが、僕は「想像」が大事という理屈がよくわからなかったです。どころか、「想像力」という言葉で語った気になる風潮が好きではなかった。そうではなくて、『想像ラジオ』で重要なのは、むしろ「ラジオ」のほうだと思いました。なんといっても、僕はラジオ好きなので。

自分の経験で言うと、震災当日、電車が動かなくなって徒歩で帰りながら、いつも持ち歩いているポータブルラジオでずっとTBSラジオを聴いていました。そのとき、たしか『Dig』という情報番組に出ていた映画監督の大根仁さんが、「こういうときはみんなが知ってる曲がいい」と言って、ビートルズをかけていたんですよね。音楽自体が遠のいている状況だったけど、確かにこういうときは音楽だよなと思いました。ビートルズの曲は、別に歌詞の意味もよくわからない。だけど、メロディとハーモニーの力でちょっとラクになる。そういう経験のほうが、僕としてはリアリティがあります。だから『想像ラジオ』で大事なのは、死者を「想像」したこと以上に、語り手がラジオDJとなって曲を流し、リスナーからのお便りという形で死者の声が届く、その呼びかけ-応答という関係のほうではないか。そのラジオという場こそ、さまざまな声が交差する《芸能》の場なのだ、という風に思ったわけですね。これは、音楽の原初的な喜びだと思います。

そう考えると、いわゆる当事者的な言葉をせいこうさんが書いたとして、その表象=代理の構図を批判するのは少し違う気がしました。「想像」とも少し違う。自分のいとうせいこう論ではラッパーのアナーキーに触れていますが、ヒップホップ的な話で言うと、自分たちの団地の中から出て来たスターが自分たちのフッドをラップするとき、「これは俺たちと違う」といった批判はあまりされないですよね。むしろ、「俺たちの代表が言葉にしてくれた!」という言い方。その気持ちはリアルだと思うんです。もちろん、ラッパー一流のストーリーテリングに演技性はないのか、という問いはありえます。しかしその前段階に、そもそも社会に声が届くことの意義がある。その声が届くことに誇りや敬意を抱く、という水準が絶対あると思います。せいこうさんの小説は、そういう水準から見るべきものだと思いました。当事者でない形で言葉を紡ぐことの可能性を考えたとき、僕の感覚では《芸能》みたいなものが絶対にフックとして入ってくる。

藤田　素晴らしい評価だと思います。その主張が、「ジャニーズと日本」も「コミックソング」もいとうせいこう論も、芸能という場の力みたいなものを非常に信じようとしているところが強くて。さっき意識してないとおっしゃってましたけど、日本の文学の状況とか社会の状況とかを意識した上でそっちをあえて選んで、そっちに突っ走っている気もするんですね。

矢野　あえてというか、元々そうなので。音楽や小説の越境的な感覚が、もっと音楽をめぐる言葉や小説をめぐる言葉に乗って来てほしいなとは思います。

藤田　お話を伺いたいと思ったのは、矢野さんは震災後文学を文字だけ考えてると出てこなかった出口みたいなものを見つけられてるなって感じるんですよね。ぼくのスキームでは行き詰まる何かの出口を確かに掴んでいらっしゃる。確かに被災地に行くとお祭りとかいっぱいやっていて、民俗芸能の力を本当に感じるんですよね。それまで獅子舞を面白いと思ったことないんですけど、派手で荒々しい墓獅子のパフォーマンスを南三陸国際芸術祭で見て、スゲーと思ったんですよ。現地のおばあちゃんとか超テンション上がって、恋する少女みたいに上気しているんですよ。これが芸能の力なのかってちょっと感嘆してしまって。折口信夫は、芸能は神事と関係していて、一つの機能は慰霊だと言っていたけど、それだけじゃなくて、日本の「カミ」の生産力を鼓舞する機能も担っていると思うんですよね。

矢野　《芸能》も差別の問題とか闇営業の問題とかいろんな社会的な問題が付随しているので、現代社会の価値観と照らし合わせたときいろいろ考えるところはありますが。でも、パフォーマンスの力みたいなものは重視するところはあります。

身体を通した言葉の重要性

杉田　矢野さんが言う芸能がわかるようでわからなくて。矢野さんの小室哲哉論には、小室さんが血まみれで行ったパフォーマンスの血痕に宿った身体性が主題なんだ、という話がありましたね。身体性をどこから調達するかって、今、難しい問題で。今は正しさがインフレしていくわけです、右も左も、革新も保守も。みんな自分たちが正しくて、相手の差別に対して戦っているんだっていう。倫理がインフレすることで、過剰の価値が下落している。今、「多文化共生」という言葉がすごく消費されていると感じるんですね。資本と国家にフェミニズムも簒奪されているし、障害者たちの実践も簒奪されている。みんな簡単に優生思想の批判ができるし。

それでいえば矢野さんは「平成文学史序説」の中で内容と形式の分裂みたいなお話をしていて、プロレタリア文学的な内容と、移人称的な語りがあって、それらを曖昧に癒着させているタイプの文学が氾濫していると。その点は荒木さんが詳しいと思いますけど、純粋小説論争とか、内容と形式の分離って、連綿とあるわけですね。たとえば新海誠の『天気の子』なんて、ロマン主義的な形式の中に情動だけがあって、思想の内容とか主題とかはもう完全に空洞化されている。そういう情動的な感動と、矢野さんのいう芸能的な笑いの違い、そのポイントはどこにあるんでしょうか。僕も松本人志やビートたけしの笑いについて考えるには、柳田國男とか折口信夫の民俗性に遡って考えなきゃいけない気がして、その辺をお聞きしたくて。

矢野　さきほど少し話した文芸作品に対する違和感は、「多様な価値観」とか「多文化共生」みたいなものが合言葉的に消費されることに対するものでもあります。このような問題意識は一部共有され始めてるんだけど、作品や批評でどう応答するかは難しいところですね。ネット右翼が「ヘイト」を商品としているように、リベラルも「多様性」という商品で資本主義を泳いでいるようにも見えてしまう。

杉田　武田泰淳とか大江健三郎とか中上健次はそういうことをしていましたね。しかしそれが村上春樹・村上龍以降というか、彼らが持ちえていた「根拠地」みたいなものがグローバル化と情報技術化の中で失われていって、そうした現代のフラットな状況の中でなお主題と形式、それらをどう両立させるのか、という問いが矢野さんにあるのかなって。

矢野　そうですね。ひとつはすごく抽象的な言い方になっちゃうんですけれど、やはり《身体》です。この場合の身体は、社会的な関係性が交差するポイントとしての身体。《芸能》は基本的には身体性を重要視します。身体というものがすでに社会的なものと同時に個人的なものでもあるわけだから、自らの身体というものに向き合ったときに、そこから社会性と固有性が重なった言葉が生まれるのではないか。

杉田　身体性の話をするとある種のロマン主義に陥りやすい面もありますよね。中沢新一とか鷲田清一などの身体ロマン主義みたいなものと、矢野さんが言っている身体性の方向は何かが異なる気がして。たとえば矢野さんのＳＭＡＰ論も、ロマン的な身体性の方だけで読まれて誤解されちゃう面もある気がします。でも矢野さんは身体性とメディアの関係をつねにセットで考えていて、しかもメディアとメディアの複雑なズレというか、たとえばラジオとネットと小説のメディアとしての違いとか。小室の使うシンセサイザーの位置づけとか。技術やメディアと身体性の関係と差延、その辺が矢野さんの芸能論にとって大事なのかなと。

矢野　身体に対するロマン主義的な語りは避けたいですね。あくまで、社会と個人の交点として重視しています。

藤田　杉田さんは芸能と笑いに賭けるのは、ファシズムにつながりかねないから危険だと思っていらっしゃるのかな、と感じますが。杉田さんが思う芸能っていうのはもともとどういうものなんですか？

杉田　松本人志にせよビートたけしにせよ、彼らの笑いには死の気配が強いというか、タナトス的な感じがするじゃないですか。芸能ってやっぱりそういうものを含んでいる気がして、だから無条件の自由を担保するものとは思わない。だからこそ、身体のロマン主義やファシズム的同調には批評的でありたいんですけどね。

矢野　身体とか言いたくなるのは、このネット時代では言葉だけがやたら飛び交っているからです。僕はやっぱり自分の生活の中心は学校にあるので、その生活の水準で考えてしまいます。ネット右翼の高校生も確かにいる。一方、仲の良い在日韓国人の同僚もいる。高校生がネット右翼であることはある種の社会的な条件の結果と言えて、一方、その同僚の先生が同じ職場にいることも、いろんな社会的な条件の結果である。で、その先生は人気のある先生だから、ネット右翼の生徒は韓国籍と知りながらも普通に慕っていたりする。僕の生活のなかでは、そういう景色がリアルです。という実感からツイッターを見ると、なんと単純な言葉だけの世界だろうか。さらに言えば、その先生がネット右翼の彼に好かれてるのは、日常のやりとりの結果でそこには身体的な接触が必ずあるんです。人懐っこく肩をポンポンと叩くとか、そういった身体接触を伴った関係性みたいなのがあるからこそ、その先生の言葉が彼に響く。僕の中では、言葉っていうのはそういうものです。そういうものを評論とか小説の言葉として求めています。では、そういう言葉とはなんだろうか、ということを考えます。

杉田　僕は介護をやってたから、介護の二者関係的な、身体接触のあるケアの次元と、それから福祉国家的・社会的な制度の次元と、その中間にある共同性とか互酬性や贈与のレベル、それらの関係が気になるんですね。たとえば介護の世界には「介護に愛は必要か?」という問いがあるんだけど、リベラルな立場ではそれは「必要ない」って言われるんですね。そうすると愛を得やすい障害者の能力主義になっちゃうから。だから愛とか情動でケアをすること自体を否定していく。学校の教育現場ではどうですか。

矢野　たしかに、逆にズブズブになる危険性はよく感じます。

杉田　障害者運動では、親子関係にしろ介護者との関係にせよ、それを否定していく歴史なんですね。親密でズブズブの関係になったとき、ＤＶとか虐待から、障害者は逃げられないから。学校と障害者介助ではジャンルが違いますけど、たとえば発達障害という項を入れると繋がってくるかもしれない。

矢野　それこそ医学書院の「ケアをひらく」シリーズとかは、そのへんの間みたいなものを言葉にされてる感じがして、共感するところもありながら面白く読んでます。

杉田　障害学の社会モデルとか、立岩真也さんの存在が代表する生存学、そこでは基本的に個人関係や身体性は問わずに、社会の制度的なところで詰めていくことをずっと重視してきたんだけど、それだけだと難しいから、だんだん身体性とか障害の独自性の話がまた出てきていて。そういう複雑な段階というか、積み重ねがありますね。なかなかそれはうまく伝わらないけれど。

片上　立教大学准教授で、社会学者の片上平二郎です。確認したいんですが、今の身体的な接触の話と、いとうせいこうの高い評価は関係していますか?

矢野　多少あります。『想像ラジオ』は身体に意識的な作品だと思いました。最後にボブ・マーリーが流れる感じとか、やっぱり良いです。加えて『想像ラジオ』に対して言えば、いとうせいこうという人の復帰作であるという経緯が大きいです。

片上　これは私個人の感想なのですが、私はいとうせいこうの『想像ラジオ』は評価しないんですよ。死者を代表しているし、死者っていうのもすごいテンプレ的な、ある種の癒やしのアイテムとして使われている感じがするんですね。つまり、死者が怨霊になる可能性を考慮してないんじゃないかと思って。つまりお前が知りたい言葉を死者の言葉として勝手にやってて、自分が気持ち良くなりたいだけなのでは？　っていう感じが私はしていて。身体的な接触と言ったときに、私が死者論に違和感を持つのが、そこに死体という身体があるんだというリアリティを無視して、ある種観念的な処理をされた他者性を、極めて観念的な言葉の中で操ってる感じがするんです。それにすごい違和感を持っているんですよね。これは小泉義之がかつて歴史認識論争の中で言ったことで、高橋哲哉も加藤典洋もどっちも違う、どっちも死体のことを考えてないんじゃないかと言っていたんですが、やっぱり私は死体の冷たさとか、いろんな死んじゃったんだみたいな、そういう身体性ってものをちゃんと大事にしないと、身体って言葉がなんか抜けていくという印象を持つんですよね。

荒木　さっきの杉田さんの「メディアの身体」って話と絡んでいる気がして、ラジオの声の生々しさを身体だと思っていいのか。ラジオや電話の声って目の前に人がいるように生々しいけど、身体がなくて声のほうがリアルだ、みたいな話と繋がっているのでは。

片上　ラジオはある種ファシズムの装置でもあるから、怖い感じもある。

矢野　なるほど、おっしゃっていることはよくわかります。死体の扱いとかたしかに弱いかもしれませんね。ラジオの動員的な側面は歴史的にありますね。音楽ももろに動員装置です。ただ僕としては、感情や情動に向き合わないとダメだ、という気持ちがあります。感情・情動がはらむ危険性とどういう風に向き合うか、ということはしばしば考えます。

藤田　死体の問題意識を一番強く表現したのは、塚本晋也の『野火』（二〇一四年）だと思うんですよ。戦争映画ですが、あれは震災後に被災地で監督が見た光景が反映していて、すごく力込めて描写したようなんですよね。動機が、物質のないものとして死者が表象されることへの危機感だとおっしゃっていました。ところで、『想像ラジオ』のナオくんが言うには死者は存在しない。ぼくらが想像するのは全部妄想。だから唯物論的に考えるべきだし、想像するべきじゃないし、聞くべきじゃない。それも倫理ですよね。ぼくは当時、全くその趣旨で、震災を追悼するイベントを批判してツイッターで炎上したんですよね。理性的・科学的に考えれば、死者は存在しない。あの世もない。幽霊もいない。いるという考えは、日本浪漫派とか超国家主義に繋がる宗教に近づきかねない。靖国の英霊なんてのもそうですね。だから、宗教的・霊的なものの存在は認めない無神論であるべきだ、追悼の式典もナショナリズムやファシズムの危険性がある、という風にこれまで考えていたんですね。でも、現地行って、たくさんの方が亡くなって、身内も故郷も失っているわけですよね。彼らには、死者は生きているかもしれない、いるかもしれないという想像とか慰めが必要なんだなということがよくわかってしまった。それがないと、心が支えられなくなったり鬱になったりして、自死する可能性すらあるわけですよね。ここに、ナショナリズムとか、科学とか、そういうロジックで介入して、止めさせられるか、そうするべきかと問うたとき、ぼくはできないと思った。

杉田　海外だと報道でも死体が映ってましたが、日本は一切シャットアウトしていましたね。

藤田　そうですね。安岡卓治さんや森達也さんらが撮った『311』（二〇一一年）というドキュメンタリーでは、死体を映すかどうかで揉めていましたよね。彼らが撮ろうとしたら、現地の方が怒るわけですよ。そして、『シン・ゴジラ』も『君の名は。』も全然死体を描いていなかった。だから、物体的な死のリアリティを排除する傾向が日本にあるのは確かだと思うんです。そこが、一つの、マジョリティが受け容れられる限界の線だということなんでしょうね。当事者たちの手記を読むと、子どもが見つからなくて探していたら丸焦げになって見つかりましたとか、さらっと書いてあるんですよ。そういう現実はあった。しかし、集団的なイメージからは抜け落ちている。それはどういうことなのかは考えさせられますよね。何年も遺体を捜索していたわけじゃないですか、それが具体的にどういう状態なのか、それを捜索して回収する作業に従事するとはどういうことなのか、あまり公になっているのは見たことがないですね。

杉田　死体の物質性とかオブジェクト性みたいなのを絶対化して良いのかという問題があって、たとえば小泉義之さんのレヴィナス評価って揺れがあるんだけど、最初のうちは、レヴィナスは死を弄んで観念化していると批判していた。死と死体は絶対的に違うんだと。死体の物質性に目を向けるべきだと。そのうえで、のちには、臓器の分配こそが究極の倫理だ、みたいなことを言うんですけれど。しかし震災後の状況の中では、死体の物質性を主張するだけでは、ちょっとキツイというか耐え難いところがあって、そこにいとうせいこうの小説のようなものが出てきた面もあるのかな。

矢野　身体というものを無条件に特権化する気持ちはあんまりないんですけどね。くり返しますが、社会のいろんな関係と個人が一番交差する場所という意味において重要だと思っています。あと、僕のいとうせいこう論は基本的に作家論です。せいこうさんは、音楽もやってタレントでもあって、それで震災後には『想像ラジオ』を書いた。宮沢章夫がいとうせいこうを「身体性の人」と評価していますが、マルチな活動をするいとうせいこうというパフォーマーを論じるキーワードとして、《身体》という言葉を使ってもいます。

荒木　そうだな。俺、小説家に興味ないんだよな（笑）。テクストの話しかしたくない。

矢野　まあ、作家論って恣意的な像を描きがちなので気をつけなければいけません。自分の問題意識に引きつけて書いている意識もありますから。

仲俣　僕自身は、前回も話したとおり『想像ラジオ』はすごく良い作品だと思っていて、それも震災後文学として良いというだけでなく、日本の現代文学としてもかなり良いと思っています。矢野さんはとくに震災後文学論を書こうとしたのではなく、現代の諸表現について論じる中でいとうせいこうが重要なファクターだった、だから彼の「小説」もそこから評価したという流れなんですね。前回、藤田さんと話した時は具体的な作品名をなるべくたくさん出して議論しようとしたんですが、結局、議論の俎上に載せられたのは『想像ラジオ』と『美しい顔』くらいでした。実際、それ以外の震災をテーマにした日本文学は、個別の作品をめぐってはあまりいまみたいなホットな議論がなかったと思うんです。今回もせっかく人がたくさん集まってるので、もうちょっと具体的な作品名が出てくると面白いんじゃないか。震災をどう表象するかという問題意識とは関係なく日本の現代小説がどんどんつまらなくなったり、売れなくなったり、そもそも書かれなくなったりしてるとしたら、そもそもそれは震災と関係があるのかな、と。そのあたり、矢野さんの「三派鼎立」みたいな理論的なものを抜きにして、もう少し個別の作品なり作家の名を出しつつ、震災後の日本文学についてのみなさんの話をもう少し聞きたいと思います。

滝口悠生をどう評価するか

藤田　補助線を引きますと、「来たるべき作家２０２０」っていう２０１７年の『文藝』（秋号）の記事で矢野さんが挙げてるのは、西加奈子、松波太郎、滝口悠生、町屋良平、青木淳悟、古川真人、又吉直樹、金原ひとみ、桜井鈴茂、長谷川町蔵、水原涼、海猫沢めろん、乗代雄介、温又柔、木村友祐、坂口恭平さん。

矢野　ずっと滝口悠生さんは好きで読んでいて、文庫に解説も書かせていただきました。躍動感のある作品を書く人だなあ、と思っていて。基本的には繊細な機微を描くところが評価されがちなんだけど、そうじゃなくて、保坂和志も滝口悠生もものすごい人の動きを描くのが上手いです。例えば「愛と人生」では、ダンボールで土手を滑り降りる場面が出てきますが、そういう体の動きと語りの言葉が連動している。僕はサッカー部の顧問なんですけれど、練習中に生徒に厳しく言う場面とかあるわけです。そのとき、自分も一緒に体を動かしているから、疲労した体で大きい声を出すと舌ももつれたりする。そうするともう、声色ひとつで説得力があったりなかったりするんですよね。滝口さんの言葉には、そういう自分にとって大事な言葉の感覚があると、以前から思っていました。言葉が声として発されている、ということをビシッと見据えている人だな、と。松波太郎さんも、同じような印象です。松波さんはそれこそサッカー経験者で、あとは鍼のお医者さんなんですよね。身体のあり方にかなり意識的だと思います。「故郷」という作品も、吃音を小説表現にしており素晴らしかったです。あとは、なんと言っても西加奈子ですね。このあたりの小説家たちはとても好きです。

藤田　なるほど。身体感覚への注目は、正直、全然していませんでした。ぼくは当時「新人小説月評」を『文學界』で担当したときに、滝口さんの「ジミ・ヘンドリクス・エクスペリエンス」と「死んでいない者」の二つが来てすごく推した覚えがありました。あれは、非常に優れた震災後文学だと思ったんですね。それは死者の描き方、あるいは記憶や痕跡の描き方が特異で、しかも死者を実体化しないような、死者が実在していないような形にしながら描いていて。特に「死んでいない者」がそうで、ネットワーク上でいろんな人が故人をお葬式か何かで語ったり想像したりして時間と過去を行ったり来たりする認知症的な構造を使いながら、喋ってるうちになんか浄化されていくというか。要するにお葬式とお通夜なんですけど。「ジミヘン」の方には、福島第一原発も出てきますよね。あの感じ、なぜか視点が次々移っていく謎の状態、一人の主体ではなく、もっと関係論的な視座になっていく。ああ、この小説は、死者や過去のこと、東日本大震災のことを追悼する小説なのだ、書き方や言葉のレベルでそれを体感させようとしている、と感じたんです。死者を実体化したり物語化しないギリギリの節度ですよね。以前、ぼくと矢野さんと荒木さんと岡和田(晃)さんが一緒に並んだ、2017年の『すばる』批評特集(二〇一七年二月号特集「批評の未来2017」)があったじゃないですか。あれに「関係性の時代」って文章を書いたんですね。その中のカットされた部分の「文学篇」で扱っていたのが、滝口悠生さんと上田さんの二人だったんですよ。そこで、二人をネットワークを視点にする作家みたいに書いた。

矢野　「ネットワーク」という観点もよくわかります。デモの話などを参照しつつ、主体の関係性のことを論じていましたよね。

藤田　デモの話も書いてました。人々が単なる個じゃなくて、震災で揺さぶられて、個を超えた次元に主体とか視点が移ってるんじゃないかみたいなことをそれで書いてて、それに移人称も関係してるって話を書いてたんですよね。

矢野　震災は移人称的な個を超えた視点の取り方というものに影響を及ぼした、ということですか。

藤田　及ぼしたという風にぼくは仮説を立てた。渡部直己さんはもうちょっと技法の問題として議論されているけど、ぼくはそれに対して状況の方を強調していた。個人主義的なものを超えた主体のあり方が出てくる、それが、インターネットとか技術の方面と、宗教とかナショナリズムみたいな日本主義的なものの方面の両方で出てくるという感じですね。上田岳弘さんの『異郷の友人』(二〇一六年、新潮社)なんてまさにそんな感じで。おそらく、社会運動や芸能もそこと関わるんですよ。国会前デモなんて、音楽のフェスみたいなノリでしたからね。書きあがらなかったのは、「それが良いのか」が判断できなかったからなんですよ。

杉田　震災以前、2000年代後半は反貧困運動とかロスジェネ運動があった。しかし震災があって切断が走って、脱原発の話になって、SEALDs等の民主主義運動の流れになっていった。震災と原発の衝撃が大きすぎたせいで、うまく繋ぎ損ねたものがあるんじゃないか。逆に言うと震災を前後で分けたときに、矢野さんがいう「30年」という視点が失われる。藤田さんの場合はそうした連続性よりも、震災の衝撃を受けて何かを変えた作家を評価しているのかな。

藤田　それで言えば、連続性よりも、それを切断する出来事性に惹かれる部分があるかもしれないですね。衝撃に全面的に向き合って新しい表現を出してきた作家を評価する傾向がぼくは多いですね。それは戦争を経験して、その後に戦争を書くためによくわからない難解な文体を発明してグッチャグッチャになっていった野間宏を評価するのと同じ意味で、震災の固有の状況をどう言葉にしていくかを発明した作家が、ぼくの中で評価の高い作家でしたね。滝口さんもそうだったんです。

杉田　震災のせいで忘れられた、というか過小評価されてる作家もいる気がします。例えば阿部和重とか町田康の評価はちょっと下がった気がする。古川日出男さんなんかは断絶と連続性、その両方の側面がある気もする。

藤田　揺れが比較的小さい作家もいるんですよね。死の話で言えば、よしもとばななは一方の極ですね。『スウィート・ヒアアフター』(二〇一一年、幻冬舎)は、臨死体験をするんですが、そこで見たあの世はふわふわしたいい世界で、ハワイみたいな場所だって書いてるんですね。いい匂いがして。そこでおじいちゃんが手招きしてて。主人公は、恋人が死んじゃってから霊が見えて、素敵な京都で霊がいっぱい来て死者と共に生きますみたいな小説。ぼくは「無印良品」的世界観と呼んでいるけど、洗練された高度消費社会の感性に世界のすべてを包摂してやろうという意志がものすごいな、と思う。80年代の感覚の中に、震災という出来事までをも包摂し、外部の現実——東北とか死者とか、そういうものを抹消した清潔な世界像を構築していきたいという欲望が徹底している。ネガティヴなもの、死体のようなもの、残酷なものはすべて消してしまいたいという欲望の産物で、『君の名は。』もそれに近いですが、それよりも度が過ぎている。ぼくの感覚としては度し難いと思うんだけど、文学的にはやっぱり興味深いですよね。

霊性と身体

片上　すみません、割り込んで。平成文学史についてお聞きしたいのですが、「だらしなさ」を批判していた記憶があって、その感じが知りたいです。

矢野　率直に言うと、「この手の作品なら良い作品って言われるんだろう?」みたいな空気を感じていて、それがとてもつまらないと思っていました。「ある種の作品を書けば、その筋の人に褒められるんだろう」という文学共同体における空気のようなものを感じていて、そのような雰囲気に対する横槍の意志が先立っていたところもあります。だったら問題意識を明確にして、主題の追求か手法の鮮明化を徹底すべきだろうと思いました。形式と内容が合致していること自体は批判されるべきことではないと思うのですが、２０００年代後半から２０１０年代という状況においては「だらしない」と映っていました。その意味で、村田沙耶香さんは到達点であるとともに打倒すべき存在だったのかな、と。

杉田　矢野さんはディストピアものよりよりは、ミクロな語りや身体性を大事にしている作家の方が面白かったですか。

矢野　元々の好みとしてはミクロなものが好きでした。でも、今はちゃんと世界観を構築して物語として描いている作家を読みたいなという気持ちです。

藤田　たとえば『ボラード病』はどうですか?

矢野　吉村さんは、ちょっと自分にはわからない作家です。カフカ的な不条理さとディストピアを描いているという印象です。同じ傾向で言うなら、多和田葉子の『献灯使』は素晴らしいと思いました。Ｊ・Ｇ・バラードじゃないけど、世界が変わってしまったあとの感受をもって書かれていたと思いました。

藤田　『１９８４』みたいな、言葉が変わると現実も変わるみたいな作品多いじゃないですか。ぼくはそっちにばかり反応しがちなんですが。これらの作品の「言葉」って、基本身体性ないですよね。むしろ、身体性がないようなネット上の言葉の世界に対応しているような。

矢野　そうですね。藤田さんの『すばる』の論考（「ブヨブヨのファシズム——吉村萬壱と現代文学の危機」『すばる』二〇一八年四月号）も、そのあたりが面白かったです。「二重思考」の話も面白かったです。２０１０年代前半までは、わりと両論併記的な作品が多い印象もありました。最近だと「両論併記はダメだ」という物言いもあるじゃないですか。僕も基本的には、自分のなかの正しさみたいなものを見据えて、そのことを書かなきゃ嘘だろうと思っています。とは言え、葛藤もなく、単純化された《正しさ》をズバッとされるのも嫌だ。一方で、「《正しさ》がないなかで揺れ続けています……」というのも、なんだか覚悟がない。ようするに、自分の《正しさ》を突き詰めていくなかで出てくる問題があるから、そういうものと粘り強く向き合うことが大事だと思います。

杉田　複数のジャンルや語りを使い分けられる作家を重視してる感じですか。

矢野　ジャンル越境的であることは、僕にとっては大事です。外の世界をちゃんと持ってきてほしい。あとは震災後文学じゃないけど、大林宣彦監督の『この空の花　長岡花火物語』（二〇一二年）。あれは長岡の空襲が花火のように見えたという話ですよね。花火という圧倒的なモノを介して、複数の視点や思想が交通していて感動しました。

杉田　映画の方だとそれこそ『シン・ゴジラ』とか『君の名は。』とか『この世界の片隅に』って、いろいろなジャンルの映像をごちゃまぜにしているんですよね。そういうリアリティが大事なのかなって。

藤田　バフチン言うところの、ポリフォニー性ですよね。多分矢野さんはテクストの背景に、作家の活動なり生活なりを見ている。それに対して、ぼくは作品の背景に巨大なカタストロフを見ようとしている。生きた人間の文化を透かしてみようとするか、自然の破壊力を見ようとしているかの志向の差はありますね。時々考えるんですが、自分がどうしてこれほど震災に興味を持つのかわからないんですよ。カタストロフィリアっていう言葉があるんですよ、カタストロフへの愛ですね。『影裏』にそういう人物が出てくるけど。そういう変なフェチなんじゃないかと自省することはありますよ。『美しい顔』で批判されているような、被災地を見てマスターベーションするような、そういう欲望があるんじゃないかと批判されたら、そうかもしれないとも思う。それは置いておいて、日本文化の二つの極、二つの神が、矢野さんとぼくの差に関わっていると思う。芸能は、神とか天皇とかに結びつく生産的な力であり、雅や洗練にも関わる、人間の文化の方ですよね。一方、自然災害も「自然」の神的な崇高な力そのものである。こっちは野蛮であり、山岳信仰とか修験道とかに近い。よしもとばなな、村上春樹は雅的な、伊勢神宮のような作風だと思うんですよ。矢野さんは、芸能の力で、これは中間的。後者は『ゴジラ』とか、宮崎駿が表現している世界。自然そのものの巨大な破壊力に「神」を見ようとするわけですよね。この辺の、美学と政治が重なるような判断基準の差があるのかなって。

杉田　『君の名は。』は震災映画ではあるけれど、歴史修正して災害をなかったことにする話でもある。他方で『天気の子』を観ると、雨が降り続いて東京が水没するのはもうデフォルトで、歴史修正する意志はないんですね。災害は災害として受け入れてしまうモード。そこに神道的なスピリチュアリティが出てきていて、「ムー」が出てきて、オウム事件の後のオカルト批判的な空気は爽快に吹き飛ばされている。実際に、震災の後に霊性っていう言葉がすごい流行りました。鈴木大拙的な区別でいえば、宗教じゃなくて霊性。金菱清さんの本も『呼び覚まされる霊性の震災学』（二〇一六年、新曜社）でしたね。その場合に、金菱さんが参照する若松英輔さんも霊性の話をしている。大拙の他にも大川周明や井筒俊彦が召喚されて、あるいは宮沢賢治や柳田國男の文脈もあるんだけど、アジア主義的なスピリチュアリティを召喚する流れが震災後には確かにあった。そこには必然性も危うさも両面あった。

藤田　能楽師の安田登さんの著作を読んでいると、大拙的な霊性は、日本的な身体と結びついていると書いてありますね。言葉や論理じゃなくて、禅をやるとか、修験道的な修行をするとかで体感されてくるものだと。能を観に行くと、それは確かに感じます。

矢野　怪異怪談研究会の今藤くんの話もあとで聞いてみたいのですが、神秘主義など広くオカルト的なものが復権してきてると思ったのは２００８年です。それは、さっきも言ったような「死者は語れない」という問題意識が支配的にあった言論状況において、理論的な更新ができなくなったことが原因かな、と当時思っていました。中沢新一や島田裕巳が2000年代後半くらいから復活していた印象です。あとは中川大地さんが、それこそ中沢新一を巻頭インタビューに迎えた『思想地図 vol.4』で、「生命主義」の再評価をしていました。

あと、僕の文学観はどうでもいいんですけど、いとうせいこう論の前に葛西善蔵論がボツになっています。僕の主題は何かと言ったら、「書けない人が書く」「書くことで生きる」ということです。小説でも音楽でも良いのですが、《芸能》の力で明日に向かっていく。それが、僕にとっての音楽や小説の喜びだったから。いとうせいこうにおいては、失語から立ち直るきっかけに震災があった。葛西善蔵にとっては酒ですね。さらに、バイオリン弾きだった葛西は民謡を引用して書いている。そのような、人が書き出す瞬間や歌い出す瞬間に関心があります。ライムスターが震災直後に「そしてまた歌い出す」という曲を作っていましたが。あとは、震災のあとに文芸評論家の秋山駿が亡くなりましたね。『「生」の日ばかり』(二〇一一年、講談社)などを読むと、秋山さんも身体が不自由になっていく中で、もう一回言葉みたいなものを再発見して、その言葉によって、もう一日もう一日と生きていた。そういう姿には感銘を受けます。自分のにはない言葉をどこから持ってくるかと言ったら、誰かの詩だったりテレビで観たコミックソングだったりする。スピリチュアリティもその一種だと思っているところがあります。訪れとして言葉。いまの社会秩序がドン詰まったときにどこからか光が差してくるか、というスピリチュアルな感覚はわからないでもないです。

藤田　日本では、霊性や神のようなものって、芸能で「降ろす」というか、賦活させるわけじゃないですか。

今藤　泉鏡花の研究をしております今藤晃裕です。関東大震災と泉鏡花の関係について ここ数年取り組んでいるんですが、東日本大震災における死者の語られ方にも関心があります。震災後にNHKでも特集していましたけれど、いろんな怪談が現地で語られている状況がある。同じような文脈で柳田國男『遠野物語』に描かれた津波のくだりも随分クローズアップされた気がします。被災当事者の中心には死者がいて、同様に当事者であるはずの例えばその遺族も究極的には当事者たりえない。こういう状況があって、それでは人々がどう癒やされてゆくかというと、先ほど述べたような物語が必要とされているのではないか、というところで、私は震災後の物語の力を特に重要視して考えています。

荒木　戦争と自然災害は違うと思いますか？　9・11の後ってそんなことなかった気がするので。アメリカだからなかったのか、それとも自然災害と戦争は違うという話なのか。

今藤　それはあるかもしれないですね。人為的なものとそうでないものの違いはあるのかもしれません。

藤田　金菱さんは阪神淡路大震災のとき

はこういう幽霊は出なかったと書かれていました。阪神淡路を経験された上での意見です。理由としては東北の文化的伝統かもというのが一つの仮説。もともとあそこはムカサリ絵馬とかがあって、死んだら死んだ人が年を取り続けると考える伝統があって、結構信じ続けられているみたいだし、イタコも今でもいる。会いましたから、普段は美容師だって言ってましたね。もう一つの理由は、文化的な伝統ではなくて、津波で身体が流されて生きてるか死んでいるかわからなかった状態が長かったからではないかと。幽霊や霊性は東日本大震災での亡くなり方からくるのか、東北地方の文化に由来するのか。

坂田　私は、悲しみとか怒りのはけ口の行き場があるかどうかじゃないかと思ってるんですよね。さっきから身体という言葉が気になっていたのですが、物としての身体なのか、魂としての身体なのかで結構考え方が違いますよね。9・11は感情をイスラムに向ければ良かったのかもしれないし、戦争っていうのも何か敵国であれ、対象に向くものがあれば何かしら消化できたかもしれない。震災と戦争が違うのは、津波で流されたことを誰に向けて良いのかということなんだと思います。原発があれば、福島の人ならそこに向けられる人もいる。もちろんそうじゃない人もいる。その対象を見つけることができた人と、どこにも向けられない人はすごく大きい気がします。

藤田　怒りを向けられないと幽霊を見るんですか？

坂田　それはわからないんですけど。怒りだけではないと思います。私は震災後から超宗派という宗派を越えた宗教活動をずっと見ていたんです。神道も仏教もキリスト教も一緒になって活動して、私遺骨安置所で見たんですが、結局ご遺体が上がってもどの宗派の人達かわからない、どの祈りを捧げて良いかわからないときに、すべての宗教、そこに居合わせることが可能な宗教者が集まって順番に祈りを捧げるんです。そういうことがあったので、遺体とか遺骨が上がってくれば消化できるのかなと。おっしゃるように、それが物なのか魂なのか。位牌とかもそうですよね。位牌を書いてあげるボランティアの活動をされていて、ただでお坊さんが書いてあげると涙を流して喜ばれるんです。

藤田　なるほど。怒りを向ける対象の話ですが、震災についてはリスボン大地震を経験したヴォルテールの『カンディード』や「リスボン大震災に捧げる詩」がよく参照されたと思います。彼は、そこで神に怒っているんですよ。地震を起こしていっぱい人が死んだのは、お前がデザインしたこの宇宙に欠陥があるせいだろう、悪意があるのかと怒ってるんですね。東日本大震災も、自然やこの世界を創った神に怒るということは、ありえるわけですよ。でも、自然に怒る人は少ない。それは何故なのか。それが自然災害を受け続けてきた日本の文化的伝統なのかなとも思う。堀田善衛が『方丈記私記』っていう本の中で、東京大空襲を受けた後の深川に行ったときに、焼け出された被災者が、たまたま来た天皇陛下にすいませんでしたって土下座しているのを目撃した話を書いているんですよ。「無常」として災害の被害を受容する文化的特性は、戦争や政治も、こういう風に受け止めるようにさせてしまって、それがヤバいと思い、戦後日本の文化を変えなければいけないと思ったわけですよね。それが、東日本大震災後では、どうなんだろうかな。

「物語化」は戦略的に是か非か

杉田　藤田さんと『百田尚樹をぜんぶ読む』（二〇二〇年、集英社新書）という対談をやったんですけれど、百田尚樹が売れる理由の一つって、日本人の死生観を物語化してわかりやすく商品化している、という点もあって。日本会議とかもそうですね。神話とかを上手く利用して死生観を与えてしまう。都合のいい部分を切り貼りしたフェイクであっても。

藤田　百田の作品は、死ぬことと、これだけ苦労して労働して家族を養って働くことの意味を提供してくれるんですよ。アイデンティティをくれるんですよね。

杉田　他方ではリベラル的な人の側にも、「死者の民主主義」みたいな半ばオカルト的なことを主張する人々がいますね。このあたり、落とし所がどこにあるのか、本当にわからなくて。個人主義的なリベラルなら、死んだら人間はそれまで、って言いきるべきだと思うんだけど、それだけだと読者がついて来ない。

矢野　村上春樹が『アンダーグラウンド』の中だったか、自分たちが物語を書かないことでオウムみたいな物語が発生してしまったから物語で対抗する必要がある、ということを言っていました。日本会議に対抗する物語を構築することが良いことなのか。それをもっと俯瞰するような物事を提示するのがいいことなのか。あるいは、そういう物語に回収しきれない声を集めることが良いのか。

藤田　村上春樹が大きな影響を受けたカート・ヴォネガットは、人はどうせ物語や宗教が必要だから、安全な物語を提供しましょうねってことで、ボコノン教っていう宗教を作中で発明していましたけれど、そういう気分に最近なっていますね。古くは、寺山修司と永山則夫の論争というのがありましたね。虚構で対抗するか、事実で対抗するのか。

矢野　現実は複雑だし言葉では言い切れないこともいっぱいあります。だから、その複雑さに留まる誠実さが、文芸誌的な誠実さなのだとは思います。ただ、その脇で起こってることに関して、小説家はどう思っているのでしょうか。それは僕の中では、知識人／大衆という図式にもスライドします。知識人は「大衆」の動向に目を向けられていないのではないか。最初こそ、文芸誌でデビューしたから文学史の一端を担おうという意気込みがありましたが、「なんかここにいてもなあ」という気持ちもすごいあります。百田尚樹にしても新海誠にしても爆笑問題にしても、良くも悪くも、ちゃんと届けたい人に届いてる人がいる一方、このような小説のあり方はどのように考えたらいいんだろう、という気持ちがあります。

藤田　世の中は二項対立で衝突してるし、物語も必要としてるし、単純なぶつかり合いの世界が一方であるわけじゃない。ネットとかツイッターで。文学は安全地帯みたいにいればいいのか。ぶつかりながらズラしていく作家の試みが一番ぼくは自分に来ますね。星野智幸さん、李龍徳さんや鴻池留衣さんが最近の素晴らしい成果だと思います。

矢野　そうですね。それらの作家はひと味違うし、だんだんとモードも変わっている印象もあります。一方、文芸誌でハードコアに前衛的な姿勢を取り続けたからこそ、10年後や30年後になにかが花開く可能性もあります。ただ、僕自身は基本的に軽薄なポピュラー文化に思い入れがあるので、前衛の態度というのはあまり好きじゃないです。現場の話で恐縮なのですが、学校の方針で、中1に対してなにかしらの小説を指定して毎月読ませるんです。でも、文芸誌に載るような作品で僕が好きなものは、ハイコンテクストでなかなか選びにくい。では、中1の教育現場に耐える小説ってどのようなものだろう。そういうことに興味があります。少なくとも現時点では、それは文芸誌掲載作品ではないです。

藤田　実際にはどういう作品を紹介してるんですか?

矢野　西加奈子さんはいいですよね。滝口さんの作品は、高1に読ませてみましたが、やはり少し伝わりづらいところもあったような印象です。ミステリーは圧倒的に人気ですね。伊坂幸太郎も人気だったかな。あとは、ドラマ化・映画化した作品。いわゆる純文学も織り交ぜていますが、『想像ラジオ』もまあまあ評判良かったですね。生徒も震災に関しては多少なりとも関心を持っているようなので、よく読んでいました。

杉田　ネットで『天気の子』とか松本人志について書けばバズるんだけど、文芸誌で橋川文三について必死に書いても誰一人読まない(笑)。僕は2014年くらいから小説ではなくサブカルばっかり論じているんだけど、方法としてはオーソドックスな文芸評論の手法に近い。これってありなんだろうか、と自分でも思うわけです。この論理を突き詰めていくと、自分たちも爆笑問題や松本人志と同等レベルに売れなければ、何を言う資格もないことになる。たぶん東浩紀とか宇野常寛はそれをやろうとしている。実際今、芸能人なのかキュレーターなのか思想家なのかわかんない人たちが増えていますね。

矢野　この間ジャニーズのNEWSのライブを観に行ったら、お客さんは5万人来ていました。メンバーは4人です。本を5万部売るってすごいことですよね。でも、NEWSのライブは連日5万人来ます。批評の本で5万部というのは、けっこう良い感じの読まれ方だと思います。だから、自分のコアになるものを抱えたままもっと読者を広げる、ということは、普通の努力としてやるべきだと思います。でも、そのコアの部分を手放してまで市場と付き合う必要はないと思います。でも、表現の強度として同時代のエンタメと同じくらい面白い文章を目指さなければウソだ、とは思っています。そこを目指せば目指すほど、「俺は爆笑問題の太田とはモノが違うな。全然かなわない」ということを痛感しますが。

坂田　私は社会学なので、社会学って社会を変えようと思って書くんですが、文学の方も社会を変えようと思って書くんですよね。

矢野　社会や世界に働きかけている意識はかなりあります。ただ、書く行為だけだと自分の中で物足りないので、中等教育の現場を選んでいます。いずれにせよ、自分の言葉で誰かが変容することを素朴に信じたいですね。

藤田　矢野さんも、いとうせいこうの『小説禁止令に賛同する』への文章でこんなこと言ってるんですね。政治的な闘争っていうのは規制や反撃の中で発芽し表現する場所を獲得する場所だって。コミックソング論でも、そういう話をされていますよね。ジャズが禁止されたときに、右翼的な歌詞の替え歌にしたり。生き残って、そういう楽しむ場を確保し続けるかというのが芸能の戦略論としてある。わりとこれ、重要なんじゃないかと思いまして。

矢野　戦時中、一部の軍歌は「愛国的な歌詞だったら良くない?」みたいな感じで、敵性音楽であるジャズを演奏しているんですよね。服部良一とかもかなり挑発的だったみたいです。それらは、歌詞は軍国主義的だけどある意味かなり政治的な闘争をしている。いとうせいこう論で援用したのはジャック・ランシエールの議論で、声をどう獲得するかという話ですね。そこでは、演ずるということが重要なんです。

藤田　いままで声が与えられなかった人に声を与えて言説空間に取り入れることこそが政治的なんだっていうのがランシエールの考え方ですよね。

矢野　そういう言説の内容以前の政治のあり方を考えました。ところで、批評における物語をめぐる問題は、ゼロ年代からありましたよね。評論家の栗原裕一郎さんは、そんな状況に対して「各々が好き勝手に物語をこしらえて売れた人が影響力を持つ。そしたら、事実性とか厳密性は関係ない、という話じゃん」と言っていました。批評言説に市場の論理が入ってくる。

藤田　だとすると百田尚樹が最強ってことになって終わるんですよね。市場の論理だとそうなるんですよね。「思想の自由市場」みたいなものは、ポスト・トゥルースに帰結してしまいかねない。

矢野　そういう反省もあってか、現在は、愚直に《正しさ》を追求するべきという気運も高いですね。デモ一つとっても、例えば2000年代中盤の高円寺のデモは、雑多性が強調されていたのに対し、官邸前あたりからワンイシューになった。ECDのリリックで言えば、「言うこと聞くよな奴らじゃないぞ」から「言うこと聞かせる番だ俺たちが」への変化ですね。でも、その後、少し内ゲバ的な雰囲気にもなりました。

藤田　なりましたね。こんなことに帰結するためにやってたんじゃなかったっていうのが、国会デモとか、ネット民主主義を擁護してたときに期待したものはこれではなかったって反省はすごくあります。なんでこんな陰惨なことになったんだって。

矢野　その現状に対してみなさんがどう思うかは、けっこう異なると思うんですよね。

藤田　ぼくもランシエールの考えを取り入れた美術批評をやってきたけれども、声なき者、たとえば少数民族や女性などのマイノリティが声を出すことが重要な政治的課題であるという通俗的な理解に矮小化されている気配があるのが違うなと思うんですよ。ランシエールの主張で重要なのは「コンセンサス」を揺るがす他者や外部の声に耳を貸し、その場の成立条件自体を揺るがしていくことなんですよ。その技法はネトウヨに簒奪された感じがあるんだけど、ネトウヨもリベラルも、自分自身の基盤や言説の条件そのものを掘り崩したり他者や外部に開いて組み替えない限り、ランシエール的じゃない。これは永遠にやり続ける必要のあることで、しんどいことですよ。止まってしまったら、どっちも同じになってしまいます。

荒木　そこでこだわりたいのは、一つの物語しかないんですか？　ってことなんですよ。物語に没入して救いとか慰めを得るのはわかるんだけど、その慰め方って一つしかないのか。現在の貧困は物語がないことじゃなくて、物語の数が少なく、しかも定型的なものしかないってことなんじゃないか。私が『無責任の新体系』（二〇一九年、晶文社）で言ったのは、物語はとても大事である、ただし、たった一つの物語に没入すると人はすぐ不正を働くことになるから複数の物語のあいだで行き来しなくてはならない、ということでした。さらにいえば、それはたった一つの物語に没入するよりずっと豊かな経験なんだよ、と。対抗的に物語を作らなきゃ変なものに制圧されちゃうよというタイプの危機感に関して思うのは、そういうようなことです。

藤田　ゼロ年代には、そのように複数の物語を並列させるプラットフォームの議論が盛んでしたよね。ロバート・ノージックのメタユートピアとか。それはここ10年ぐらい、かなり後退しましたよね。

杉田　一つの物語があるというより、小さすぎて物語にもならない断片的な要素が多すぎるという感じかな。

荒木　言いたいことは全く完璧にわかって、私が言いたいのは、物語を渡り歩く能力が大事なんだって感じなんです。それがロールズ的正義論の根底を固めてるっていう謎理論なんだけど。

藤田　そういうメタ物語的な生き方を体現する作家が舞城王太郎だったと思いますが、相当失速しましたよね。そういう外部から複数の物語を見渡すあり方は。竜騎士07の『ひぐらしのなく頃に』（二〇〇二年〜）もそうかな。

片上　舞城がいなくなってしまった問題は意外と重要な気がしますね。なんでなんだろう。小説のメタ的性格を上手くドライブさせて複数のルートに接続するってことをできていたのが舞城王太郎だったと思うんだけど、そこが詰まっていったというか。誰かが、フリーターとかは複数の労働現場を渡り歩いていて、複数の現場でそれぞれやっていく能力を作るから、ハイパー・メリトクラシー的でいいんじゃないかという議論をしていたことを思い出しもします。

藤田　複数の物語をメタ的に扱う作家で、成功しているのは奥泉光くらい。震災後にリアリティを失ってしまいましたね。これらの発想の元が、インターネットのプラットフォームのようなものだったということが原因の一つではないかな。上に複数の島宇宙が展開できる。でも、震災後は、もっと基層の物理現実の単独性の方が強く意識させられているのでは。

矢野　物語を渡り歩く能力というのは、読者の話ですか?

荒木　まさにそう。今言いたかったのは、私は小説家に何も期待してないんですよ。お二人の議論で、なんか私と全然違うなと思ったのが、来るべき小説とか、こういうものが欲しいって話をよくなさるじゃないですか。それは私はどうでもよくて、やってきたものを面白く解釈すればよくね? ってタイプなんです。だから作者より読者のほうが偉い。その読者としての能力が著しく低下してしまい、様々な情報を蓄えることだけが読者のリテラシーなのだ、みたいになってしまって、それは流石に違うだろう、と。もうちょっと頭良くなったほうが良いのでは? みたいな。

矢野　根本的には作家を特権化する立場ではなく、読者論的な態度でいるつもりなので異論はありません。ただ、読者と作品の相互関係を求めている、という感じですね。「頭良くなったほうがいい」という点は、具体的なイメージが湧かないところですが。

仲俣　荒木さんみたいにこれからの作品に期待しないという立場もあると思うけれど、さっき藤田さんがおっしゃっていたカート・ヴォネガット・ジュニアの話が面白い。ヴォネガットはたしか若い頃、大学を中退して陸軍に志願してヨーロッパ戦線に従軍して、しかもバルジ大作戦の中で生きのびて捕虜になり、ドレスデンで連合軍の空襲を受けて生きて帰って来た人じゃないですか。そんな彼が1960年代後半のアメリカのキャンパスで人気作家になるまで、20年以上もかかってるんですよね。それにヴォネガットは笑いもちゃんと書けた人だった。なので僕は日本でも、SFみたいなジャンル小説も含めた中で、これからに少し期待したい気持ちがあります。それから多和田葉子の『献灯使』に批判的だという話を前回はしたけれど、多和田さんはその後に『地球にちりばめられて』を書いて、僕はこちらはとてもいい小説だと思いました。この小説は言語コミュニケーションのズレから来る笑いをうまく取り込んでいて、既存作家も「震災後」の描き方がだんだん上手になり、おそらく考えも変えていると思うんです。前回は少し時代を遡って「J文学」あたりから震災後文学をどう考えるかという話をしたんだけど、僕としてはやはり、既存の作家の「震災後」が良くないと思うんですよね、いろんな賞の選考委員になっているクラスの作家の震災後の状況への対応のしなさが。あまり震災後を書け書けとは言いたくないけれど、同世代としては、ちょっとそのあたり、仕事しにくい状況になってるのかな、という気はします。

藤田　時間かかるって話はずっとありますよね。カート・ヴォネガットは自分が経験した空襲、ドイツで捕まって屠殺場に閉じ込められて、ドレスデンで味方の空襲を受けたって話を書くのに25年くらいかかってて。ヴォネガットは福島第一原発も作ったゼネラル・エレクトロニックの社員で広報をやっていた人で、この世界はフィクションなんじゃないか、フィクションがどう作用するかが問題なんじゃないかという意識を、もう仕事の経験から強く持っていた。この世界のブラックジョーク的なあり方をSFの形式で描いて、その状況全体を一つの笑いにすることで、心理的に昇華し、なんとか生きる意志を維持する。それが同時に、社会批判、文明批判、アメリカ批判になる。この作品を書くのに25年かかってるんだけど、この後も戦争の話を死ぬまで書き続けるんですよね。だとすると震災もそういう作家をやがてきっと生むんだろうなと期待しています。

笑いと身体
——笑いの種類の違い

長瀬　死体が出てくる出てこないの話はすごい面白いなと思いました。北条裕子の作品も死体は出てきますよね。表象された死体をどう読み解くかってことは、批評家の使命なのかなと思います。あとは震災後文学は、ちょっと終わってきているなって思って。僕文芸時評で連載しているんですけれど、今震災後をテーマに小説を書くってことはほとんどないですね。今はすごく多いのは、ジェンダーの問題。ぶっちゃけそれが良いか悪いかは分からないし、それはそれでありだと思うんですけど、なんで震災について書かれることがなくなってしまったのかっていうのは、これも僕の勝手な批評観なんですけれど、読みのモードがなくなっているんじゃないかなっていうのがあって。だから藤田さんのお仕事とかは、もっと広がるべきなのかなと。スヴェトラーナ・アレクシエーヴィチの『チェルノブイリの祈り』の話があったと思うんですけれど、あれって94年で、10年経ってようやく出てきたものじゃないですか。『チェルノブイリの祈り』は肉体的な生々しさがすごく描かれてるんですよね。これからそういうものを書く小説家が出てきてほしいなと思います。

藤田　具体的に身体が放射能で崩れていく描写があるじゃないですか。被曝した夫を看取る奥さんの目から見たものですが。あのダイレクトさは、読者に強いインパクトを与えていますね。

坂田　10年経たないと見えない、見せられないものもあると思います。私、9・11のミュージアムができる直前に関係者にインタビューしたんですけれど、やっぱり10年必要だったと言ってましたね。今8年ですよね。まだ生々しいから見せちゃいけないんじゃないかなって本能的に思うんです。死体とか、対立軸みたいなものはハッキリさせたらいけないんじゃないかと思ってませんか？　その軸を見せないようにしてきて、いままで8年間読む方も書く方もそこを隠そうとしてきたんじゃないかなっていう印象です。前回もお話ししたんですけれど、私は小説で震災を見たと思ったものはほとんどなかったです。でも『美しい顔』では見えたんですよ。そういう意味で言うと、遺体も見せられない。書く方も見せられない。それがようやく東京あたりでは見せてもいいかなって。『いだてん』の関東大震災とか『監察医 朝顔』っていう普通の描写の中に、いきなり出てくるんです。いままで津波の映像とかは出ますよって断ってから出てくる感じだったのに、普通にドラマを楽しんでたら出てきて、「あー」って思い返せるくらいの状況になったので、北条裕子さんのように書ける人が、見せられる度胸のある人が出てきたのかなって気は若干しています。

藤田　ぼくは、震災後に対立や軋轢や葛藤をなし崩しにしていく「空気」を感じて、それが日本社会を原発事故に導いた悪癖だろうと考え、対立や敵対を肯定するタイプの美術作品を肯定してきましたが……今になってみると、どうなんだろうな、その良し悪しは。

仲俣　矢野さんの言う情動的になりうる人間の身体と、もう決して踊らないし驚くこともないであろう遺体や死体の表象というのは、全然関係なくやっていたとしても、そこにはすごく裏表の関係がある気がしますね。

藤田　生きようとするポジティヴな身体ですよね。矢野さんの言う身体っていうのは。死体は矢野さんの中でどうなっているのかなって気にはなりますよね。

矢野　僕が身体というときイメージするのは躍動感みたいなものなので、そこは区別している気がします。どちらかと言えば、死体は《モノ》ですね。《モノ》こそ笑いを発生させるという中沢新一の議論があります。《モノ》であることの非－意味によって人は笑ってしまう。死体に関しては、その《モノ》性みたいな方向から考えたいかも。松本人志が『遺書』というエッセイ集で「オカンが死んだとき、笑いが取れるならオカンの死体で腹話術する」と書いていましたが、そんな不気味な発想を思い出しました。

荒木　その中間で言うと、杉田さんなんかは活き活きしている身体でもなければ死体でもない、何かができない身体とか、障害を抱えた身体みたいな、ある種中途半端な身体観でやってきたのでは。

矢野　杉田さんの『無能力批評』（二〇〇八年、大月書店）でも引用されていましたが、脳性マヒ者の横塚晃一が「障害者がお尻をちょっと上げることも労働として認めるべき」という主張をした話がありましたよね。そのような身体のあり方も興味深いです。

仲俣　戸川純の「踊れない」という曲が大昔あったけれど、ああいう体は五体満足だけど踊れない私、生きている身体なんだけれど踊れない、みたいな1980年代の自意識というのがあったと思うんです。それがいまだと阿部和重が『クエーサーと13番目の柱』（二〇一二年、講談社）で書いたように、CGもアンドロイドも人間も並列になってしまった。先ほどの話は、矢野さんが文学における死体という表象をどう考えるかを聞きたかったというより、矢野さんのいう《身体》は、すごく広く捉えられる言葉だなと思ったんです。それこそ、踊る身体がゼロ地点まで行くと死体になる、ということかもしれないし。

矢野　わかりづらいですよね。従来的なロマン主義的な身体と区別したい気持ちはあります。中心に考えているのは、労働とダンス・歌、それと障害のことです。

あとは自分も落ち着きのない人間なので、ＡＤＨＤとか吃音とかそういう不規則なリズムも大事だと思っています。

藤田　その話は面白いです。その話で身体を考えると、ベルクソンは、身体の自然なリズムの中にこわばりが出てくるから笑えるって言ってるじゃないですか。矢野さんの話はそれの現代版かなって。

矢野　笑っちゃう身体というのはたしかにあるんですよね。踊っている人を見ても、笑える人もいれば笑えない人もいる。あるいは、吃ってしまってクラスの友人に笑われてしまうということもある。変拍子的なものは目を引きますね。僕が好きなミュージシャンは、みんな変拍子的な動きをする人たちです。ジェームス・ブラウンとかジェームス・チャンスとかパブリック・エナミーのフレイヴァー・フレイヴとか。最近では、ドラマーのマーク・ジュリアナとか。彼らの動きに何か変革的なものを見ている。ジェームス・ブラウンは明らかに新しいリズムの音楽を作っていたから、必然的に身体がズレて見えるんですよね。そうやって身体から見通す音楽性のあり方があります。そういうものを見たいですね。

坂田　ふと2011年を思い出したんですけど、震災が起こる前まで身体メディア研究会っていうのをせんだいメディアテークでやってたんですね。例えば毛利嘉孝さんが踊りと政治の身体だったりとか、その後に港千尋さんに来てもらう予定だったんですけど、8回で終わったんです。それは震災があったから。で、その後せんだいメディアテークからやってほしいと言われたんですが、できなかったんですよ。笑えないというか、身体メディアとか、軽々しく言えないというか。それを扱うことに、身体を扱うことに関して非常な困難を感じたんです。

藤田　笑いもいろいろ種類があって、矢野さんがおっしゃるのは解放的でポジティヴなものが多くて、猿の動きとか、機械的な強ばりで、例えばバスター・キートンとかチャップリンみたいな笑いとはちょっと違う、もっと楽しいものみたいな笑いですね。志村けんのだいじょうぶだぁみたいな、音楽とリズムと無意味な言葉でただ楽しいみたいな笑いを復活させようとしているようなイメージというか。ぼくの志向は筒井康隆、大江健三郎とか、社会とか人間の暗い側面に触れながら、それを笑いで浄化するようなものに興味がある。それは、シビアな現実を直接的に見つめるために、目を逸らさないために、むしろ必要な技法だとも思うんですよ。それに対して、矢野さんは、人が生きるということ、成長するということに直接関わっている笑いな感じがする。もっと解放的で前向き。一方で、坂田さんのおっしゃるような、遺体という、絶対的な重さのある身体もある。

杉田　北野武が前言ってたなるほどと思ったのが、ある閉ざされた空間に囚われている全員を笑わせるのは究極の暴力だみたいな話をしてて、多分藤田さんはフロイトベースのユーモア論なんだけど、大江健三郎の話が出て来ましたけど、バフチンがいるじゃない。大衆のカーニバル的な笑いみたいな。グロスマンか誰かが、あれはファシズムの論理だよねと言っていて、民衆全員が一体化するような笑いっていうのは、そのままスターリニズムとかに変化していく論理があるのではないかと。それこそ松本人志が善悪とか正しいも間違いもなし崩しにしていくような話題を出していくときの暴力性みたいな側面もある気もするんですよ。精神分析的なヒューモアやイロニー論に閉じるべきじゃない局面があると思うんだけど、それはどうですか？　芸能の根幹として差別と笑いの問題みたいなの、常に筒井康隆もそうだけど、つきまとってくるじゃないですか。それは震災に対する高橋源一郎の『恋する原発』の問題とも絡んでくると思うんですけれど、笑いが必ず差別的なものに結びつきながら、破壊的な側面もあると思うんですけれど、民衆の快活な笑いだけでは済ませられない殺伐としたものってどこから来るのかなって。

矢野　僕が大事にしているのは、《おかしさ》という概念ですね。これは日本語学者の中村明が言っていたことです。《おかしさ》というのは「滑稽」の意味合いを含むと同時に「奇怪」という意味合いを含む。その両方を含むのが《おかしさ》です。つまり、驚きとか日常を脅かすもの。それが怖さに転じるときもあれば、笑いに転じるときもある。その混沌とした部分ですね。それは不気味さとセットになっており、差別と容易に結びつく危うさがあります。

藤田　なるほど。でもだとしたら震災が一番不気味で異質なものじゃないですか。日常性のリズムを崩すものだから、震災は笑えないといけない。でも、どうなんだろう。

杉田　この本だと笑いに関して重要な物として新奇性、新しくて奇妙な物って出てるじゃない。差別もそういうところに関わるのかな。

矢野　非日常と日常という区分があるとしますよね。この社会の中でありえないくらいかっこいいアイドルがいる。それが喜びをもたらす。一方で、ありえないくらい滑稽な人を笑いものにする。どちらも非日常な存在に向けられたもので、差別の構造になっていくところはあります。しかし、そういう自分の特異な身体によって社会に参入するとも言えます。社会の非対称性が無化されない以上、差別構造を見据えたうえで社会があるべきかたちを探る、ということを考えられないものか。もともと河原乞食だった人が芸によって社会に参入するから、そこは両義的なんですよね。いまの松本人志は、自分が日常の側に立って表層的には笑っている印象があります。そこに解放的な気分は見出しにくいですね。ビートたけしとか太田光とかが話していることを聞くと、日常を攪乱し活性化する欲望を感じます。

藤田　矢野さんが言っているのは松本的な、ヒエラルキーを作って差異を際立たせていくような、神経症的というか天皇制的な笑いじゃない感じがする。もっと原初的な笑いというか、赤ちゃんとかがゲラゲラ笑ったりする感じ。赤ちゃんってなんであんなに受けてるのかわかんないくらい爆笑してニコニコゲラゲラしてて、生命の感じがありますよね。矢野さんってそういう昔の笑いというか、多くの異質な物を包み込めて、祭り的空間の中で共存できるような瞬間に期待を賭けてる感じがする。そういう戦後の日本文化の中にあった、敵も含めて、アメリカとか異質なもの、異常なものを含めて一緒に何かできる可能性の空間を呼び起こすことで、百田的な世界観に対抗している気がする。ハイブリッドな何かの、生そのもののような力を信じている。それこそが、きっと芸能の中にある「カミ」の力なんだろうね。

矢野　解放感ですよね。ちなみに太田光は赤ちゃんに嫉妬するらしいです(笑)。自分の方を見ないで、みんな赤ちゃんの方に行って食べさせたりしているから「なんでこっちに注目しないのか!」って嫉妬する。

藤田　それは面白い。でも、赤ちゃんって些細なことでもウケてくれるじゃないですか(笑)。赤ちゃんいっぱいいる劇場とか行きたいなって思う。

杉田　それは部分的に搾取してるんじゃないの?(笑)

藤田　まあそれはともかく、笑いの種類は違うっていうのはあると思うんですね。松本的な笑いと、たけし的な笑いと。筒井的な笑いも大江的な笑いも違うし。

矢野　教員をやっていて、休み時間に生徒が昨日のドラマの話とかしててチャイムが鳴ってもまだ話しているときとかあるじゃないですか。俺も謎の嫉妬するときがあります(笑)。自分の授業は面白いと思ってやっているつもりなので、「俺とお前の関係性は昨日のドラマに負けるくらいものなの?」みたいな、ウザイ対抗心を持ってしまう。でも、その気持ちで文章を書かなければウソだ、って思っちゃうんですよね。文芸誌に載って書評が出るのも大事なことなのですが、「どうしても昨日のエンタメに対抗していますか?」みたいなことを考えちゃう。だとすると、そんな繊細な話ばかり書いてていいのかなって、そんなこと思っちゃうんですね。

芸能の力は ファシズムにつながるか?

藤田　話を戻すと、矢野さんの考えがファシズムに繋がるんじゃないかというのが、杉田さんと荒木さんのおっしゃってるのはクリティカルポイントでしたよね。なんかその話題が宙づりになっていたような気がするんです。

矢野　まあ、動員への抵抗感は少ないかもしれません。動員への欲望があるとすら言えるかも。

荒木　それを制御できる範囲でイメージしている感じがありそうな。身体とか顔が見えるとか声が聞こえるとか含めて、過剰に広がらないっていう感触を持っているのでは。

杉田　N国と山本太郎、今彼らが身体性の面白さで大衆を動員しているわけですよね。右のポピュリズムに対して、左派ポピュリズムという言い方もされますが。

荒木　山本太郎はどう?

矢野　葛藤はありますけど、基本的にはポピュリズム要素は持つべきだと思っています。経済左派という主張も一定評価はしているけれど、どこで現実路線になっていくか注視ですね。今後どうなるかってことに関しては、すごくヒヤヒヤしながら見ています。ただ、ポピュリズムを認めるということは、N国もトランプも一定程度認めなければいけない。だから、大衆迎合的であらねばならないということではなくて、あくまで大衆の欲望に向き合わなければならない、ということです。

仲俣　政治的なイデオロギーを抜きにしても、ポピュリストは体の動きがおかしい(笑)。山本太郎が実際に街宣してるのを見たことがあるけれど、やっぱり動きが変なんですよね、演説してるときの動きが。その「動き」をイデオロギー抜きで論じてほしい。もし山本太郎と同じような政治思想の政治家が出てきても、あの身のこなしがなければ、絶対にあそこまでの支持は集まらないと思うんです。逆に言えば、これから「N国の思想を持った山本太郎」が登場することもありうるわけで。

藤田　在特会とかもそうだと思いますけどね。音楽とリズムと映像を上手く使ってああなったんだと思いますけどね。ネトウヨが増えたのは、「チャンネル桜」みたいな動画メディアの活用の成功のお陰だという分析がありますね。

矢野　そうですね。その議論で面白かったのは、太田光が「山本太郎も丸川珠代もタレントとして二流のやつが政治家として活躍している」という主張です。要するに、ちょっと下手で大仰なほうが政治の場ではちょうど良くて、「あいつらはタレント失敗してるやつらだろ」という見方。身体の水準で見たとき、政治家のなかでは優れているけどテレビタレントほどではない、という評価になる。

坂田　見る以外の身体の話はどうなんでしょう。情動っていうのは声や動きともちょっと違う。それは音が高いとか低いとかじゃないんですよね。視覚的に違うことに関して人間は反応するじゃないですか。そういうレベルの話なのか、もっと言うと『バリバラ』とか障害者の話もそうですけど、目に見える人に反応してるだけなのか、違うイデオロギーがそこに乗っかってくるのか。面白いというものに対して、ファシズムもそうですけど、別のものが乗っかってくるという。

矢野　その人と身体とメッセージの内容がまったく切り離されている、とは思わないのですが、難しいところですね。

坂田　自分が持っているものに対して語りかける身体でしかないのでしょうか。

矢野　少なくとも、僕はN国の立花孝志に身体的に惹かれることはまったくなかったです。あと、よく都知事選とか出ている後藤輝樹の少し震え気味の高い声とかも「表舞台に立つ人の声じゃないなあ」と思います。田中角栄は選挙演説で広澤虎造を参考にしていたくらいですからね。でも、立花や後藤に響く人もいるんでしょうね。そこにはメッセージの内容も変数として入っている気はします。身体性については、必ずしもライブで目の前にあるものを想定していないです。TikTokとかたまに見ると、TikTok映えする身体の動きがあるんだろうなと思うし、テレビはテレビの動きがあります。だから、メディアの問題はもしかしたらあるかもしれないですね。で、荒木さんはなんでYouTube始めたんですか?

っていうのは聞きたいところなんですが(笑)。

荒木　全く関係ないですよ(笑)。YouTubeで人の論文を勝手に紹介するのをやってて、みんなチャンネル登録してねって感じなんですけど、先ほどの矢野さんの話で、文芸誌でデビューしたしちゃんとした平成文学史も作らなきゃって意識が最初はあったけど、段々そこじゃなくね?……って話があったじゃないですか。そこは共感してて、私も『群像』から優秀賞をいただいて、新人としてデビューしたんだけれども、別に俺のフィールドってここじゃないよなって違和感はずっとあったんです。というのも『群像』にデビューする以前に私は自分で本を書いて出すってことをやっていたんで、そっちでの作業のほうがリアリティがある。それに比べると、文芸誌一般がかなりぬるいというか、あるいは既得権益による何かだなって感じしかないので、そこに安住していると書き手として終わるだろうって予感があったんです。そういう風に考えてみたときに、ちょうどYouTubeが流行っているので、乗ってみようかと思いました。初めから分かってることですが、これはもう負け戦ですよ。けど、その負け戦に行くのがむしろいいんじゃないかと。こういう負け戦が回り回って百年後とかに、こういう頭悪いやつがいてね、みたいに語られるのだったら、それはそれで面白い。

矢野　「百年後にこういうやついたんじゃね?」という論理は、むしろ文芸誌の意義を言うときに出てくる印象があります。既得権益もあるしいまはいろいろ思うことがあっても、こうやって紙に残すことで百年後の図書館には残るのだ、と。どっかの新聞に「荒木はYouTube。矢野はDJ。みんな生存戦略に必死だ」とか、僕ら書かれていましたが(笑)。生存戦略的なところもあるんですか?

荒木　生存戦略的な意味もある。けど、もっと単純にやってないことをやってみたいなというのがあって、私は教師業とか全くやってないので、他人に自分の言葉を肉声で届けるって、ほとんど経験ないんです。そういう意味で、例えばYouTubeとかで自分の声を届けることが新鮮に思えたわけです。続けていくと、自分の喋り方が変わっていくのかどうかってところもふくめて。「自分」って最大の実験材料じゃないですか。その実験がなんか面白そうかなって。

杉田　アートはじかに観に行かないとわかんないっていうのは一理あるんだけど、そもそも現代アートの世界では、インスタとかで拡散することが前提じゃないですか。だから全員が現地に観に行って判断すべき、っていうのは何か違う気がするんですよ。『美しい顔』の距離の問題もあるし、あるいはかつて丹生谷貴志という哲学者が書いてたんだけど、彼は阪神淡路大震災のときに現地にいたんだけど、自分の置かれた状況をテレビで見て初めて知ったんだって。ある種の当事者性というか身体的距離感のねじれがすでにあったというか。自分の顔とか身体もネットで拡散していく、それが自明になった世界の中で身体性の問題を考えなきゃいけない。それこそデリダとか東浩紀が論じた問題かもしれない。何度もいとうせいこうの話に戻ってきちゃうけど、あの小説はそういうリアリティなのかも、って思って。

仲俣　この対談はいい意味で、回を追うごとに藤田さんから遠ざかっていっていますね(笑)。文壇や文芸誌から距離をおいたおかげで、全体として文学やその他の表現のフィールドが広く見える、すごいいい空間になりつつある気がします。

第3回

震災後文学とアナーキズムと反出生主義

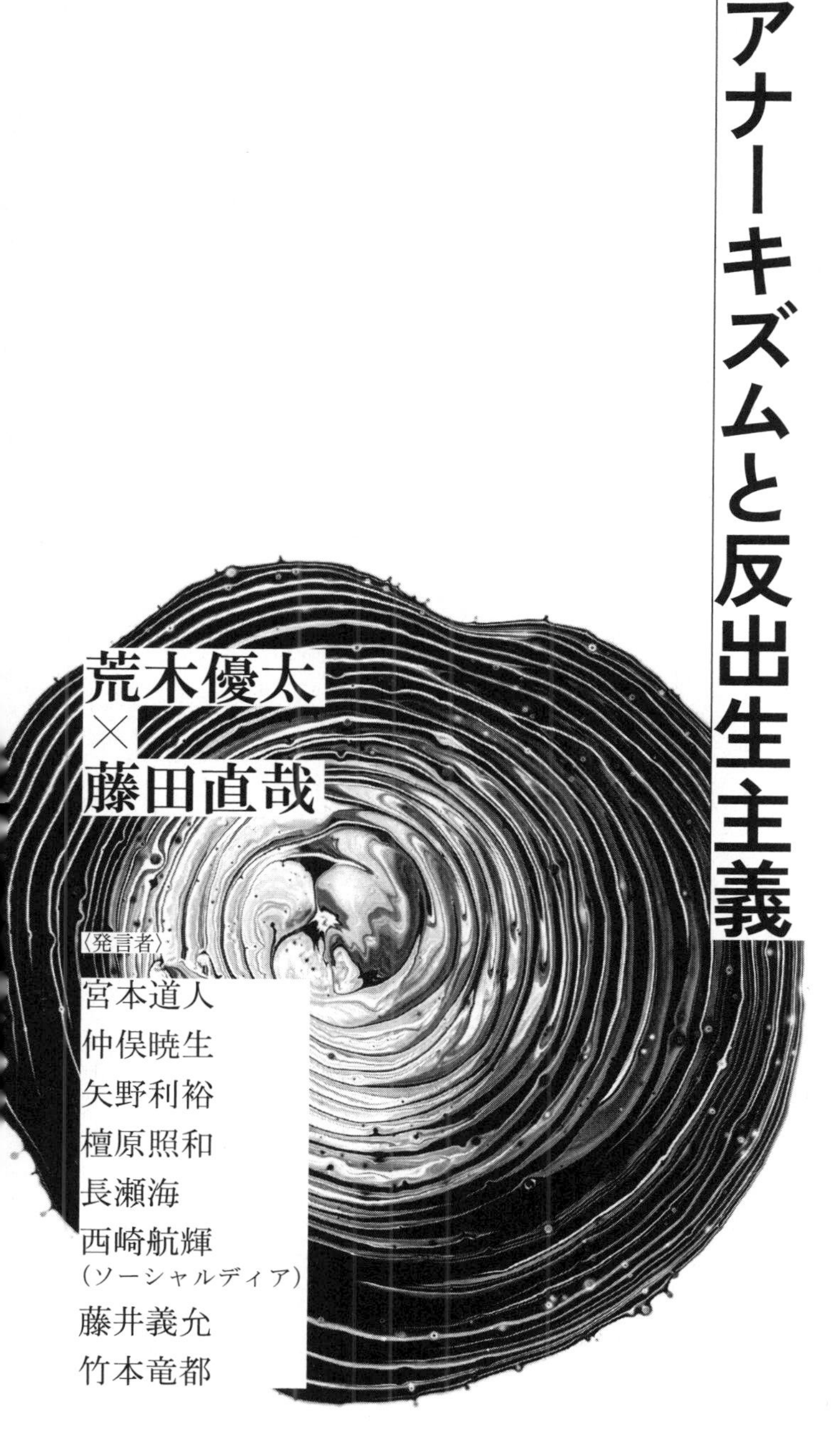

荒木優太×藤田直哉

〈発言者〉
宮本道人
仲俣暁生
矢野利裕
檀原照和
長瀬海
西崎航輝（ソーシャルディア）
藤井義允
竹本竜都

『ららほら』の編集方針への不満

藤田　今回は荒木優太さんにお越しいただきました。荒木さんは『貧しい出版者――政治と文学と紙の屑』(二〇一七年、フィルムアート社)の元となる『小林多喜二と埴谷雄高』をセルフパブリッシングで刊行され、その後に『これからのエリック・ホッファーのために――在野研究者の生と心得』(二〇一六年、東京書籍)という本を出し、一躍話題に。最近は『在野研究ビギナーズ――勝手にはじめる研究生活』(二〇一九年、明石書店)がAmazonで1位になり、すぐに増刷。在野研究という研究所や大学に依拠しないインディペンデントで行なう文学研究、もしくは思想批評、研究の道筋を照らす第一人者として注目を集めていますね。一方で『仮説的偶然文学論』(二〇一八年、月曜社)、『無責任の新体系』(二〇一九年、晶文社)を読むと、思想家としての側面もお有りだと思っています。ぼくらが政治にべったりしたりツイッターで反射的に何かやってしまう状況に距離を置きつつ、この現実の状況に巻き込まれない主体の形成を文学に期待している批評家だというのが、ぼくの理解です。その荒木さんと今回は、ぼくのやってることに対する批判も含めて、ディスカッションできればと思って企画させていただきました。今回は、かなり『ららほら』自体に批判的なご意見もいただけるとのことで、覚悟しております。

荒木　質問なのですが、まず『ららほら』を出版して寄稿者の方々はどういう感想を抱きましたか?

藤田　平山陸子さんは喜んでくれてフェイスブックとかで反応してくれて、周りの人たちも読んで、「こんなこと考えてたんだ」って感想を言ってくれたようなんですよね。現地の復興住宅でそういうコミュニケーションが生まれているという話を聞きました。

荒木　依頼して本が出来て喜んでくれると結構嬉しいですよね。『在野研究ビギナーズ』はある程度の有名人、山本貴光さん、吉川浩満さん、朝里樹さんというビッグネームを並べつつ、あんまり読者は知らないだろうような人々を適宜配することができた。で、リアクション聞いてみると、わりと上々で、そういうのはやりがいになりますね。私がなんで今みたいな質問をしたかっていうと、執筆者の方々は本当に『ららほら』に書きたいって思っていたのかなっていう感想をところどころ抱いてしまったんですよ。これは目次の問題とも関係すると思うんですが、最初に平山陸子さんが出てきて、続いて大澤史伸さんが出てくると。このふたつの文章の共通点っていうのは、どちらも藤田さんに依頼されたことを明記しているんです。依頼されたから書きましたって感じがするわけです。巻頭には藤田さんによる非常に熱のこもった、ちょっと宗教的な域に達している序文があるわけです。通読していると、藤田さんの熱意はすごい伝わってくるんだけれど、じゃあ果たして他の人々はそれに対して感応しているんだろうか。あるいは納得しているんだろうか。ちょっと疑問に思っちゃったんですよ。一人で突っ走っちゃってるだけなんじゃないか。

藤田　それはそうでして、そもそも当事者の方々は、基本的にあまり書きたいと思っていないのかなと感じるんですよ。それは、単純に書くことが苦痛だからかもしれないし、時間が経っているからかもしれないですね。柳田國男が探したような、普通に生きた人たちがどう震災を捉えて理解して表現しているかに迫りたかったんですが、あまり、書いてそれを公共化するという使命感も持っていないし、そういう回路を期待していないというのが現実なのかなと思いますね。それは、この本のそもそものぼくの企画が甘かったとも言えます。

荒木　今のやりとりを見てわかるように、この対談シリーズの中でもっとも藤田さんに批判的なのはたぶん私なんですね。仲俣さんよりも矢野さんよりも、『ららほら』に関して率直に言えば、面白くなさを感じています。ただ、あまり悪口みたいなことを言いたいわけでなくて。

藤田　確かにそうなんですよね。いわゆる明快で明晰な面白さがあるとはぼくも思っていない。そこは、率直に言っていただいた方がいいですね。

荒木　どうしてこういうことを言うかというと、これが単発で終わるんだったら、私も「まあ、いいんじゃないですかね」で終わらせていたと思うんです。でも続けていくわけでしょ？　私は続けていくことは大事だと思うわけ。というのも、続けていくなかで、最初は失敗だと思ったものが、シリーズを通して読んでみたら事後的に新たな発見があるかもしれない。こういうことはあらゆる仕事に言えるわけです。で、本筋に戻ると、執筆者の原稿に対してある種の編集を噛ませるアイデアもありえたと思うんです。具体的には平山さんや大澤さんに、藤田直哉という固有名を削ってくれと。つまり自発的で書いたようにしてほしいんですけれども、とディレクションをすることも可能だったかと思ったのですが、どうでしょう？

藤田　前も話しましたが、「地域アート」的に作ろうという意図があったんですよ。近代美学は、作家が個としてロマン主義的に何かを表現するわけですが、「地域アート」は相互作用の関係性の中で流動的に相互作用しながら場に応じて変化していくような美術です。それの文学版を試してみたという感じのコンセプトがあったんです。だからなるべく相互作用の痕跡を活かそうとはしました。

荒木　藤田さんも所属する限界研の大事な仕事に『東日本大震災後文学論』っていうのがありますよね。私はこれがなかなか面白いと思っていて、限界研は元を辿れば鶴見俊輔から来てるわけです。鶴見俊輔は限界芸術論というのを唱えていた。芸術は三つに分かれる。一つは純粋芸術、二つ目は大衆芸術、三つ目が限界芸術。特徴的な差異は何かと言うと、クリエイターと受け手の間の関係性になるわけです。鶴見に従えば純粋芸術は専門的な作者が専門的な受容者を当てにして作る。大衆芸術になると、専門的な作者は一緒なんだけれど、それが非専門的な連中に開いて行くことになる。そして限界芸術になると、非専門的な連中が作ったものを非専門的な連中が受容するっていう形になっていく。だから例えば民芸を限界芸術として高く評価するわけです。で、思うにこういったあり方っていうのは、例えば鶴見が限界芸術論の中で民俗学を評価したように、ある種の口語的なコミュニケーションの中ではじめて実現というか、はじめて活き活きと発現されるのじゃないか。つまり文字になると消えちゃう言葉の響きとか、息づかいというものがあって、それを救うのが限界的な何かであるというような問題意識があったと思うんです。その上で、『ららほら』に戻りたいんですけれど、例えば書くことに積極的でない人に書かせることが最適解だっただろうか、という疑問があるわけです。インタビューしてそれを書き起こすとか、被災地で怪談が流行ったみたいな話にしても、その怖い話を収録するような道もあったかなと思うんだけど、そうではなくいささか堅苦しい文学に夢を託そうと思ったのはなんでなんだろう。背後には藤田さんが持っている文芸誌というものへの想いがあったのかなと感じていて、それが編集の邪魔をしているんじゃないかと思ったのですが、いかがでしょうか？

藤田　まず鶴見俊輔の話についてですが、限界小説研究会って、元々は笠井潔さんという新左翼の批評家・小説家が作った研究会でして、笠井さんは、昔、鶴見さんと関わっていたんじゃなかったかな。鶴見さんはベ平連（ベトナムに平和を！市民連合）とかもやってた人で、つまりサークルとか自主的な研究会の中で討論をしたりして、その中である種の政治的な、議会政治とは違う政治的なものを作ろうとした人ですよね。そこで『東日本大震災後文学論』を作って、その延長線上で『ららほら』を作っているのは確かで、限界芸術的な関心もありましたし、草の根民主主義的な意識もありましたね。下読みをやっていて、震災のリアルなことを書いてるんだけど、これは商品にならないし芸術性も認められないだろうなみたいな作品が結構あって。これは世に出した方がいいんじゃないのかな、というのが、企画のスタートでもありました。聞き書きをするべきだったかどうかなんだけど、瀬尾夏美さんの場合は被災地に住んで移住して、いろんな話を聞くんだけど生のまま出したら美術作品にならないから、自分が変換して自分が書いて喋る、朗読するようなことを噛ますことで表現することを試しているんです。この本も、現地の生のものがそのまま作品になりにくいという文化状況で、ちょっと四苦八苦してこの方法になっています。

荒木　前2回を通して藤田さんはこの本にフィクションがなかったことをかなり悔やんでらっしゃるようでしたね。そこでもっと具体的な編集の過程に関して尋ねたい。依頼するときにはなんて言って依頼したんですか？

藤田　文芸誌ですって言った覚えがありますね。だから、もっとフィクションが来るはずだとぼくは勝手に思い込んでいたんですよ。でも結果出てきたのは体験記に近いものだった。それはそれで一つの事実なので受け止めようと思い、坂口安吾的な発想に変わっていきました。すでに何度か触れた「文学のふるさと」で安吾が言っていることですが、文学というのは文化で、文化というのはぼくらの生身の剝き出しの物理的な物というよりはもうちょっと虚構的なものが堆積しているものだけれど、文学の根本的な部分には、倫理も美学も道徳も突っ切るような貧しさのようなものがあると安吾は言っているんですよね。芥川が、ある農民作家の書いた作品を読んだ。そこでは、生まれた子どもを殺して石油缶に入れて埋める話が書いてあった。芥川が「こんな事が本当にあるのかね」と尋ねたら、農民作家は「それは俺がしたのだがね」と答えた。芥川は、これに答えられなかった、突き放されてしまった。これが「文学のふるさと」だと安吾は言うんですね。大人の仕事は故郷の上にさらに積み重ねていくことで故郷に留まっちゃいけないとも言っているんだけれど、ぼくが『ららほら』でやるべき仕事は、ゴロッとしたぼくらを突き放すような事実性、それを集めて突き付けることかなと思ったんです。

純粋芸術と限界芸術の融合
──『限界芸術論』の観点から

荒木　私が気になっちゃうのが、文芸誌って言葉なんですよ。文芸誌って専門用語だと思うんですね。私と藤田さんなんかは文芸誌のお仕事をまったくしないわけでもないくらいのお付き合いだと思うので、何を指すか、ぼんやりと分かる。でも、これを一般化したらかなり不味いんじゃないか。ちょうどこの会場に来る前にツタヤの書店に行ったんですよ。文芸書コーナーを見ていると、宮部みゆきとか池井戸潤がいるんです。私の感覚からすると、それってエンタメじゃないの？　って思うんだけれど、この感覚は一般の人から恐らくズレている。文芸誌で私たちがイメージするものと、東北で被災して文学に親しんでない人の思う文芸または文芸誌というものが大きくズレていることが一つ問題としてあるんじゃないか。それで聞いてみたいのが、藤田さんって文芸誌好きな人だったっけ？　お前そんなやつだったっけ？　ってことなんですね。というのも、藤田さんって「ザクティ革命」とか言ってた人、ニコ動で暴れてて村上隆に突撃インタビューしてた人じゃなかったっけ、と(笑)。その人が文芸誌ですか⁉︎　っていう想いがあって、文芸誌にどういうイメージを持っているのかを一つ聞いてみたい。

藤田　文芸誌と名乗っているのは、マージナルの領域を広げるために挑発的な意図であえて名乗っているところがありますね。文芸誌は結構リスペクトして憧れも持っている部分があるんです。特異なもの不思議なもの多様なもの変なもの、をなるべく許容しうる器としての文芸誌はリスペクトしてるんだけど、「新人小説月評」のときに新人の作品を一年間読んで、面白かったんだけど、なんだか一定の傾向になっているような気もした。ぼくの文学観は筒井康隆の影響を受けてるんですが、筒井さんはＳＦが好きで滅茶苦茶なことをいっぱいやってるんだけど、文芸誌とか文学へのロマンチックな情愛がある。だから、その影響を受けているので、多様で実験的で高度な、よく分からないものを、商業原則とは別のロジックで擁護し保護し発展させる場所であってほしいと思っていますね。

荒木　その原体験みたいなのってなんかあります？　文芸誌読んで感動した、みたいな。私は皆無ですけど。

藤田　文芸誌そのものにはないけど、文芸誌に載っていた作品に感動したことは何度もありますね。連載なんかは、この世の誰も読んでないんじゃないかと思う時もあるんですが、しかし、本にまとまってから読むと、本当に凄いものがあるからね。

荒木　ある特定の文学者とかテクストとかに非常に思い入れを持つことはわかるんだけれど、それを文芸誌として眺める視点が私にはなかったんですよね。さっき整理した図式を用いると、純粋芸術の話だと思うんです。純粋芸術にいかに限界性を持ち込むのかという観点で『ららほら』ができているんだけれど、なんでそんなことわざわざしないといけないのかなっていう疑問があって。というのも限界芸術の長所たる所以というのが、特別な作り手、特別な受容者がいなくても芸術は完成する、あるいはマーケットって完成しちゃうよってことにあるんじゃないのって思っていて。

宮本　今の荒木さんの、文芸誌だから純粋芸術であるという論の立て方はおかしいと思います。というのは、藤田さんが目指していたのは、非専門的享受者が専門的享受者に出すようなスタイル。これは鶴見俊輔さんの「限界芸術論」には定義されていない。聞き書きなら他にやってる方がいるけれど、藤田さんがやろうとしたのはこれまでにない文芸誌のスタイルでした。その点はかなり新しかったので、結果的につまらなかったというのはどうとして、理念としてそれを目指したことは非常に重要だと思います。

荒木　今私が文芸誌と言ったのは、具体的には五大誌のことを指していたつもりで、『群像』『すばる』『文學界』『文藝』『新潮』、これに限定すると非常に純粋芸術的な回路で成り立っていると思います。つまり受け手の側も専門化されているのでは。で、その逆、つまり非専門的な作り手が専門的な連中に届けるっていうのを『ららほら』は本来目指すべきだったのでは。

藤田　そうなっちゃったんだよね。文学をある程度コードとして知っている人たちの価値観を揺さぶるようなものを非専門家の言葉から持ってきてぶつけるという変な狙いの本だから、読む人少ないだろうなとは思っていました。

荒木　一点確認したいんですけど、新しいとおっしゃったじゃないですか。確かに新しいのかもしれないけれど、非専門的なクリエイターが専門的な受容者に何かを与えることによって何が生じるんですかね？

宮本　その枠組みを作ろうとしたのが新しいんじゃないかなって。専門的な享受者に届けられると、専門的な享受者っていうの中には批評家とかが入っていますから、その専門領域で解釈っていうのが新しく行なわれて、特定の部分の再評価に繋がる。鶴見俊輔は「純粋芸術・大衆芸術・限界芸術が混ざり合った先に面白いところがあって、それが重要だ」みたいなことを言っていたと思いますが、こういう本が出て、それを誰がどう評価するのか、という評価軸がグチャグチャになった先に面白い発見があったりするのかなという意味で、その一歩ではあるのかなって思いました。

藤田　私的な動機で言うと、正統性とか権威的な物に挑戦したいというのがあるんですよ。北海道の地方都市の郊外出身の、文化的にレベルが高くない場所で生まれ育って、それが身体化されてるわけですよ。で、ファミコンとかやっているわけですからね。だから郊外を扱った日本文学とかが好きだったし。日本文学が文化的に高いものと見なしていない郊外とか、サブカルチャーを扱った阿部和重とか、ネット環境という低俗でゴミのようなものと見なされていた言語空間を文学に取り入れたゼロ年代の作家とか、その前はSFがそうだけれども、そういう外側、周縁でくだらないと見なされていたものを「文学」に取り入れて組み替わっていくというのが、現代文学の「運動」として面白いなと思って批評家をやってきたところがあるんですよ。

荒木　周縁が周縁のまま勝利するのが結構好きなストーリーで、周縁が中央に認められてやったぜって話は「そうすか……」みたいな感じがしちゃうんですけど。

藤田　中央に認められたり、中央を組み替えたあとで、どうなるかという問題がありますよね。オタク文化も最初は周縁で馬鹿にされてる文化で、だからこその自由があった。ネットもそうじゃないですか。それが、主流とか権威とか伝統に挑戦しているうちは面白いんだけど、メインカルチャーで、クールジャパンで、日本が誇る文化です、となっちゃうとちょっと違うんじゃないかと正直感じる。運動性がなくなっている。だとすると、また周縁に行く必要が出てくる。

宮本　中央に認められる構図より、混ざり合うのが大事なのかなと思うんですよね。例えば鶴見俊輔が『限界芸術論』で言ってたのは、宮沢賢治が修学旅行のパンフレットを作ったり、学芸会の劇を作ったりしているといった限界芸術の中で得たものがあって、それを大衆芸術に変換しだした。そのときに大衆芸術と限界芸術が混ざったから良い物ができたんだと。『限界芸術論』の中では限界芸術と大衆芸術の話が多いんですけど、そこに純粋芸術との混ざり合いがあっても良いと思うし、フォーマットがぐしゃぐしゃになった先に面白いものがあるのかなと僕は思っています。

荒木　その点では今の方向を突き詰めていくと芽が伸びる？

藤田　わからない(笑)。ぼくは何かと何かの境界が動揺してたり揺れたり衝突してたりするダイナミズムは好きで、常にいろんなジャンルのそれを面白がって、それを揺らしてどうなるのかなっていうのを見て、そこから面白いもの、新しいものが生まれてこないかなって見てるんだと思う。だから、いわゆる専門性を積み重ねたり、概念を精緻化していくタイプの人とは、ちょっと違う見方で文化に関わったり文字を書いていると思う。でも宮本くんの言ってくれた、混ぜる方向に可能性があるのは、その通りだと思う。

子どもが生まれたことは保守化と関係あるか

荒木　先ほどご自身の保守化は、ある種の権威への憧れみたいなものがあるんじゃないかと。

藤田　芥川賞とかサントリー学芸賞とか欲しいと思わない？（笑）

荒木　そういうことをちゃんと言うのは好感がもてますよ（笑）。

藤田　でもくれるって言ったら貰うでしょ？

荒木　もちろん（笑）。貰える物は貰っておきますよ。それはいいんだけど、しかし、そういうふうに思うのは端的にお子さんが生まれてからなんじゃないの？

藤田　それはありますね。

荒木　で、私と藤田さんの最大の差が子どもを持つか持たないかなんですよ。私は持たないと思うんですよ。

藤田　わかんないよ？（笑）

荒木　まあ持たないんですよ。これはかなり明確に決めていて、例えば埴谷雄高なんかは、やっぱり子どもを作ることは人間の原罪みたいなもので、精子が卵子に向かう時点で兄弟殺しが行なわれているという。なので自分は絶対に子どもを作らない。だから妻に堕胎をさせまくる鬼畜男でもあるわけですが、そういう思想を私もまがりなりにも受け継いでいてですね、多分子どもを持たないんですよ。このことのもたらす自由がおそらくはある。

藤田　もちろんそうで、その自由が文学の自由なり批評の自由と結びついてるのかもしれない。ぼくもそれに近いような、ある種の文学のアウトロー性に憧れてそういう道を生きて来たんだけど、自由も行きすぎると何にもない気がして。無というかね、他者に対する破壊的な状況に陥ることがあるんですよね。そこに行くと戻るしかなかろうなという気持ちもありました。文学者の悪辣な振る舞いの良し悪しも、批評で何度も問題になっていることですよね。結婚も出産も、単純に個人としての自由を重視するなら、それを阻害するものですよ。合理的に考えればね。でも、合理的に考えれば、生も生殖も無駄なことで、『利己的な遺伝子』的に言えば遺伝子の命令で過去から未来へと向かっていく中継地点がぼくでしかなく、性的な快楽も喜びも美も、すべて遺伝子がそう感じるようにデザインされていて、それに振り回されて生きているだけってことになりかねないわけですよね。苦労してわざわざ生きることがバカバカしくなる、満足感も達成感も、単に遺伝子が増殖するために脳に感じさせる報酬にすぎないんだから。生命、生物が存在し、続いていくということには、科学的も論理的にも、意味や意義はないわけですよ。だから、合理的に考えちゃいけないんです。この生にも、この実感や感情にも意味があり、何か大きなものに繋がっていると「信じ」なくてはならないんですよ。たとえば、子どもが生まれて子どもがかわいい、それはホルモンとかオキシトシンに騙されてるに違いなくて、生命がそういう風にデザインされているからにすぎなくて、そしてそういう身体と脳を持っていること自体はぼくの自由意志による選択ではないわけですよね。でも、そういう科学的な突き放した視点を持ちつつ、「騙されよう」と決意することが重要というか。論理や科学ではなく、意志の問題、信じることという問題系ですよね。小林秀雄が言うように、「知ること」と違って、「信じる」ことは主体的な決断なんですよ。ぼく自身も、これが保守化なんだなと痛感しています。ある種の、身体からくる物理的なものでもあるな、と。そういうモードにならないと、結婚するとか、子どもを作るとか、他者の生命を引き受ける覚悟なんてできないでしょう。深刻な障害を負った子どもが生まれる可能性も少なくないわけで、そうなったとしても引き受ける覚悟がいるわけですから。だから、自分の自由を捨てて、理不尽を引き受けざるをえない状況で覚悟を決めるために、男はこうだとか父はとかの物語を必要としちゃう理由も最近よく分かってきた。家系の物語とか血筋の物語とかね。そういう物語がないと、生存し続け、子孫を繁栄させるためのこの努力の意味が分からなくなって、しんどさに耐えられなかったり、頑張れないんだと思う。そう分かったから、「物語」と和解をすることにしたんです。

荒木　先ほどかつて暴れていたアナーキーな藤田さんの話をしてたじゃないですか。私は今の自分がかつての藤田さんみたいだな、と思うときがあるんですよ。私はYouTubeで日々論文を紹介する謎の作業をしている男で、YouTubeで荒木優太で検索してくれると、「新書よりも論文を読め」っていう他人の論文を三つのポイントにまとめて紹介する連載がたくさん出てくると思うんですが、なんでこんな馬鹿馬鹿しいことをやってるんだろう、と自分で思ったりします。特に私に妻や子どもがいたら絶対にやらないだろうな、と。子どもが大きくなって荒木優太で検索したら、なんか父親が喋ってるみたいな。

藤田　喜ぶよ。例えば荒木さんが亡くなったら、子どもは親父はどんな人生だったのだろうかって知りたがって、観ると思うよ。

荒木　そういうラディカルな未来も待っているかもしれませんが、私の観点からすると、今の自分を父親としてはリスペクトしませんね。

藤田　そりゃぼくのザクティだって、リスペクトはされないよね。でも、そもそもリスペクトなんかされないのが当然だろうと思うわけですよ。自分もあんまり親を尊敬していなかったから。どうせ反抗期になったら逆らうだろうし、親の心は子知らずで、子どもが自分の子どもを育てるときに初めて気づいたりするでしょう。でも、そういうものなんじゃないですかね。

宮本　多分藤田さんと荒木さんが違うのは、藤田さんにはすごい生への意志があると思うんです。荒木さんはどこか諦めてる気がするんです。それが在野ってところと関係しているのかなと。藤田さんは在野であることをやめたわけです。そこは荒木さんにとってはどうなんでしょうか。藤田さんは日本映画大学に勤められて、自分の中で変化したところはありましたか？

藤田　ありますね。ぼくの主観としては、縁という受動的な感じもあります。正直に言うと、大学の教員になると、雑務とかは多そうで、発言や行動も制限されそうだなとは感じていました。在野にいるからこその、無力と裏腹の無責任と自由、それが自分の批評を担保している部分もあるとは思っていまして、教員になることで自分の筆が鈍るんじゃないか、自分の売りがなくなるんじゃないかと、葛藤はありましたよ。でも、もう子どもがいるから。自分たちがネグレクトしたりちょっとミスしたら死ぬ、というリアリティは強くて。理屈じゃなくて、とにかく生かさなきゃならない、そういう責任を引き受けるという覚悟をどこかで決めましたね。で、そのためには、お金もいるし。「早死にしてもいいや」っていうわけにもいかない。二十年ぐらいは生きて働かないといけないので、「やるしかない」と覚悟を決めましたね。

荒木　子どもの話をしたのはノリだけじゃない部分もあるんですよ?

藤田　ぼくね、荒木さんの本読んでて羨ましいと思うことがすごいあるんです。言語でできた秩序の世界の奥深くまで突き進もうとしていて、緻密に高度にできてるじゃないですか。その明晰でクリアな世界にいる荒木さんは羨ましいんです。ぼくは博士論文書いてるときとかは言語の世界にすごい集中できて、本当に没入していた。ひたすら一人の作家の世界に埋没して、生活はボロボロになったけど、幸福だったという気持ちもあるんです。しかし、それはもうできない、そんなに長時間集中して生きていけない。そんなことしたら家庭が不和になるし、子どもは泣いちゃうし、細かい雑務が大量にあるし、集中できない。だからすごい羨ましいんですよ。だから、別に在野であることがダメだとは思わないんです。むしろぼくは、ヒッピーとかアウトサイダーに憧れていましたしね。社会全体で見たら文学なんて明らかにアウトローなジャンルですよね。政治とか経済とか法律とかの方が王道ですよね。在野の方が、文学という領域の固有の価値を全力で生きているような気がするんですよね。だから、ある見方からすれば、生活に負けたというか、日和ったという意見が出てもおかしくはないと思うんです。でも、なんというかな、一人でできることには限界もあるんですよ。どんなに頭が良くても、宇宙全体、人類全体の中から見たら、何もわかっていない愚かな存在にすぎないわけで。誤りも、視野の狭さもあるしね。それだったら、人と協力したり、組織の一員になったりした方が、より良いことをできることもあるのかなという気もするんです。

原発事故以降の、倫理
——死者と未来

荒木　私が子どもって話を出したのは、原発事故以降自分が死んだ後にこの世界どうなっちゃうんだろう、この地球どうなっちゃうんだろうって発想が人々のあいだで強く刺激されたかなって直観するからです。特に科学的な評論においてはそういう話が多く出てきた。同時に、それって文学にどれほど取り入れられたのかなって疑問があるんです。文学の方で強くなってきたのは、ここでいとうせいこう等の話に戻るわけですけれど、死者の話ですね。つまり未来の他者じゃなくて、過去の死者に私たちは注目したがる。だけど、ことの重大さを考えるならば、未来の他者に私たちなにができるんだろうって問題の立て方の方が強くなっても自然じゃないかって気がしたんですけれど。

藤田　『東日本大震災後文学論』で、「〈生〉よりも悪い運命」という論を書きました。そのタイトルが示唆している通り、生まれない方が良かったような人生のことが、若干意識されています。その中で、松波太郎『LIFE』や、窪美澄『アカガミ』、村田沙耶香『殺人出産』などを検討しました。これは、おそらくは原発が放射能や遺伝子のことを意識させた、未来倫理とか、世代間倫理の問題が浮上してきたことに対応しているんだという仮説ですね。それで……なんというか、直感的な意見ですが、ぼくは死者のこと考えるのと未来は繋がってると感じます。死者が過去と繋がってるっていう感覚は、自分が死んだ後の子どもたちが生きている未来への想像と対になっていると思うんですよ。自分の仕事が一体何になるのか、生涯になんの意味があるのかみたいなことが、子どもが生まれると考えるわけで、死者への倫理と未来倫理って連続しているようにぼくは感じる。

荒木　今の話にも異論があって、死者と未来の他者は全然違うと思います。なぜなら死者には固有名や顔があるのに対し、未来の他者にはそれがないからです。確かに多くの死者が固有名がわからなくなったり、あるいは具体的な顔が捕捉できなくなってしまうことがある。でも、あるのにわからないのと、そもそもないものっていうのは全然違うと思うんです。で、私が震災後の死者論、総じて他者論ですよね、非常に不満であり危機感を持っているのが、未来の他者と過去の他者をある種、短絡的に繋げることによって、何か大きな無視っていうのが行なわれているんじゃないかってことなんです。しかもその死者っていうのも具体的なあれやこれやの人じゃなくて、大雑把に「死んだ人」っていうカテゴリーで、現在の生者を気持ち良くさせる慰安装置になってるだけなんじゃないか。そういう形で死者=他者を使役しているんじゃないの、と思っているんですね。

藤田　それは若松英輔批判な気がするね。ぼくは、若松さんをそんなに否定できない。本当に辛い精神状態の人をなんとか救わなければいけないという善意と本気が感じられるからね。小説で言えば、多和田葉子の「死者の島」が死者論批判の小説だよね。「夢幻能ゲーム」をやり続けて衰退していく日本を描く。東浩紀の『ゆるく考える』とか読むと、東浩紀すら死者がこの世界に満ちているみたいな話をしているんです。それは批評の文脈で言ったら江藤淳がずっと言っていたことで、江藤淳も「閉ざされた言語空間」とかも、前後の作品を見ると、死者が忘却されていることが問題で、この空間に死者が満ちている、霊が満ちている感覚を取り戻したいと思ってあれらを言ってるんですね。それを継いだのが加藤典洋で、その感覚が震災後も蘇って、畑中章宏さんの『死者の民主主義』みたいな議論に繋がっていますよね。固有名や顔の話で言えば、うちは家系図があるような家じゃないので、三世代も遡ったらよく分からない。北海道にどうして移民して何があったのか、その前はどうしていたのか、よく分からない。でも、生きてきたわけですよね。単細胞生物の頃から、進化して、人間になって、今の自分まで、名前も顔も分からない死者たちが連なっているわけですよね。未来の子々孫々たちとそれは変わらない感じがする。顔がない死者のことも考えるようになるといいうか。荒木さんは、どうして死者論が盛り上がったと感じますか?

荒木 集団的な処理をどうしていいかわからなかったっていうのは一つあると思います。そういう意味では死者の弔い方に関して私たちがかなり鈍感になってたよねっていうことはいえるでしょう。それを再発掘しようという動きにはそこまで否定的ではないですね。

藤田 危険なものに繋がるかもしれないという気持ちもあります。例えば三島由紀夫の「憂国」みたいになるとか、ウルトラナショナリズムに繋がるとかね。『想像の共同体』でアンダーソンは、無名戦士の墓がナショナリズムと繋がると書いている。だから日本全体がスピリチュアルになっていくことと、右傾化みたいなものの繋がりは、警戒せざるをえないという側面もあるんですよね。科学的・論理的な思考も後退しそうだし。

荒木 死者という言葉を出すことに非常に警戒心を持ってしまうのは、本当は自分が言いたいことを死者に仮託することで大きなことが言えてしまう、そういう詐術に危機感があるからです。死者をゼロ記号として扱ってはいけない。ゼロ記号っていうのは記号として純粋であるがゆえに、何にでも代入が可能で非常に恣意性が高い記号になってしまうんですよ。でも、死者ってそういうものじゃないでしょ? 彼らには具体的な人生があったし具体的な顔があったし、具体的な固有名があったでしょ。それ忘れちゃいけないよねってことはいま流通しているだいたいの死者論に対して思ってますね。

西尾維新『少女不十分』と、反出生主義

荒木 震災後文学の中で最も私が好きなのが、西尾維新の『少女不十分』(二〇一一年、講談社)っていう小説なんです。ある小説家志望の男が変な少女に拉致されて、二日か三日監禁される話です。ネタバレするとその少女はすっごい変な親の元で育てられていて、親は自殺しちゃって、少女一人で暮らしているんです。彼女は親から教えられたマニュアル通りにしか話せない。つまり、ある場面においては「おはよう」って言うとか、ある場面においては「いただきます」って言うとか、そういう些末な言葉遣い一切をすべて教え込むっていうマニュアル化された人間として存在するんです。だから、マニュアルを守ろうとすればするほど人間のコミュニケーションとしては不自然な動きになるわけですね。その少女に対して主人公は最後の夜にですね、マニュアルを

解きほぐすかのようにでたらめな話をするんです。青い髪の天才少女の話とか、死にかけの化け物を助けてしまった偽善者の話とか、隔絶された島で育てられた無感情の大男の話とか。西尾維新の小説をお読みになった方ならご存知の通り、これはいままで西尾維新が書いてきた小説なわけです。つまり西尾は『少女不十分』というこの一作に自分の10年のキャリアを込めてきたわけです。私がこれを震災後文学だと思うのは、最後の方に「ある地方で大きな自然災害が起きていたため」このマニュアル少女の話は報道でかき消されてしまった、という付記があるからです。でも僕は覚えているんだ、ってわけですね。私は非常に感動しました。文学でやることはこれだと思った。死んだ連中を大事にする気持ちはあってもいい。でも、もしかしたら自分のすぐ隣に困ってる身体をもった他者がいるんじゃないの？　それに目を瞑って感じる死者ってなんなの？　もっと個人的な話をしてもよい。私は学校に行ってたときいじめられてたんですよ。ずっと学校嫌だなって思ってた。でも、教師たちは平和教育とか言い出すわけです。広島の死者たち、長崎の死者たち。それはもちろんいいですよ。でも、いじめられてる俺ってどうなの？　って思いますよね。適当に脱色された死者を大事にすることで、もしかしたら大切な誰かが傷ついてるかもしれない。この視線は忘れちゃいけないことです。私が震災後文学に登場する死者論に対して大きな違和感を抱いているのは、突き詰めるとそういうことです。もっと目を向けるべき他者っているんじゃないの？

長瀬　横から失礼します。クリント・イーストウッドの映画に『ヒア アフター』（二〇一〇年）がありますよね。『ららほら』の「はじめに――ある私的な旅の記録」ででも、藤田さんが触れている作品です。津波が物語のテーマで、津波に呑まれて死んだ人の声を聞く、というのがあの映画のポイントでもありました。映画の最後のシーンで、死者の声を聞くことができる人が、少年に対して「恨んでいない」と言うんですが、あれは嘘なんです。ある意味では死者の言葉を捏造している。でも、未来に生きる人のために必要な嘘だった。そのことと今のお話は関係しているんじゃないかと思うんです。つまり、震災後も、生き残った人を慰撫するために死者の言葉が使われた部分はあって、それをどう考えるか、という問題です。

藤田　そうですね、そのお話はとても大事な話ですね。『少女不十分』の読解も感動的で、内容は震災でゼロ年代が切断されたことへの意趣返しのような作品ですね。『ヒア アフター』は、電話などの媒介と、霊媒を結びつけた作品ですよね、どちらも英語ではメディアと言うんですけどね。長瀬さんがおっしゃるように、死者の声として「恨んでいないよ」と嘘をつくんですよね。それは、その言葉を受け取る子どもに与える影響を考慮しての、配慮ですよね。あれは、イーストウッドのキャリアの中でも変な作品で、『硫黄島からの手紙』（二〇〇六年）で、日本の霊的感覚、死者が一緒に共存している感覚を学んだことが影響しているなどと言われていますね。東北に行って、東北の人の死者観に接して、嘘であれ慰めとして機能するなら仕方がないと妥協したところはあるんですが、それと通じる部分はある気がします。ただ、ぼくはポスト・トゥルース批判もしているわけで、その態度がポストトゥルースを生むんじゃないかと言われたら、答えられない。で、荒木さんの問いですけど、死者と身近な他者は、二項対立でもないような気もするんですね。平山さんは被災者の身分でありながら、周りの人を助けてるんですよね。大澤さんも単独者的実存を持っていて神と一対一で対話する人だけれども、キリストを再解釈し、人を助けるという福祉的なものに自分の使命を見出していますよね。単純に死者や神と繋がるだけじゃなくて、それが身近な他者を助けることとも繋がっているように思うんですよね。それは『ららほら』の旅の中でのぼくの驚きだったんですよね。とはいえ、極端に言えば英霊と、存命の従軍慰安婦みたいな、どちらを優先するのかを付きつけられる状況はありますよね。でも、『ららほら』でぼくが注目していたのは、そうではなくて、利他心公共心と、死者や神とのつながりの感覚が連続していることなんですよ。

荒木　私が思い出すのは、村田沙耶香の反出生主義的な作品ですね。子どもなんて産まなくて良いでしょ！　みたいな。ちょっと前にデイヴィッド・ベネター『生まれてこない方が良かった』っていう反出生主義の理論を主張した倫理学書が出ています。簡単に言うと子どもを産まない方が道徳的に正しいんだということを言った本です。川上未映子なんかがわりと肯定的に引用していて、小説自体は反出生主義的ではないんですけれど、『夏物語』（二〇一九年、文藝春秋）なんかはそういう文脈も意識しながら書かれていた。この状況はどうですかね？

藤田　ちゃんと押さえていないんですけど、論理的に反出生主義を肯定する話なんですよね？　論理的な体裁だけれども、これが流行る背景は生きていてしんどいとか、未来に希望が持てないとか、生命の意味が分からない、とかではないかと思うんですよね。感情や実感としては分かる。それは同時代の問題だと思う。しかし、感情的なものを否認して論理や実証を通して結果的に同じことを言おうとするのは、病だと思う。言語や論理に勝ちすぎている。逆に言えば、そういう特性を持っている人の生きにくさの感覚に訴えかけて支持されたのではないかとすらも思う。

荒木　これは吉良貴之さんの「将来を適切に切り分けること」（『現代思想』二〇一九年九月号）って論文で知っただけなので、ちょっと生半可な知識なんだけれども、リー・エーデルマンという思想家がいるんです。この人が再生産的未来主義という立場を批判的に捉えているんですね。再生産的未来主義が何かっていうと、人間が生殖と育児をするのは当然だよねって考えてるタイプの未来の捉え方。面白いことに再生産的未来主義は右も左もどっちも内面化してしまっているような時間論なんだって議論を展開している。例えば左の場合だと、子どもを持つのは俺たちの権利なんだ、それを抑圧する政府良くない、と。右だと日本人の血が途絶えるのはケシカランという形で語られる。でも、どっちも人間が子どもを産むのが当然だよね、育児するのが当然だよねって前提の中で時間を捉えている。エーデルマンがこれに対置させる時間論はクィア時間論。つまりＬＧＢＴの後に出てくるＱですね。クィアの問題意識だと、そもそも子どもとか生む必然性ないでしょとかそういう感じになってくるので、そもそも時間の捉え方が大きく変わってくる。

藤田　千葉雅也さんとか見てるとその感じはあって、つまり子どもが生まれて未来永劫何かが続いてそのことに寄与して秩序を作っていくとか制度を維持していくことに喜びを見出すんじゃなくて、瞬間瞬間の性的な爆発の中に自分の生の意味を見出そうとするタイプですよね。そこに永遠を見ようとするというか。アナーキズムとか68年精神にもそういうのがあると思うし、それはぼくも好きなんですが、やっぱりロマン主義にすぎないのではないかな、とも思うんですよ。それが主流になったら人類は今存続してないだろうなって気もするんですね。どんな思想や制度や価値観でも、究極の根拠を論理的に探っていったら、虚無に突き当たるわけですよ。そこで、論理的にも科学的にも実証されていないにもかかわらず、あらゆる思想の言語化されていない前提になっているのが、人類が生きていることが良い。存続するべきだ、という価値観で、そこを疑わない前提ですべてが積み上がっているけれど、そこには論理的な根拠はないんですよ。だから、反出生主義は当然、そういう理屈は組み立てられるだろうと思うし、なかなか面白いクリティカルポイントを突いていると思う。現に生きている生物は、生きようとした者の子孫なので、生きて増える意志がプログラミングされている。そこから外れたい、自由になりたいという意志も、それに従いたくない個体がいるのも、当然と言えば当然ですよね。しかし、個人主義的な考えを突き詰めると、人類絶滅してもいいよってなっちゃいますよね。だから、そうならないために人類を存続させるための物語を作って広めて秩序なり文明を発展させようとした偉い人たちが過去にいるわけで、ブッダとかキリストとかはそうだと思うんだけど、その人たちが頑張った結果今この世界があるから、その文化と遺伝子を持った人が多く生き残ってるから、それが「正しい」とされているわけですよね。

荒木　今のはどうして出生主義が強いのかって説明で、それは正しいと思うんだけれども、今日その出生主義に依拠しない仕方で様々な思想が出てきて、どうやら文学もそれなりに感化されているようだという状況。そういうような状況で藤田さん自身はいいと思ってるのか悪いと思ってるのか、面白いと思ってるのかつまんないと思ってるのか。いかがでしょう。

藤田　文学や思想の状況としては面白いと思っています。でも、その問いは、さっきぼくが言ったように、「分かってて騙される」ことでクリアしなきゃならない問題かなって。論理的には無意味で必要がない、でも生きている、そこまで行ったときに、それでもそれを肯定できるものと見做そうとするか、肯定できる世界に変えていこうとするかという覚悟の問題というか、論理を超えた決断の問題ですよね。オタク文化とかで、結婚もせず家族も作らず、二次元の嫁と過ごすという実験をした人たちがゼロ年代にいっぱいいましたが、後の時代に孤独な高齢引きこもりになったり、人を恨むインセルになったりしていませんでしょうか。なんだか同時代のそういう実験と失敗を見てきたせいか、それの延長線上に村田さんの作品や、窪美澄さんの『アカガミ』があるように見えるんですよね。本音を言えば「それはもうゼロ年代にやった実験でしょう」という感じで、その女性版のように見える。とにかく、ぼくがいいたいのは、生きるとか産むとかに関しては、論理的・科学的・言語的に考えてはダメということ。生きることは基本的につまらないじゃないですか。なんで労働しないといけないの、なんで家事しないといけないの、なんで育児しないといけないのって思う。合理的に考えたら、無駄じゃない。奴隷みたいに一生働いて苦労してボロボロになって死ぬんだから、意味がない。人類は平等なはずなのに、世界の最上層の人の暮らしには、どれだけ働いても届かないし、一生かけても大したところには到達せずに終わるわけですよ。勲章とかもらっても、最終的には無意味だしね。でも、そのプロセスにはいろいろあって、人とのコミュニケーションで脳が気持ち良いとか、成長して満足感得るとか、賞をもらって承認感を得るとか、セロトニンが出てくるとか、そういうことの幸福感とか充実感を大きくしていくことが重要なんじゃないかと。文化や芸術ってそういうものだと思うんですよ、この世界を生きるに値するものであると感じさせるための技術と言うかな。それは錯覚なんだけど、その錯覚こそが本質というか。反出生主義の人たちは、論理や言語を停止させて、もうちょっと酔っ払うのが大事なんじゃないかなと。まだ科学で分かっていることは少ないし、論理なんて言うのは、進化の過程を駆け上がってきた人間の脳が生み出した一つの能力にすぎないわけですから。もっと広い、複雑な、見えてない外部が大量にあるんだと思った方がいいと思うんですよね。そういう未知の外部の可能性を見ていなさすぎるのが、気になりますね。

震災後のアナーキズムと、災害ユートピア

荒木　この話はいろんな話に繋げられるかなと思うんだけれども、例えばそれはある種の自然状態みたいなものを肯定する風潮につながる。つまり「べき論」があって社会が構築されるのではなく、ある種の「である」論。良い悪いじゃなくて社会はそういう風にあるんだっていうものの見方かなって思うんですよ。例えば権利の問題を突き詰めていくと、動物にも権利あるじゃないかと。じゃあ動物食っちゃ駄目なんじゃね？　ってなるじゃないですか。

藤田　植物も食うなとかなるんですよね。理屈としてはね。『火の鳥』的な話だけ

れど。

荒木　だけども私たちはそういうことには依拠せずに、ある種の自然な社会を生きている。先行性というか、そうなってるからしょうがないじゃんって話です。で、これに一番近いのがアナーキズムだと思うんです。というのも、アナーキズムというのは、ある種ブルジョア道徳、あるいはリベラリズムの「べき論」を排除して、もうすでに自然の中に内在している秩序を理想化しがちだからです。いま上手くいってないのは、政府が上から過度に介入しちゃってるせいである、と。政府という大きな監督役は必要なくて、むしろ小さなコミュニティが群立することによって、それぞれの秩序が成り立っていればよい。もしあるコミュニティが嫌ならば、別のコミュニティに移動すればいいしね。で、どうしてアナーキズムの話をしているかと言うと、震災後非常に強くなってきた考え方の一つにアナーキズムがあると思うんですね。例えばグレーバーの『負債論』なんかも流行りました。みなさんご存知のところだと栗原康の快進撃があり、彼の盟友であるところの森元斎さんの著作もかなり売れているようです。最近だとブレイディみかこさんの著作にもアナーキズムへの共感が読み取れます。まずこの状況に関してはどのような感想を抱いていますか？

藤田　グレーバーには批判的ですね。それは、ある意味で論理やべき論に基づいて世の中を変えようとする左翼・革新の立場と、保守の立場の違いかもしれないですね。笠井潔さんは『国家民営化論』という本があって、森村進の『自由はどこまで可能か』っていう本の中で検討されるような、アナーキストに近い人ですよね。その観点から震災後の原発、反原発運動とか世界的なオキュパイ・ウォール・ストリートとかアラブの春とか、真の民主主義を目指すような運動についても研究会で何度も討論してきました。個々がアナーキスティックに振る舞うことで、小さな秩序なり社会が国家とか権力なしに生成されるかもしれないという時代の気分にコミットしていたし、それは2ちゃんねるとかツイッターにコミットするときの気分の延長でした。管理されないような人々の自生的な秩序によって、世界のあり方が更新できるかも？　という夢を震災後抱いて、『地域アート』にもその期待もあったんですが、ダメだった、できなかった、っていうのが最近のぼくの率直な気持ちなんですよ。秩序とか制度とか法とか国家とかも必要で、そういうのが自生的に積みあがって来るには必然性があったのだろう、という考えになってきましたね。だから、歴史や伝統にも意味があったんだろう、と思い直しています。人間が、自由で多様な散乱する欲望のある主体として規律訓練も秩序も法律国家もなく、全体が見事に調和することなんて起きないというか、腐敗して暴力的なことになったり、陰謀がはびこったり、リンチが起きたりってなるんですよ。だからアナーキズムに対する夢はもう捨てた。震災後の社会運動とか多少関わってたときがあって、ＳＥＡＬＤｓメンバーとも当時は接触してたけど、同じ世代でシェアハウス的運動というか、コミューン的運動をしている若い子と付き合っていたんですよ。世界的に起きた自治的に空間を作る運動に影響を受けてね。それをやろうとした日本の若者たちがとても陰惨でつまらない結果になったんです。例えばシェアハウスやってみんなで負担を分け合おうと言っても、トイレの掃除を誰がするんだとか、食事代を誰が出そうとか、そういうことで揉めて助け合わないんです。崩壊して、憎悪の応酬になったり、陰惨な暴力が生じる。本当に、卑劣で陰湿な感じですよ。これは駄目だと思いましたね。

荒木　ただ、今おっしゃっていたのは基本的にはネットアナーキズムだったでしょう。震災以後のアナーキズムっていうのはもっと土着的で、もっと身体的、あるいは情動的な反応として出てきているんじゃないか。やっぱりこの文脈で外しちゃいけないのが、レベッカ・ソルニットの『災害ユートピア』（高月園子訳、二〇二〇年、亜紀書房）ですよね。『災害ユートピア』がアナーキズム的に大きかったのは、大きな政府の介入なしでもやるときは俺たちやるぞと。危機のときは俺たちの自前の秩序でなんとかするから政府とか無用の長物じゃね？　という感想を育てたと思っていて、それが今の栗原ラインにも繋がっていくのでは。

藤田　せんだいメディアテークの甲斐さんも、災害ユートピア的な状況は良かったというか、ある種のノスタルジーを抱かれていますよね。そこは一種の特別な時間で、民主主義的に人々が助け合っていた時空間だった。しかし、それは、維持できなかったと話されていた。システム化や、日常化はできないと思うんですよね。祭り的な情熱で動くＮＰＯとかもそうじゃないですか。それは、例外的な時間に、恩寵のように実現する何かであって、決して日常化はできないものと考えるべきかと。全共闘運動も、バリケードの中の祝祭的な空間で、性暴力が行なわれていたり、女性が飯炊きをさせられていたり、したでしょう。

荒木　上手くいくやつは政府なしでも行けるんだけど、そのときのしわ寄せが女性とか子どもみたいなところに出てきてしまう。それをある程度反省的に捉えないと。私の立場を確認しておくと、アナーキズムは結構好き。かなりシンパシーを持って読んでいる。ただ、そこが例えば私がロールズとかに惹かれる所以でもあるんだけど、アナーキズムを手放しで肯定するとかなり怖いことになっちゃうよなっていうのがあるので、そこでリベラルなのかコミュニタリアニズムなのかわからないけれども、ある種の歯止めみたいなものをどこかで調達しなきゃいけない。ずっと考えていて、まだ答えは出ないんですが。

藤田　今の日本の状況ってリベラリズムの危機ですよね。で、コミュニタリアニズムとかアイデンティタリアニズムが強くなっている。どちらかというと日本人のアイデンティティとか共同体の価値観が大事という方向が強くなっていて、普遍的な主体として自分を考えて、普遍的な手続きに基づいて全体の秩序を考えるリベラリズムはとても後退してますよね。これわかる部分もあって、荒木さんも書かれていましたけど、リベラリズムは、非常に強い主体を要求するし、他者もシバきますよね。で、実際に運動の現場の話を聞いたり人を見てみると、「昔は問題を感じてるやつが来たけど、今は問題があるやつが来る」っていう言い方があるんですけど、社会を変えようとか自由を求めようとするやつがいまどういうやつかというと、疾患や障害があったりする。そういう若い人たちが互助的な組織を作って、シェア的なコミュニティとか運動を自発的に民主的にやろうとすると、さっき言ったみたいな無茶苦茶になるんですよ。つまりリベラリズムが想定するような理性的な強い主体じゃないんですよね。そういう主体は恵まれた環境で訓練されて、洗練された中産階級の上品な人で、なおかつ疾患や障害のない人なのかもしれない。でも、そんな人はほとんどいないし、これまでもそれほどいなかったんじゃないかな。だとしたらリベラリズムを実現できる主体を作るためには、規律訓練も管理も法律も、それを維持させるための暴力もいるんじゃないかと思ったりしたし、パターナリズムだってそんなに否定されてはいけないんじゃないかと思ったんです。

荒木 その話は良くて、というのもパターナリズムって直訳すると「父さん主義」ですよね。フランス語で父はpèreといいますが、子どもたちの自由な秩序なんて空論なので、お父さんががっつり介入して良い方に善導させなければならない。それがパターナリズム。これはさっき言ってた、保守化したかもしれない、子どもができちゃったならしょうがないみたいな、そういうのと一直線に繋がってて。

藤田 そうかもしれない。長い歴史の中で形成されてきた仕組みや秩序にはある程度必然性があり、その上に自分がいるんだと自覚するようになったということかもしれない。ただ、生き物としてのレベルの人間に対する信頼、という意味でのアナーキズム的なものの感覚はむしろ強まった感じがするんですよね。そういう、生き物としての人類が長い生存の中で産み出してきたものには敬意を払おうという気持ちがあります。自分程度の頭で考えられることを、生命や、人類の巨大な社会システムというのは超えているんじゃないかという感覚ですね。ところで、病院に行くと、すごい障害持ってる子とか普通にいるんですよ。椅子に座ってられなくて、地面とかに頭叩きつけたりして、病院の待合時間とかも待てなくて大暴れして、周りの人をぶん殴りまくってる子とかいるんです。あるいは、深刻な病気で入院してずっと泣いている赤ちゃんとかいるからね。もし仮に医学や医療制度なかったら、互助的になんとかできるかと思うと、できないなと思いますよ。子どもの医療費、無料なんですよね。アナーキズムを採用するためには、そういう子どもの死を代償として払う必要があるかもしれないですよね。もちろん、強権に対する対抗として、拮抗関係があることはとても大事なのですが。

荒木 やっぱお父さんだなって感じがしますね。ソルニットの名前を出したついでにいっておけば、『説教したがる男たち』(ハーン小路恭子訳、二〇一八年、左右社)って本があって、あの中で「マンスプレイニング」って言葉を出していてですね。

男が自分が正しいと思って女に対して一方的に説教するみたいなことを指す造語です。面白いことに、ソルニットの中から二つのラインが来ているように思う。一つはアナーキズム。もう一つはフェミニズム。いま文壇を非常に強い力で拘束している二つのイズムの、もしかしたら発想源になってるじゃないかしらん。

仲俣　これまで日本で翻訳されたソルニットの本は全部読んでいるんですが、『災害ユートピア』は邦題がすごく上手かったんですよね。原題は「パラダイスがなぜ地獄のなかで生まれるか」で、本の中でも災害後にしばしば発生するユートピア的状況は永続しない、それはなぜかということのほうが主題になっている。東日本大震災後の日本人がソルニットを「災害ユートピア」を肯定するものとしてだけ読んだのは、一種の「誤読」でもあったと思います。最近だと「マンスプレイニング」という言葉がソルニットのブログに書いた文章がきっかけで流行っていますが、そればかり言われるのは本人も嫌がっているみたいです。ソルニットをアナーキズムとフェミニズムの書き手としてだけ理解するのも「誤読」だと思うんですが、その誤読のされ方はじつにいまの日本的だとは思います。

そもそもソルニットの原点はネヴァダ州での核実験反対運動なんですよね。活動家経験のある人文系の書き手、日本だとべ平連や鶴見さんの近くにいた黒川創とか、あのへんに近い感じが個人的にはしています。ソルニットは美術史や写真史、文学史の研究家としても非常に良くて、僕自身はソルニットを文学者として読んでるので、その領域のものを荒木さんにも読んでほしいです。とにかく、日本にもソルニットみたいな女の書き手がいてほしい。ジャーナリスティックでもあるし、アカデミックでもあるし、エモーショナルでもある。文章もめっちゃくちゃ上手いんですよ。MeTooに象徴されるフェミニズムやアナーキズムが日本でもこれだけ主題化されてるわりに、ソルニットみたいな書き手はなぜいないのかという問題は、指摘しておきたいなと思います。

震災後文学としての科学コミュニケーション

荒木　それで言うとある意味で震災後文学と言ってもいいのかなと思ったなかの一人に寺田寅彦がいる。「地震は忘れたころにやって来る」で知られる名言を残しているといわれていて、それによって再読が進みました。講談社学術文庫とか角川文庫とか中公文庫とか、ああいうところでアンソロジーが編まれていて、かなりの読者を獲得したんじゃないか。思うに寺田のもっとも天才的な所以というのは、非常に高いレベルの文系の知と理系の知をエッセイっていう親しみやすいかたちで融合して翻訳してみせたところですね。私の中で最強思想家四天王のランキングがあって、エマソン、ジンメル、アラン、そして最後に来るのが寺田寅彦なんですよ。この四人読んでれば、大体名文家になれますよ。冗談はおいても、いま寺田みたいに領域横断的で、すなわち文系も理系も行けるのに文章も上手い書き手って出てきてるんだろうかって気がするんですね。

藤田　この話題だと科学文化評論家の宮本くんとか、科学コミュニケーション界隈に詳しい方に振ってみようかな。

宮本　理系文系両方いける人は、ＳＦ畑に注目したらけっこういるかなとは思います。エッセイよりもフィクションという形に落としていって、その中で表現したりっていうことですね。ただ、災害とか震災に絡めたので名作が出ているかというと微妙なところもあると思いますが。最近ＳＦ業界で話題になっているのは伴名練さんとか。伴名さんの作品も、ＳＦの枠組みの中で災害を捉えて、というので話題になっていますよね。一方、研究者でとなると、理系をやってる研究者のなかには、なんで文系やる必要あるのって方も多かったりして、歪んだ状態が多くて、そういう書き手が出てきにくい土壌ではあるのかなとは思います。

荒木　一つ挙げるべきは独立研究者の森田真生ですよね。あの人は寺田感もあってなかなか読み応えがあります。正反対で(?-)、なのに文系と理系の融合で言うと落合陽一がいますよね。でも寺田感ないし、みたいな感じなんですけれど(笑)。

藤田　落合さんの「デジタルネイチャー」の概念にはちょっと警戒してしまいますね。『神様２０１１』は、放射性物質まみれな現状をアニミズム的に受け止めてしまう日本人の無意識的な心性を突き放して批判的に書いてるんだけど、そういう感覚を落合陽一は政治的に利用しようとしている感じがあって、要注意かなと。

仲俣　荒木さん、テクノクラシーみたいなことについてはどう思いますか？

荒木　ゼロ年代って科学への信頼というものがあって、つまりそれはアーキテクチャ論とも一体になって展開したかなって思うんですよ。つまり俺たちの科学技術力を駆使すると労働力の問題も解決するし、いろんな分配ももっと上手くいくよ、と。ベーシックインカム論もその流れにあった。ただ、今になって思うのは、まあ上手くいかないだろうというリアリズムですね。そういう意味で科学への信というものは、先行世代、それこそゼロ年代で活躍していた論者の方々よりは低くなっているでしょう。そういう意味でも私は落合陽一とはかなり違いますね。彼は科学技術に対する素朴な信を語っているようにみえる、本当に信じているかどうかは別にしてね。

仲俣　１９９０年代からゼロ年代までは、東浩紀もそうだし僕自身もそうだけど、ＩＴとかテクノロジーの発展がプラスの未来をもたらすほうに、多少なりと賭け金を張った側だと思うんですね。でもいま思えば、この時代のＩＴへの信頼は昔で言えばマルクス主義が果たしていた役割の代わりだったみたいな気がします。「政治と文学」というかつての問題が、いま「科学と文学」と言い換えてもいいはずのものになっているのかもしれない。文学の世界でもＳＦだとまだ科学への信頼が土台にありますよね。現実の政治においても、テクノロジーまわりは自民党がいちばん上手くやっている感じがしますよね。

荒木　科学系の人ってイデオロギーフリーがありえるような構想があるんだけど、それが受け入れられないというか、やっぱりイデオロギー入っているでしょうと。フリーに見える空間こそ支配されている。その危機感の中で扱わないと大変なことになっちゃうよっていうのは、思いますね。

仲俣　おそらくシンギュラリティの話でやっと技術至上主義の持つイデオロギー的側面に目が覚めたんじゃないですか。いまは未来に対する思想的な賭け金をどこに張ったらいいのか、わからなくなってる時代だと思うんです。生活感覚に密着したアナーキズムあたりが、なんとなくいちばんリアリティがあるみたいなね。あと父かそうじゃないかという話は、僕自身にも子どもがいていいわば藤田さんの未来を先取りして生きているんですけど、そこにはもう一つ切実に金という問題があるでしょう。復興や未来の問題とからめて、マネーの話はもっとしてもいいいと思うんです。

藤田　あいちトリエンナーレと結びつければやっぱりね。貧しくなっていけばなっていくほど、生活するために国のお金に頼ることが増えますから、生活するために国のイデオロギーに乗るかどうかの踏み絵を迫られることは増えるでしょうね。研究費だってそうですね。国がやれって言ってるとこはたくさん出ますよね。戦前もそうですよね。出版が食えなくなるに従って国の意向に沿うようになっていったり、出版した後に回収させて経済的に打撃を与えて言説を萎縮させていったんですよね。戦中もそうですけど。それに等しい行為があるような気はしますけどね。

仲俣　文学なんて「書くこと」については制作費ゼロが前提になっている。さすがに原稿料は払うけど、原稿を書くためのスタジオ代は払われない。そういう意味で原資ゼロの幻想の下に売られているところでは、在野研究の話と『ららほら』みたいなものがいる場所はあんがい近いと思うんです。

荒木　『ららほら』って安すぎません?

藤田　安すぎますね。利益が全く出ない。でも、これはクラウドファンディングありきだから。『在野研究ビギナーズ』も安すぎません?　原稿料は出てますか?

荒木　印税はまあまあですよ。これ1900円プラス税で、これは私的には満足した設定です。先行する『これからのエリック・ホッファーのために』は1500円プラス税で、あれは安すぎるんですね。かけた労力に対して戻ってくるリターンが安い。もちろんお金のために書いているわけではないから、それはそれでいいんだけど、しかし書くことに対して対価が生じるんだっていうパフォーマティヴな意味の次元で考えることはあります。そういう意味では貰えるところは貰っていくのが一方では良き言論空間のための一つの義務なのかなとも。

藤田　お金を稼いで生きていくことが必要で、持続可能性が必要なわけじゃない。そのためには、書いたらお金を出してくれる文芸誌とかの媒体が維持されていることが大事で、文芸誌が維持されるためには出版社が儲かるのが大事で、ヘイト本とかで稼いだお金で出てるわけじゃないですか。そして出版社に文芸誌みたいな事業ができるためには、国が豊かで経済がうまくいっていないといけない。そういう風に保守化していく部分があると思う。『ららほら』は、なんというか、そういう採算ベースのところから一回降りてやってみよう、という実験みたいなものですね。震災後に荒浜に行ったら、アーティストたちが、自然や死者たちに手向けた作品がいっぱい並んでいるんですよ。それは金のためでも、名誉のためでもない。死や、自然災害そのものに捧げてしまわざるをえないんだと思うんですよね。

荒木　額の程度に注目するべきだと思うんですよ。生活するに見合う額を書き物だけからいかに調達するかって考えるといまみたいな話になるんだけど、もっと低い段階で、お金が行き来する、そういう回路自体にはもっと高邁な理念を託してもいいんじゃないか。例えば『ららほら』はタダでも良かったわけじゃないですか。でも、価格をつけた。私はそれは良いことだと思うんです。それでたとえ元が取れなくても、ある程度読む人がお金を払う。それの対価をもらうような、この交換の運動それ自体がもつ力がある。言い換えると社会と繋がってるんだよってメッセージになりうると思うんです。同じことを最初自費出版したときに考えた。つまり『小林多喜二と埴谷雄高』って本は１５０部で税抜き８００円で、Amazon専売の形態で売ったんです。これ、売ってもほとんどリターンないわけですよ。かけた制作費が22万くらいで、全部ちゃんと売れても5万とか6万とかその程度しか返って来ない。でもタダにはしなかった。やっぱりお金を払うっていうコミットメントが次のアクションを繋いでいくだろうと思った。これは原稿料で食っていくって発想とは違う。でも、タダじゃないっていう値段の世界がある。アナーキズムの文脈を無理矢理持ってくれば、贈与じゃない、交換なんだと。そういう風に思ったんです。

「京アニ後文学」はありうるのか？

参加者　今回お話の中で伺って考えたのが、死者を希望として扱ってはいけないという話で、最近京アニの報道を巡っていろいろありまして、もうちょっと深く話をお伺いしたかったなと思う次第です。ネットの住人が名前を公開するなという、公開するしないというせめぎ合いで最近はメディアがバッシングされてまして、それと震災とは規模感とかが、事件としての性質とかは全く違うわけなんですけれど、死者をどう扱っていくのか。文字としてどう表現していくのかが、仕事の中で考えていく立場にあるので、もう少しお話を伺えればと。

荒木　多分私がお答えするべきなんだけれども、センシティヴな問題もはらむから迂闊には言えないかな。宿題にさせてください。死者と関係ないんですけれど、私は震災後文学っていうジャンルの作り方自体にも不満を覚えていて、どういう条件になったら「〇〇文学」ができるって考えているんだろうか。たとえば、京アニの事件あったでしょ？　私は非常に大きな事件だと思う。京アニ放火事件以後文学はできるのか。多分できないと思うんです。

藤田　「震災後文学」は宣言文だと思うんですよ。実体として存在としてあるというよりは、宣言することによってあらしめる物であって。J文学とかゼロ年代とかジャンルXとかもそうだと思うんですよね。

荒木　言い方悪いけどでっち上げるというね。

藤田　そういう言い方をすればそうなるかな。新しい物が出てきたときに、その特徴をまとめて、概念をキャッチコピー的に世の中に提示する役割も批評にはあると思うんですよね。だから、「京アニ放火後文学」がありうるかありえないで言うとありえると思う。実際にそういう傾向が見えて、誰か批評家なりがそう名指して論を書いて、それが有効な概念だと人々が認めて使えば、それはあるということになるのでは。

荒木　で、そのパフォーマティヴの根幹を成す意図はなんなんだろうって思ったんですね。つまりなんでパフォーマティヴにそんなジャンルを立ち上げるのか。それは震災を忘れてほしくないからなのか。

藤田　どちらかと言えば文学史や、日本社会の歴史を理解しやすくするためですかね。後の人たちが、自分たちが生きているこの世界を理解する助けになるはずだ、と考えています。大きな事件と、時代や文学の変化についてですが、数によって時代の風潮とか作品に共感する人の変化とか、巻き込まれた作家の変化が見える部分は当然あると思いますけどね。社会の思潮というか感覚が深いところでどう変わったかみたいなことが重要で、単に数だけでもない気がします。

宮本　酒鬼薔薇聖斗の事件とか、そういうのは社会問題に発展するときは、その事件の性質で社会問題になって、そうするとそれを題材にしたミステリーとかが生まれて、そこにはタグ付けができるわけですよね。で、タグ付けしてそういうのも書くと検索しやすくなったりして、一個社会問題になってたねって後から見えるみたいな。

檀原　ライターの檀原照和です。それって結局タグ付けする側の人間とかによってカテゴリが後々残るのであって。つまり、そう名付けることで本が売れるか売れないかという問題もあるわけです。ただ、そのこととは別に文学史に記述するときにそれははたして有効な記述か、という問題がある。「戦後派」とか「戦後文学」という言葉は文学史に定着したし、ある時期の特定の作家を指す言葉になったけれど、でも今は誰も読まないし、何が問題だったのかもよくわからなくなってい る。震災後文学という言葉も、同様の危険性をはらむところはあるよね。

仲俣　マーケティングですよね。

藤田　この時期だけの特殊なものになる可能性は高いと思うけど、それを同時代に記述しておかないと、後の世代はわからなくなるから。戦後文学だって野間宏とか、今読んでもよくわからないじゃないですか(笑)。でも、あのときは意味あったわけですよね。「暗い絵」は読みにくいだけのわけわかんない小説だと今は多くの人が思うけれど、その読みにくさの中に戦争の経験が入っていると読むべきで、それは今のぼくでも、当時の人たちがそこにどういう意味を見出していたのかの証言を読んで、評論など文脈を解説してもらえば、少しは理解できるわけです。震災後文学に対してもその読み方の手掛かりは残しておきたいなと思うんです。

荒木　ちなみに「べき」論で言うと、京アニ後文学っていうのはできる「べき」だと思います？　もしできたら、それは文学者や批評家がちゃんと京アニ事件に反応したんだって痕跡を残せると思うんです。

藤田　それは、ぼく自身はやるつもりはないですね。「これが時代の画期なんだ」と衝撃を受けて書かなければならないと思った人がやるべき。

荒木　ジャーナリズムに死者に固有名を出すなって形でいろんな議論が起きている。で、私は身近な親族たちが出してほしくないと思う気持ちもわかるし、それに対してある程度斟酌することがあってもいいのかなと思うと同時に、今起こっているのって、本当に身近な死者の親族たちがそのクレームを入れているんだろうかって疑問もある。つまり、親族のちょっとした声をエコーのようにして大きくすることによって、ネットの様々な方々がそれを代弁して、あるいはメガホンで大声にして「親族はこういうことを言っている！　なのに！」って言ってるんじゃないか。そういう批判的な視点はある程度大事かな。まあ、京アニの固有名詞に関しては、なんで京アニだけそうするんだろうって思いますけどね。交通事故だって震災だって嫌って思ってるかもしれないけど報道しますよね。なんで京アニだけ配慮してそういうことが公的な議論になるのかさっぱりわからないですね。相模原の障害者施設での事件のときもそうですけど。もしそれが通るなら、震災ですごい大量に死んだときも、嫌だって遺族がいるので報道しません……となるべきでは？　よく分からないです。

藤田　そうですよね。相模原での事件のときもそうでしたけど、急に例外的な運用になって、それがどうしてなのかはちょっと腑に落ちないんですよね。

西崎　ソーシャルディアという人文系のイベント企画をしている団体の西崎航輝と申します。今日の話で言うと、私は死者のことを考えるときにどういう回路があるのかということに関心があります。特定の名前を書かないという考え方が一方であって、例えば石戸諭さんは『リスクと生きる、死者と生きる』で、特定の固有名を使ってエピソードを記述していました。また他方で映画の『ヒア アフター』では、スマトラ沖地震を想起させる震災において、犠牲者の個人名は報道されないけれど、主人公のジャーナリストが個別に向き合った人々として死者が現れていました。文学が発する死者・ジャーナリズム的なものが発する死者・個別の関係性として共有される死者の三つは全く違う表現だと感じます。つまり回路が違うとここまで表現が違うことに違和感というか、言葉にしがたいものを感じたんですね。この違和感や違いを解釈するヒントをいただけたらなと。そういう感じがしていました。

藤田　うまく答えになるか分からないんですが、文学って、個を語りつつ、普遍に通じるようなところがあると思うんですよ。特殊で個別的なところが、普遍で一般に通じる回路になっているというか。たとえば、オイディプスとお父さんの悲劇って、別に彼らだけの話じゃなくて、人類に普遍的なことのようにみなが見るわけですよね。震災後に「葬式物」のような文学の傾向があって、滝口悠生さんの『死んでいない者』とか、最近だと古川真人さんの作品、ああいう風に自分の親族をモデルにした人たちや葬式を描くことを通じて、もうちょっと普遍的で一般的な死者一般を弔う感じに接続しようとする試みをしている感じですよね。これは難しくて、公的な死者と私的な死者をどう繋ぐかという話で、江藤淳は自分の若くして亡くなったお母さんとかおじいさんとか先祖に個人的な想いを込めるんだけど、それが靖国神社とか国家とかとすぐ結びついちゃう。現代文学はその中間ぐらいで、絶妙なバランスを探って死者との関係の仕方を発明しているような気がするんですね。

仲俣　藤田さんと話した回(第一回)では、東日本大震災によってポストモダン以降の日本文学の有効性がジャッジされたのではないか、という話をしました。その試金石になりそうな震災後の作品の一つは、阿部和重の「神町トリロジー」の最終話『Orga(ni)sm』(二〇一九年、文藝春秋)だったと思います。これがまさに「子育て小説」なんですよ(笑)。主人公の「阿部和重」がお父さんとして子どもを守りながら、核テロと戦わざるをえない状況に陥るという話が800ページも延々と続くんですが、最初に読んだときはややネガティヴな感想をもちました。ただ、今日のお二人の話を聞いたら、少し読み方を変えなきゃいけないなとも思いました。そのくらい今日は、父と子あるいは家族の問題について違う論点が出てきてとても良かったと思います。ついでに震災の際の個人的体験も言うと、あの日は東京の自分の家で国会中継を見てたんですが、東京が揺れる前に地震速報が出るんです。出てすぐに大きく揺れ始めたけど、その揺れを感じながら何を思ったかと言うと、自分はこの地震では死なないな、ってことでした。速報と揺れ方の時差で、相当つよく揺れたけどここは震源地じゃないから死なない。その安心感の下で、その日はずっとテレビを観ていたんです。もちろん、そのあとの津波の映像も含めて。そのことへの罪悪感がどこかにあるので、「東京も揺れたんだから自分たちも被害者だとか、当事者だ」とは、自分は言えないんです。なぜなら少なくとも恐怖はなかったから。あと個人的なこととしては、その年の1月に父親が死んだばかりで、思いのほかショックだったんですね。そのショックが続いていて、自分の個人的な問題としての死に囚われていたから、震災における大量死に対しても鈍感というか、どこか麻痺していた。なので震災の受け止め方は本当に人によって多様だろうと思っています。東京ではあの日交通機関が止まったので、都心から家まで歩いて帰った人たちがいっぱいいて、その人たちは自分も被災者だと言うけれど、あれこそが一種の祝祭的な「災害ユートピア」です。東京で自分は被災者だという人たちに対して僕はかなりネガティヴな想いを持っていて、その観点から震災後文学を見ている面もある。おそらく藤田さんとはそのあたりがずいぶん違うんですけど、そんな関わり方をしています。

関係性とデタッチメントと「不真面目な復興」と

荒木　父と子の話あったじゃないですか。小さな父であることを決断するとか、それを引き受けるモチーフって、批評界で結構流行ってるなって印象がある。例えば宇野常寛の『リトル・ピープルの時代』(二〇一一年、幻冬舎)とか。非常に面白いなって思ったのが、これが発表された当時、東浩紀は、実際に子どもを持つことと象徴的な父になることは全然違うでしょってツイッターで突っ込んでいた。でも、彼の『ゲンロン0』ではみんなが父なんだと言う。宇野常寛と同じことを言うわけですよ。だからといってネガティヴな評価をしてるとかじゃないですけど、みんなが小さな父に回帰していくことに関して、私は、子どもで反出生主義的で自由で無邪気な立場から、どこかそれでいいの？　ってツッコんだ方がいいのかなと思ってまして。もしかしたら藤田さんとは敵になるかもしれない(笑)。

藤田　いやいや(笑)。実はぼくも、ゼロ年代の宇野さんや東さんの影響を受けながら反発もしてきましたが、今はちょっといろいろと思うところがあります。東さんは、「子として死ぬんじゃなくて、親として生きろ」って言っていましたね。ただ、問題なのは、どういう親かということなんだと思うんですよ。たとえばDV親父とかだったら、家庭が機能不全になって、子どもは「生まれない方がよかった」と思うかもしれない。それは象徴的な親の場合だってそうですよね。

藤井　藤井義允と申します。『東日本大震災後文学論』の編著を行なっていました。今度また震災後文学論の同人誌を作ろうかと思っていまして、文学フリマにも限界研で出展しようと思ってるんですけど、震災後に関してまた思っているのは、さっきの京アニの事件みたいなのもそうなんですが、どちらかというと加害をした人と関わってくると思うんですけど、あれもパクったパクられないみたいな話があったと思います。つまり、それってここの話に繋げると当事者性みたいなものをなぜか持っちゃって犯行を起こしちゃった。結構最近そういうのが多い感じがして、自分と何かが関係していると結構思うような時代になっているのかなって、僕の感覚的に思ってて。これもあんまり言うと炎上するかもしれないですけど、わりかし統合失調症的に世の中がなってる気がするんですね。それが震災後かなと。妻とかとも話すんですけど、虚構というものが本当にあるんじゃないかみたいな感じに思えてきているみたいなことが多くなっていて、そういったフィクションも結構、特に映像系で多いのかな。『シン・ゴジラ』ってまさに虚構VS現実ですし、今度限界研の同人誌で書こうと思っているのが『anone』っていう広瀬すず主演のドラマで、虚構と現実の問題をやっていて、統合失調症の表象が出てくるんですね。ある意味なぜかみなが当事者になってしまっているというか。

荒木　それってセカイ系的な想像力との連続性、あるいは不連続性と関係しているのかなってちょっと思ったんですけれど。

藤井　そうですね。まさにそうで、それこそ身内の話ですが、妻とかは全人類セカイ系化してると話してて、それはある種ゼロ年代の功罪でもあるのかなって感じがあるんですけど。

藤田　荒木さんと一緒の『すばる』の2017年の批評の未来特集で「関係性の時代」っての書いたけど、あれも震災後の状況の論だったんですね。人々も個というよりは、ネットワーク的な関係性の感覚を強くしているという状況を書いたもので、震災後急にね、ネットワーク的にいろんなものが繋がり合ってるんだって想像力に一気に飛躍したわけですよね。一方で、ヘイトとか差別とか、不幸の原因を誰かのせいにするネガティヴな被害妄想も流行った。それは、この宇宙、世界のすべてに自分とは無関係なものはない、という縁起的な感覚のネガティヴな側面の噴出ですよね。中井久夫が『分裂病と人類』で、分裂病（統合失調症）について、外界にアンテナを異様に張りすぎている人だと言っていた。狩猟採集の時代とかだと、小さな兆候から「敵」とか「災害」を読む能力は生きるために必須だったわけだけどね、その能力が、震災後の、社会体制としても不安で恐怖を感じやすい時代では作動しやすくて、そして誤作動も多くなってしまうってことではないかな。

荒木　同じ号で私は森鷗外の「百物語」っていう短編の読解を寄せてるんだけど、その中でコミットメントじゃなくてデタッチメントこそ今大事だって話をしてるんです。それはあえて藤田さんの話に繋げていくと、あらゆるものが関係してしまう全面セカイ系化みたいな状況に対して身を退ける振る舞い、身のこなし方をいかに私たちは調達できるのか、これを問題にしたつもりです。私の場合はセカイ系ではなく鈴木健の『なめらかな社会とその敵』（二〇一三年、勁草書房）から、様々な小さなコミットメントが可能になって民主主義万歳になるけども……という視点でしたが。

藤田　関係論と実体論の対立というのが哲学的にもありますが、同じことが社会観・個人観にも言えるかもしれませんね。セカイ系と言うけど、あれは二者関係、自分の気持ちと、世界や宇宙の運命が繋がる感じで、中間領域がない。中間領域も含めた複雑な「つながり」を、ロマン主義的にではなく実証的に明らかにしようというのが、ブリュノ・ラトゥールの「アクターネットワーク理論」だと思いますが。……ところで、ぼくはちょっと前までは個人主義的でしたが、最近は縁起的な考えになっています。子どもが生まれたことが大きいでしょうね。妻との出会いも偶然だし、付き合って結婚することになったのも偶然——というか、あまりにも多くの要因の玉突き衝突の結果なわけですから、そして、子どもが現に「こうである」というのも、遺伝子の組み合わせのパターンは偶然なわけですよね。なので、ちょっと縁起的な世界観になってきたところがあります。「はじめに」などでも書きましたが、ぼくの私的かつ個的なものと、社会的・歴史的なものが、複雑に入り組んでいる実感はあります。個々人の経験も、決して個ではない、という「物語」かもしれないですが、ぼくは親父が原子力屋なので、その辺の私的な感情抜きには向き合えないし。

荒木　面白いですね。途中で父としての藤田直哉の話をしたと思いますけど、今は子どもとしての藤田直哉の話ですからね。

藤田　そうですね。原子力という我々の豊かさと生活を支えてくれたインフラがとっても大きい破壊をされ、地域を壊滅させたわけですよね。そのことの私的な感情と、歴史的・社会的な問題が、ぼくの中でつながっているわけですよ。多分、ぼくが反原発運動やってたことも、家庭環境に心理的に影響されていると思います。

荒木　それを引き受けようとする態度自体が大人だなって気がしますね。私は華麗にスルーしていくかなみたいな。

藤田　大人というか、呪いとか宿命みたいな類ですよ、多分。でも、思ったよりも原子力に社会の関心がないことがわかってしまって、最近つらいですよね。だから、こういう場所で私的なことも語りつつ、やろうかなって。

荒木　確かにでかい話は今流行っているなと思っていて。反出生主義とかもそうですし、人新世でしたっけ。つまり日本の未来とか科学的条件とか、そういう話はスルーされているんだが、人類史レベルの話はかなり活発な感じがする。『ホモ・デウス』とか。だから、意地悪な話をすれば、人類というデカいスケールに私たちが逃げている証拠かもしれない。日本(人)の問題を無視したいからね。

藤田　最近は、人類とか文明っていう普遍的なものと、「日本」は接続してないって感覚の方が世の中にあるって感じがするなぁ。

仲俣　文理融合で読ませる文章を書ける寺田寅彦みたいな人が現在はいないという話ですが、明治以後の近代150年という長い視野のなかで現代を捉えている書き手で、かつ在野の人間としては山本義隆がいますね。彼の文章がよいかどうかは別として、科学に対する問い直しという問題意識でも近いかもしれない。余談ですが、荒木さんはインタビューが天才的にうまいことがこのあいだの熊野純彦さんとの対談でわかったので、在野研究者としての山本義隆の話を荒木さんが聞いたら、すごくいい言葉が引き出せる気がします。

竹本　東北の人にとって藤田さんってどう思われてるんですか?　というのも、今日は死者について真面目に語ってきたじゃないですか。でもその一方で藤田さんは『新世紀ゾンビ論』(二〇一七年、筑摩書房)という死体をもてあそぶ本もあるわけですよ。そっちのほうはどう伝わっているのかなと。

藤田　認識されてませんね(笑)。昔、インターネットで見た体験談で面白かったのは、津波で家が流されて、生きるか死ぬかで夜を過ごしているときに、すごいヘヴィーな音楽ばかり聴いていたという話ですね。震災後も、子どもたちは「津波ごっこ」をしていたらしいんですよ。だから、震災後に被災地の人で、ずっとこもってゲームしたりゾンビを撃ったりすることで救われている人もいるとは思うんですよね。それは一見不謹慎なんだけど、本当はもっと切実なことかもしれないと思うんですよね。

荒木　私最近『ポケモンGO』をまたはじめて、わりと頑張ってるんですけど、震災が起きたときにある種の復興策として、いわきにラプラスが大量出現するイベントがありましたね。観光業が潤うかららいいんじゃないかみたいな形でやっていたはずですが、他方、地元の方々はこれどういう風に思ってるんだろうな？ってことは思ったりしますね。マナーが悪いとかそういうのは言語道断だが、そもそもラプラス目当てのポケモンマスターたちがわらわらやってくるのは……。エンタメと倫理って問題があるのかも。

竹本　小松理虔さんは無責任に来てもらって美味しい物食べてもらいたいとか結構言う人で、そういう視点があるとそこに対しては。

藤田　でも「不真面目な復興」って言いつつほんとに不真面目なやつが来たら怒ってたみたいですよ。高校生が被災地に来て「バイオハザードみたいじゃないですか！」って言ってて内心キレてたみたいで。心情としてはよく分かるんだけど、そこでキレるのはちょっと違うなと思う部分もあって。たとえばチェルノブイリの事故があったウクライナで、チェルノブイリを扱ったホラーのゲーム『S.T.A.L.K.E.R.』があるわけでしょう。それを作る人は、そういうものでも作らないと、ウクライナの現状とか、感情を伝えられないと思うから、やるわけでしょう。商業的なエンターテイメントの流通の回路を利用するために。観光地だって、そうじゃないのかなぁ、観光客のために、普段の日常のリアルとは違う「観光地」を演じる部分があるわけじゃないですか。来て、知ってもらって、お金をもらい、生きていくために。その辛さや苦しさも分かるし、「消費者」の無感覚さ、図々しさに腹が立つ気持ちも分かる。流通しにくい「リアル」の表現は、それこそ流通しにくいから、矢野さんとの話で「物語」への問いに戻るよね。

荒木　そういう人々への忖度っていうのも『ららほら』には反映されてしまっているのかな。だから藤田さんが不自由っていうのも確認できたような。

藤田　でも不自由さっていうのは倫理でも思いやりでもあるわけで、そこの難しさがずっと震災後文学のテーマなんだと思うんですよね。今回は、つながりのこととか、アナーキズム、反出生主義など、新しい論点がいろいろと確認できたと思います。ありがとうございます。

第4回

なぜ二〇二〇年代の日本文学はディストピアが主流になったのか

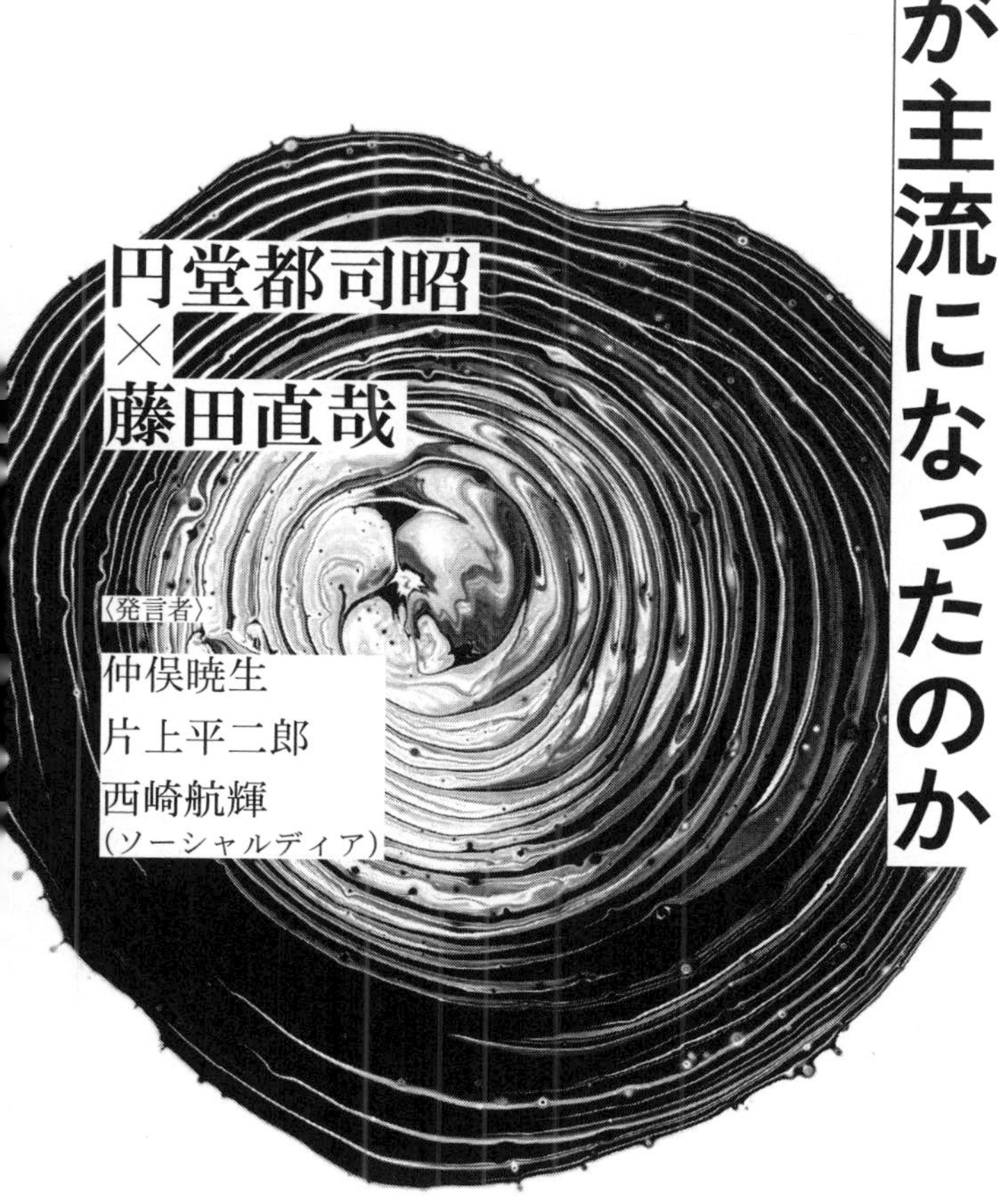

円堂都司昭×藤田直哉

〈発言者〉
仲俣暁生
片上平二郎
西崎航輝（ソーシャルディア）

噴き上がる「黒い水」
——浦安の液状化現象

藤田　今回は円堂都司昭さんをお招きいたしました。円堂さんは、『ディストピア・フィクション論』（二〇一九年、作品社）では震災後の文学、文化、映画やエンターテイメントの中になぜか増えてきたディストピアについて論じていらっしゃいます。そのディストピアを一つの軸にして震災後の文学、もしくは文化、あるいは日本の状況について話し合えたらいいなと思っています。

円堂　円堂都司昭です。震災について早速話しますと、僕は1998年に引っ越してから千葉県浦安市に20年以上住んでいます。よく知られる通り、浦安は震災の時に地盤が液状化して、公式発表だと市内の86％が液状化したそうですが、僕が住む地域はたまたま液状化しませんでした。東京湾沿いにある浦安は、海を埋め立てて面積を増やしてきた市で、東京ディズニーランド、東京ディズニーシー、周辺にあるホテル群もみんな埋め立て地にあります。大まかにいうと埋め立て地域が広範に液状化して、昔からあった場所も軟弱な地盤だから一部は液状化した。自宅に被害はなくても、普段の生活圏は液状化したので影響は受けました。

3月11日の地震直後の話をすると、いったん揺れが収まってから外に出て周辺はどうなっているだろうと見渡しました。うちの番地の一角に中華料理屋があったから、まず、そこが燃えていないか確認したんです。でも、発生が午後2時46分だったから休憩中で燃えていなくて安心した。それでネットを見てみたら、東京創元社が無事だったとツイートしていて、また安心しました。妻は外出していて地震直後、電話は混みあってつながらなかったわけですが、神楽坂へ行っていたのはわかっていたから、近隣の東京創元社が大丈夫なら無事だろうと思ったんです。それでテレビとネットの両方で状況を追っていたら、そのうちツイッターとかにぽつりぽつりと浦安の液状化の画像がアップされ始めた。でも、その時点では市のどの範囲がそうなっているかが、わからない。それでよせばいいのに自転車で市内を走ってみると、埋め立て地との境界線にあたる川の橋を越すと液状化が始まっていたので、多少状況を察することができました。そのままディズニーリゾートの最寄りである舞浜駅へ行くと、バスロータリーがボコボコになって波打ち、泥水が出ていました。そのうち高さが増した泥に自転車がはまっておろおろしていると、周辺の通行人を誘導していたディズニーの従業員、カストーディアルと呼ばれるいつもはお掃除をしているキャストだったと思いますけど、彼が助けてくれて、ほうほうのていで家に戻りました。自転車で出かけたのは馬鹿でした。

帰宅後から数日間、ツイッターをはじめネットばかりを見ていました。当然、テレビでは津波に襲われた東北の報道が中心だし、間もなく原発事故のニュースが続いた。浦安に関しては最初の頃、ディズニー付近の浸水した駐車場を空撮して高潮かもしれませんとほんの少し適当に流されるだけでした。でも、ネットでは市内のどの範囲が液状化しているかとか、どこで避難所を開設したとか、まとめてくれる人が出て来た。夏になると台風の被災地の情報がテレビ画面の上とか下にどこで給水や食料の配給がありますとか表示されるでしょう。地元のああいう情報がネットに出始めたんです。市内では上下水道、電気、ガスがダウンした地域も多かったし、一時期は給水に訪れた自衛隊が、市の中央図書館脇の駐車場にとどまっている状況でした。うちもトイレに少し逆流した形跡がみられてこれからどうなるかわからない。断水する不安もあったので、とにかく情報を把握しようとしました。ケーブルテレビのJ-COMでは浦安市長の会見とか地元情報を流していたから、けっこうチャンネルをあわせました。あとは、ローカルな千葉テレビ放送(チバテレ)ですね。浦安の液状化の報道がテレビや新聞のマスコミレベルで流れ始めたのは、数日後だったと思います。

実は、震災の翌日、3月12日に新浦安のマンション街とか埋め立て地域を歩いてみたんです。一戸建ての家は傾いたところが多いし、セブンイレブンとか交番とか見なれた建物が沈み込んでいて、電信柱は斜めになっている。海岸まで行くと、東京湾の向こうで、同じ千葉県の市原市のコンビナートでLPGタンクが爆発し煙が上がっていました。家並みが傾いた風景のなかを歩いて船酔いみたいになった後で黒煙を目の当たりにしたから、けっこうショックでした。その黒煙の後の雨には毒が混じっているなんてデマツイートも出回って、当時の熊谷俊人市長(2021年に千葉県知事就任)が否定するツイートをしていました。熊谷氏は若くして市長になり、ツイッターでまめに情報発信する人だった。震災後は計画停電もあっていろいろ情報が錯綜していましたが、千葉市に住んでいた僕の老父母はネットなんか見ないので「雨に毒はないから大丈夫だよ」とか、千葉市長のツイートで知った市の公式の情報や対策を電話で親に伝えるなどしていました。震災ではもちろん岩手、宮城、福島の三県の被害が甚大だったわけですが、東北から千葉まで太平洋沿岸で広く津波に襲われたし、都内の九段会館で天井が崩落するなど、各地で被害はあった。地上波ではわからない自分の地元の情報を探す人はたくさんいたと思います。

そうしてしばらくネットと地域メディアを巡回している一方でマスメディアでは原発事故の報道が多くなり、日本政府の発表も行なわれる。世界からはどう見られているんだろうと思ってケーブルテレビでCNNにあわせると、日本国内とはかなりニュアンスが違う。わかりやすくいえば、日本での報道は関東と東北の遠さを言うのに対し、CNNの報道は近さを報道する。浦安の狭い地域の情報を見るのと、世界的な視点で情報を見ることを並行していて、引き裂かれた感覚になりました。当時、浦安でどういう風にツイッターを見ていたかということは『IT時代の震災と核被害』(二〇一一年、インプレス)という本にも寄稿しました。

藤田 津田大介さんや荻上チキさんの寄稿されている本ですよね。今の話は浦安という特殊な地域がどういう震災の経験をしたかという話のみならず、第二次世界大戦以降の日本の進み方に対するメタファーみたいになってる部分がある、という風に円堂さんは受け取っているんだろうとぼくは思うんです。というのもディズニーランドが出来て、ディズニーランドの周辺が開発されて、マイアミみたいなおしゃれなリゾートになって、椰子の木生やして、マリナーゼという人もできて、綺麗な人工的な都市みたいになってた浦安が揺らされて、下から黒い水が出て来たわけですよね。人工的に作られた環境が埋め立てた地盤、自然みたいなものに下から突き上げられてくるということが80年代やゼロ年代のポストモダン的なものの是非を問うものとして感じられたんじゃないかと思うんですよね。その感じ方が『戦後サブカル年代記』(二〇一五年、青土社)や『ディストピア・フィクション論』に影響しているように思ったんですが。

円堂　僕は今まで九冊本を出しているんですが、うち八冊でなにかしらディズニーランドに触れていて、もう基本的な思考にディズニーランドが組み込まれているというか(笑)。僕が書評や文芸評論を書くようになったのは、１９９９年に「シングル・ルームとテーマパーク　綾辻行人『館』論」を東京創元社の創元推理評論賞に応募して受賞したのが始まりでした。今はないミステリ評論の賞です。ミステリの定番として、例えば雪で外部と行き来できなくなった山荘とか、嵐で外と行き来できない孤島とか、閉ざされた空間で殺人が起き、警察も介入できないという設定がある。限られた空間だから容疑者は限られている。でも、犯人がわからない。そのうち第二、第三の殺人が……みたいな典型的なパターンで、アガサ・クリスティ『そして誰もいなくなった』が代表的な作品です。日本における代表例である綾辻行人の「館」シリーズを、テーマパークとのアナロジーで語ったのが僕の応募作でした。１９９８年に浦安へ引っ越したので、その記念みたいな気分で書きました。当時は、パークのなかから外部を見えなくするとか、ディズニーランドの設計思想などに関する本をけっこう読んでいたんです。来園者にディズニーの夢に浸ってもらうために浦安の風景を遮断するとかですね。

藤田　人工的なストーリーの中に観客が入って、人々はパフォーマーやキャストになるというのがディズニーランドで、その周辺の家というか居住地も似ていって、労働環境とかも社会とかも、徐々にそうなっているんじゃないかという見立てが円堂さんの中にはあると思うんですね。

円堂　そういうのが基本的な世界観になっています。２００１年に東京ディズニーシーが出来て、東京湾が借景で見えるような設計にはなっています。でも、ディズニーシーの中にも海はあるけど、本当の海とはつながっていない。でも、つながっているように錯覚させる。この頃から、パークの外部を見せないという規範がゆるくなったとする意見もあります。

藤田　新本格も、ルールがあって謎解きがあって犯人を突き止めるという、人工的なパズル性が強いフィクションと見られていて、それが現実と切り離されたゲームというかな、虚構的空間の中でゲームをするようなミステリで、それが当時のポストモダン的なリアリティに近いと言われていましたよね。現実との直接的な繋がりが失われて、人工的な空間で生きている感覚になった人々が共感しやすいフィクションとして新本格が受容されたと言えるでしょうか。それをテーマパーク化していくような我々の生活、今だと二子玉川とか武蔵小杉とかかな、ああいうものと結びつけて書かれたのがデビュー評論だとぼくは考えています。

円堂　その通りです。テーマパークに限らずマクドナルドのようなファストフード、コンビニエンスストアもそうですが、業務を効率的に回転させようとする空間は人間を数と見なす。一人一人の性格や事情は関係なくて、特定の時間内に何人さばけるかと設計してとにかく数として扱う。ディストピアに関して僕は、まずそうした計算ずくの空間を思い浮かべるし、代表例がディズニーランドです。効率的なユートピアは、同時に反ユートピア、ディストピアでありうるという両面性ですね。殺人を題材にすることが多いミステリは、謎解きパズル的な要素から人を数扱いするジャンルでもあります。だから、ミステリを語るアナロジーとしてディズニーランドが使える。

　一方、ディズニーランド関係の資料を調べてなぜ浦安にディズニーが招致されたのか、歴史的な経緯も知りました。過去に河川の流れをいろいろ変える工事が行なわれた結果、千葉県浦安市と東京都江戸川区の境界線の川は、旧江戸川という変な名前になっています。その川と東京湾に面した浦安は、もともと漁師町でした。その上流に本州製紙（現王子製紙）の紙の工場があって排水が川や海に流され、アサリ、ハマグリ、ノリなどに被害が出た。このため、１９５８年には稼働を止めろと怒った漁民が工場に殴り込み乱闘になった黒い水事件と呼ばれる出来事がありました。それで漁業ができなくなった結果、海が埋め立てられ、ディズニーランドが建設される（１９８３年オープン）のと並行して、新しい住宅地やマンション街が形成されました。１９５０年代から日本が急速に工業化する過程で、同種の騒動は各地でありました。最初は、企業側が公害の責任をなかなか認めない。科学者が登場して調査しても、原因は工場ではないのではないかという。だいたい、そういう経過をたどる。

藤田　水俣病とかもそうですよね。批評家とか知識人が、科学的じゃない、事実じゃないと、公害を否認したんですよね。

円堂　その頃は公害に関する知見も発達していなかったし、限られた人しかその方面を検査する人がいなかった。水俣病の原因は有機水銀だったんですけど、そうではないとする説を出した水質学者がいて、その人が浦安の排水調査に入っていたりしたんです。浦安は水俣病のように食べて病気になるレベルではなかったですが、貝やノリの品質は劣化して売れなくなるし、生活が苦しくなる漁師の人々は当然怒りますよね。それで黒い水事件がきっかけとなり、１９７０年代に水質に関する公害規制の法整備が行なわれるようになりました。とはいえ、浦安では漁業権を全面放棄し、埋め立て地に東京ディズニーランドが開園されたわけです。水俣の場合、チッソという石油化学メーカーが出した廃液のせいで水俣病が起こったんですが、僕は1980年代後半に石油化学新聞という業界紙の記者をしていて、チッソも取材先に入っていました。水俣工場には行ったことがなかったですが、水俣工場から東京本社へ転勤してきた人はたびたび取材したので、水俣病が問題になった後の話は多少聞いていました。ただ、加害者側のチッソの従業員は、加害者であることは自覚しつつも被害者意識を持っているんです。成田空港建設の際の反対闘争などもそうでしたけど、地元住民だけでは大企業に太刀打ちできないから、活動家が支援に加わる。そうすると人数が膨れ上がるから、企業側からすると攻撃されていると受けとめてしまう。

藤田　そうだったんですか。加害者が被害者意識を持つというのは、すごく今っぽい感じですね。過去の公害問題についての言説を調べると、『文藝春秋』とかもそういう風潮で、本当は健康被害が出てない、集団でチッソをいじめている、健康被害が出ていることを証明する論文を出した科学者は売名の嘘つきだ、金目当てのニセ患者だ、ってみんなで叩いてますね。山本七平とか小室直樹とか江藤淳とか、有名な学者や批評家がそういう発言をしているんですよ。『内閣調査局秘録』とか読むと、学者や言論人を囲うような工作があったらしいし、アメリカの事例だけど、タバコ産業の人たちが学者の研究を支援して自分たちの有利な結論を導いたりはしているんですよね。ネオコンはそれこそ、シンクタンク作ったりして言説戦をする人たちだし。なので、やっぱり震災後の原発についての議論も、ぼくは疑いを持ってしまったんですよね。当時のものを読むと、ロジックは震災後と同じなんですよ。「資本主義を止めたいのか」「余計たくさん人が死ぬじゃないか」っていうロジックですよね。あるいは共産党の人が中に入り込んでやってるとか、そういうロジックです。沖縄の活動家は金をもらってるとか、今よく見るロジックとほとんど同じですね。資本主義を回して経済成長しながら公害を防ぐことに成功している今から見ると、笑っちゃうような偽の二項対立なんですが。

円堂　僕は石油化学新聞から紙業タイムス社という紙パルプの業界誌に転職した関係で、浦安へ引っ越す前に黒い水を流した工場に見学に行ったことがあったんですよ。1990年代に見学した時には、主力製品は白板紙でした。ケーキを入れる箱とかに使われる紙です。でも、黒い排水を出した時代の主力製品は、出版用紙だったそうです。検定教科書や漢和辞典の紙も作っていた。だから、文化的な物を作るために公害となる廃液を流した構図になる。僕が浦安に引っ越してから、市の郷土博物館が、黒い水事件の当時の関係者に聞き書きで本をまとめ、シンポジウムを催したので見に行きました。そこでは、対立していた当時の工場の関係者と元漁師が仲直りの握手をする場面があったりしました。

藤田　なるほど。文化の裏にある、公害の話ですね。それを見ないようにしてきた、黒い水が噴き上がって来るのは、何か象徴のように感じる、それはよく分かる感じがします。電力で消費を謳歌してきたゼロ年代が、その背景の物質的基盤や、犠牲にしてきた人や物事を突きつけられた感じと似ていますね。

円堂 黒い水事件と呼ばれてきたわけです。実際、川が黒くなったらしいんですが、液状化で噴き出した水も黒かったんです。泥が混じってるので。だから、蓋をしていた黒い水が噴き出したみたいなイメージでしたし、ここは昔、海だったんだと実感しました。ただ、市が噴き出した水の検査をして毒性は特にないから安心して下さいと広報していましたので、そちらの心配はしませんでした。今ちょうど武蔵小杉とか、川の増水で泥まみれになっているでしょう(2019年10月の台風19号に伴う冠水で周辺マンションなどに停電、断水の被害が出た)。あれは乾くと細かく塵になって飛び上がるので、しばらくは生活が大変になるでしょう。浦安市内では液状化の後はしばらくの間、復旧作業のために普段なら見かけない大型車両が通るようになりました。いつもとは違う交通状況になるし、ゴミの飛び具合が変わるから比喩じゃなくて空気が変わっちゃう。

藤田 なるほど。なんとなく、自分が関わってきたもの――ぼくの場合は、父親と母校の東工大が絡む原子力政策と産業ですが――の、見えないようにされてきて、見ないようにしてきた裏側を突きつけられたという点では、なにか近いような気がします。

円堂 震災後、『苦海浄土』の石牟礼道子が再評価されたでしょう。日本で原発事故に近い例を過去に探すと、設備を稼働させていた企業が汚染を引き起こし、その企業から恩恵を受けている人もいた地元に分断を引き起こしたという点で水俣病にいきあたる。水俣病を描いた『苦海浄土』は、住民から会社への陳情など社会運動も記していますけど、病気に苦しむ家族のエピソードが多い、そこが方言混じりで生々しく書かれていて読ませる。震災後文学の一つである吉村萬壱『ボラード病』での汚染された地方の描き方など『苦海浄土』を連想させますし、後世への影響は少なくないと感じます。ただ、『苦海浄土』は水俣病を世間に伝えるうえでは大きな意味があった作品ですけど、1970年に第一回大宅壮一ノンフィクション大賞に選ばれたものの辞退している。運動を追った部分のほか、章立てをみると「聞き書き」とされた章もあるし、ノンフィクションのようにみえる。でも後のインタビューで作者本人は、浄瑠璃的なものだと語っているんです。水俣病患者に憑依するようにして書いたということです。近松門左衛門が人形浄瑠璃で書いた心中ものは、実際の事件をモデルにして脚色していた。それに似ています。作者は熊本出身で地元の人だし、水俣病に関する運動に参加していたから、実際に聞いた周辺の人々の声が作品に流し込まれていたのでしょう。今では『苦海浄土』は文学作品として扱われていますが、かつてはノンフィクションのように読まれたから、その曖昧さゆえに影響力を持った面はあると思います。

ただ、もしも今、『苦海浄土』が出版され、実はノンフィクションではありませんといったら、叩かれて炎上していたのではないか。原発事故後、それが事実かどうか、科学的か、当事者か、根拠があるのかを問う圧力が高まって、語り方が問われる傾向がみられました。この連続トークの初回から出ている『美しい顔』問題ですね。そこらへんは、文学というか、文章の位置づけが過去と現在で変わった気がします。

公害と地域ブランディング

藤田　公害とディストピアみたいなものの関係で、ちょっと最近思っていることを話してみたいんです。ぼくは地域アートの取材で全国を巡ってきたんですが、調べている内にわかってくるのが、大体地域アートとかが盛んなのが、過去によくないことが起こった場所だってことなんですよ。例えば瀬戸内国際芸術祭って今観光でいいイメージじゃないですか。海があって自然があって。だけどあの直島って公害の歴史があって、三菱マテリアルの工場があって。三菱マテリアルって徴用工問題で和解もしてるんだけど。隣の豊島も、公害で有名で、産業廃棄物を垂れ流しまくってて、その破棄場を県とかも黙認していてひどい汚染が起きていたっていう歴史があるんですね。直島に藤田観光が関わって観光地化しようとしたり、ベネッセが関わって芸術祭をやって、ポジティヴなイメージに変えて風評被害を食い止めようとしているわけですよね。これは、ちょっとディズニーランドと似ていると思うんですよね。で、震災後の「風評被害」というロジックを聞いたとき、真っ先にこれを思い出してしまって。被災地の場合も、綺麗に整地されて、ポジティヴなイメージの写真が広められたりもします。それはつまり、実態の上に何かを載せて、上書きするような行為ですよね。それでいいイメージにする。農作物も買ってほしいし、旅行にも来てほしい。その願いはよく分かる。だから、過去の悪いイメージのことは言わないでほしい。それも分かる。そうすると、過去の事実を書くだけで「せっかくいいイメージにしようと頑張っているのに、お前はなんなんだ、ネガキャンだ、風評被害だ、人の生活が懸かっているんだ」と責められてしまう。それが震災後の状況で、要するに公害問題と同じなんですよ。実態に対して、あるイメージを作り上げてプラスにするのは、ディズニーランドみたいなものや地価を上げる点ではいいかもしれないし、実際に役所とかはそういうプロモーションを必死にやるわけだけど、公害とかひどいものをプロパガンダでなかったものにしたりポジティヴにしたりするのはどうなんだろうとも思うんです。誰かの具体的な歴史を変えたいという悪意とは別種の、それ自体は頷けるロジックでこういうことが起きている気がするんですが。それが国家レベルまで行くと、歴史修正主義とか日本スゴイみたいなものになるのかもしれない。でも、日本のいいイメージを世界に広めて、理解や共感や尊敬を生んで、観光客を増やしたり商品を売るってのは、経済的にも必要だし、安全保障上も重要なことですからね。ここが困ってしまうというか、ぼくがずっとジレンマを感じているところなんです。こと『ボラード病』や『1984』的なディストピアを現在に感じ取る人が震災後に多く出てきたこととはつながっていると思うんです。

円堂　さっき話したような浦安の震災に至るまでの過程を『ディズニーの隣の風景』（二〇一三年、原書房）という本に書いたんですけど、同書のサブタイトルに「オンステージ化する日本」とつけたんです。それこそディズニーのパーク内はオンステージと設定され、お掃除する人もカストーディアルというカッコいい名前がつけられ、キャストとして演技している。『ディズニーの隣の風景』では、その種の振る舞いが全国的にまちづくりで一般化したことを書いています。YOSAKOIソーランの歴史の浅い祭りとか、B級グルメ、ゆるキャラなど、地域を盛り上げようとあれこれイベントが仕掛けられてきた。アートに関してもそうでしょう。さかのぼれば、かつての炭鉱の町に常磐ハワイアンセンターが作られ、今のスパリゾートハワイアンズになった。震災後の全国キャラバンが話題になったフラガールがいるところですね。そうしたテーマパーク的な設計思想が、東京ディズニーランドが開業した1980年代以降に広まり、各地の商業施設に応用されていった。

藤田　ぼくの生まれ育った北海道でも、炭鉱のあった町の周辺に、奇妙なテーマパークが大量に出現して、気味が悪かったです。後に多くが廃墟になっていますね。小林恭二さんの『ゼウスガーデン衰亡史』がその感覚を非常にうまく小説化されています。

円堂　バブル崩壊後は景気が低調ななかでの郊外開発で、ゼロ年代に話題になった「ファスト風土」化が進み、プチテーマパークともいえるショッピングモールがあちこちに出来ました。そうした状況で景観に関心を持つ住民も多い。僕は震災前の二年間、浦安市の都市政策課が主催した景観まちづくり講座に一市民として参加していました。浦安も景観をよくしていきましょうという講座で、市民が30人くらい参加して東京ディズニーランドを運営するオリエンタルランドからゲストを招きディズニーの建物の色使いについて聞いたり、参加者が手分けして市内を歩き、美点や問題点を洗い出したり。先ほど触れたように浦安は、以前から漁師町として存在した地域（元町と呼ばれる。東京メトロ東西線の浦安が最寄り駅）と埋め立て地（第一次埋め立てが中町、第二次埋め立てが新町と呼ばれる。JR京葉線の新浦安、舞浜が最寄り駅）からなるんですが、新町のマンションの住民など、後者のほうが平均的に所得レベルが高い。だからなんとなく感覚が違うというか、僕は元町に住んでいるのですが、新町の喫茶店なんかに入ると京葉線と首都高速湾岸線に隔てられた元町について「あっち側の人」とか言っているのを耳にしたりしました。分断というと大げさだけど、双方の交流が活発とはいえません。景観講座への参加者も中町、新町の割合が高くて、市民目線で語りあうわけだから、木造家屋が多くて小路が多く雑然とした元町の街並みを見て大地震が来たら一気に燃え広がりそうとか、老朽化してすでに傾いている家屋は撤去できないのかとか、忌憚のない意見が出ました。市が事前に作っていたハザードマップでは全域に液状化の可能性を指摘する一方、元町について火災の危険性がいわれていた。

　ところが実際に震災の液状化でライフラインや家屋にダメージを受けたのは中町、新町で、元町はさほど被害がなかった。新浦安のマンションに住む主婦層はシロカネーゼのもじりでマリナーゼと呼ばれていたんですが、震災後はネットで「ウンコナガレネーゼ」と揶揄された。下水道が損傷すると上の方のパイプが大丈夫でも流れないから、一時避難して戻ってきた人が水洗トイレを使おうとするとひどいことになってしまいます。また、マンション住民のなかにも購入した人と賃貸の人がいて地元にずっと住み続けると思えば周辺の泥かきとかするけど、賃貸の人はしないといったことがあった。他地域からも泥をかきだすボランティアが来る一方、都内で働く住民が多いから、そういう人たちは社内の立場もあって出勤せざるをえないといったこともありました。なにかと、人間関係がギスギスする要素があった。液状化ではマンホールが浮き上がり地面から飛び出た形になったんですが、当時の市長がそれを震災のモニュメントとして残そうと主張して、公園内にあった一つだけ残したんですけど、周辺でもいっぱいマンホールが隆起して復旧していない段階でそれを言ったから「そんなものを残したらマンションや土地の資産価値が落ちる」などと反発が起きました。

藤田　大変貴重なドキュメントというか、お話ですね。それは被災地でモニュメントが嫌がられて、どんどん壊すのと同じですね。

円堂　ただ、浦安は液状化の被害はあったけれど死者はいなかったんです。だから、ネットでは、東北で膨大な死者が出ているというのに「資産価値」を云々するのは不謹慎だ、浦安が被災者ヅラするなみたいな叩かれ方をしました。住まいが被害にあって復旧や新たな住居探しに費用がかかるのは、一般家庭レベルではとても深刻なことなのに。東北三県以外は被災を語りにくい空気が形作られたように思います。

ＡＲ詩がやろうとしたこと

円堂　藤田さんの震災文芸誌プロジェクトになぜ興味を持ったかというと、たまたまなんですけど、２０１１年の震災の少し前から「floating view 郊外からうまれるアート」という企画展が東京ワンダーサイト本郷で催されていて、3月11日の一週間前くらいに「ＡＲ風景論」と題したシンポジウムがあったんです。

藤田　美術家の佐々木友輔さんが企画された、地域とイメージみたいなテーマの展覧会でしたね。作家として参加していたんですが、そのシンポジウムに円堂さんがいらっしゃって。その次のシンポジウムの直前に震災が来たんですね。展覧会が一時中断し、植物を使った作品があったんですが、震災後手入れできなくなったので、会場がカビだらけになってしまったりした。

円堂　浦安の景観まちづくり講座で市内景観ベスト10の公開発表会を間近にした時期でしたから、風景をテーマにした企画展へ行こうと思ったんです。ところがその後、震災で液状化の復旧が優先され、景観講座は中止。企画展のタイトル「floating view」は直訳すると「浮遊する風景」でしょう。だから、浦安の傾いた家並みは本当に泥で「浮遊」しちゃったんだなぁと、震災からしばらくは「floating view」ってフレーズが頭の中をグルグル回っていて。その企画展で特に印象深かったのは、mi_kaさんのAR詩でした。現実の風景にARで詩をつけた写真の作品です。震災報道では地図を示して地域ごとに死者・行方不明者の数を貼り付けていた。原発事故についても、やはり地図で現場からの距離を同心円で示す一方、地域ごとに汚染の度合いを何シーベルト、何ベクレルと書き込んでいた。食べログみたいに場所と関連情報をセットにしたネットサービスが一般化しましたけど、常に浮遊する情報が場所につきまとっている中を私たちは生きている。物理的な風景も固定されずに流動していく。そんな時代の表現であるAR詩と、被害や汚染の数値を場所ごとに貼り付けた地図は、「floating view」からひと連なりのイメージとして自分の記憶に残っています。

藤田　面白かったですよね。それまでは、能とか和歌みたいに、場所に詩情として何かを載せていたのが、デジタルでできるようになって、可視化される。このときの拡張現実、AR詩はたしか佐々木友輔さんたちがアイデアを出したもので、『「場所」論　ウェブのリアリズム、地域のロマンチシズム』の丸田一さんとか、時間の前後は忘れたけれども「ヒロシマ・アーカイブ」の渡邉英徳さんの研究室にもお話を伺いに行った記憶がありますね。ここのときのARってのは2種類くらいの意味があって、一つは技術、もう一つは物語みたいなものですね。技術としては『ドラゴンクエストウォーク』や『ポケモンGO』が分かりやすい。もう一方で、科学や技術を使うまでもなく、死者とか記憶という形で、場所に何かを重ねる行為はしてきたわけですよね、伝統的に。AR詩や、あの展示での佐々木さんのアイデアは、その二つを融合させることだったと思うんですよ。

なぜディストピア作品が流行したのか

藤田　斎藤美奈子さんが『日本の同時代小説』（二〇一八年、岩波新書）で言うには、2010年代はディストピア文学の時代なんですね。日本の純文学がこんなにディストピアSFの構造を使うようになったことは、歴史上初めてです。これだけディストピアばっかり書かれるのは何か意味があるだろうと思わざるをえなくて。なぜなのか？　少し考えてみたんですが、ディストピアと聞くと、多くの人は「暗い未来」って思いがちだけど、そうじゃなくて、『1984』とか『すばらしい新世界』のように、本当はひどい状態なのに、ポジティヴだと騙されて思い込まされているみたいな世界観がディストピアですね。『未来世紀ブラジル』や、伊藤計劃の『ハーモニー』もそうですね。ハッピーになるには理由があって、『ハーモニー』では、脳にコンピューターを繋がれて、脳内物質を操作されてハッピーだと思っている。『すばらしい新世界』だとソーマという人工麻薬みたいなものが使われている。『華氏451』だとテレビみたいなものですね。『ボラード病』は絆が大事という教育によってこの世界のネガティヴなものが見えない、意識できないようになっている。本当はネガティヴなんだけれど、情報操作とか言葉の動かし方などによって、この世界がポジティヴに認識させられていると警告するタイプのフィクションが、ディストピアだと定義できると思います。これが増えているというのは、現実にもそれに対応した何かが起こっているんだろうと思うんですよね。

円堂　2010年代以前にディストピア的な小説がなかったわけではなくて、時代ごとに危機意識なり暗い未来なりを想像した作品はありました。例えば、1990年代にはオウム真理教が地下鉄でサリンをまくなど一連の事件を起こした。2001年にはアメリカで同時多発テロ、いわゆる9・11が発生し、同国はテロとの戦いと称してアフガニスタン、イラクを攻撃した。国内外でテロ、戦争があったのに加えて日本の場合、外国人犯罪や少年犯罪が実態以上にセンセーショナルに報道され、体感治安が悪化する状況がありました。このため、犯罪抑止のため監視カメラが町中に増加して監視社会化が議論されつつも、防犯カメラと言い換えられてあることが当たり前になっていった。そうした監視によるディストピア的な社会像を伊坂幸太郎は『ゴールデンスランバー』、『モダンタイムス』で描いていましたし、盗撮集団を登場させた阿部和重の『シンセミア』も同種の問題意識を有していました。この二人が後に共作をしたのも納得できます。だから、9・11以後から監視をテーマにした小説はあったといえばあった。

　でも、やっぱり、ディストピア小説は、震災以後に多くなりました。アメリカではトランプ政権下でポスト・トゥルースとかオルタナ・ファクトという言葉が使われましたけど、日本では震災と原発事故で嘘と本当がグチャグチャになってしまった。震災以前に政府や東京電力が言っていた原発の安全性はどうだったのか。その後の放射性物質の拡散はどうなっているのか。未だに真実か嘘かをいろいろ争い続けるなかで、気がついたら東北三県しか大きな被害がなかったかのような語られ方をしています。〝東日本〟大震災と広範囲にネーミングされていたのに、東京オリンピック開催に向けて阿吽の呼吸で忖度しあって言わなくなったのでしょうか。そういった同調圧力の高まりや真実の信頼性の揺らぎで、この社会のディストピア性が増したということはあると思います。

藤田　ぼくも並行して、『娯楽としての炎上　ポスト・トゥルース時代のミステリ』（二〇一八年、南雲堂）っていう本を書いているんですが、これもディストピアものの増大と同じ背景に拠ると思うんですよ。ポスト・トゥルースというのは事実とか現実が世論を形成するのに影響力を持たなくなって、情動とか印象が人々の意思決定に影響を及ぼす状況のことです。原発だと放射能で怖いんじゃないか、不安だという意見と、一方で安全だという意見があって、どっちもエビデンスを出すんだけど持っていき方が恣意的で、本当のところがぼくらはわからない。国連の文書を読んだり、科学的な論文をちゃんと検証した人はほとんどいないと思うんですよ。エビデンスやサイエンスを信じればいいのかという話になるんですが、しかしそれも、過去の公害問題を考えると、なかなか疑わしい。タバコ産業とか石油産業は、歴史的に、タバコの害や地球温暖化を否定する「研究」のパトロンとなったりしていますからね。そのような科学的な真偽がよく分からないだけでなく、震災が起きてから、「これまでこうだ」と思わされていたけどそうじゃなかったことがいっぱい露呈したことも影響していますよね。非核三原則でノーベル賞をもらっていたのに、核兵器が持ち込まれていたとか。原子力は未来を作る平和な技術だと言っていたのに被害がすごいとか。そういう風にこれまで言われて、信じてきたもの、ぼくらがこれが日本だと思っていたことがそうじゃなかったと露呈した心理的なショックはあったと思うんですよ。それで、宣伝というか——原子力の場合は、正力松太郎の読売新聞とか読売広告社の影響が大きいんだけど——信じてきたものを疑わないと危ないんじゃないかと多くの人が思ったと思うんですよ。少なくとも、ぼくはそういうショックを受けた。「これは疑わなくていいだろう」という審級への信頼がなくなって、底が抜けてしまった。

最近、ぼくが悩んでいるのは、風評被害ってロジックがあるじゃないですか。放射能で誰かが癌になっているかもしれない。でも、それを言うと風評被害になって、農家が作る作物が食べてもらえなくなって、農家の人が苦しんだり、食料生産が上手くいかなくなる。あるいは日本へのネガティヴキャンペーンになって、ブランド力を落とし、観光客が減るというロジックがありますよね。

円堂　普段の商売では、逆に風評で下駄を履かせているんですけどね。ブランド力って実質ではなく風評力でしょ。

藤田　広告っていうのは基本的にそうなわけで、広告のロジックでやってるわけだけれども、一方でネガティヴなことを言うのはブランディングを落とすわけで、自然な人情として表には出てこなくなる。ひょっとしたらどこかで何かが起きてるかもしれない。経済の理屈とは違う感情や思考もあるかもしれない。でも、それは出てこなくなりそうですよね。それはいいのかな、っていうのが最近のぼくの悩みなんです。新海誠の『天気の子』もそういう話に見えるんですよね。一人を犠牲にすれば、みんなが明るくなって助かるという話ですよね。ル＝グウィンの「オメラスから歩み去る人々」と同じ構図ですが。そこで、主人公の少年は、世界がどうなろうと自分の目の前の女の子を選ぶわけですよね。パンクですよ。

円堂　それこそ東京オリンピックの開催を巡って裏でいろいろ起きていることも

あるでしょう。

藤田　でしょうね。東京オリンピックのネガティヴな部分も報道できなくなってると記者の友人は言っていますね。メディアコントロールすごいですから。

円堂　国内でコントロールしても韓国から放射性物質云々の話が持ち出されたりするじゃないですか。先方は科学的判断としつつも、日韓の政治的摩擦が背景にあって。様々なレベルでそういうせめぎ合いが続くんでしょうね。

藤田　韓国の有名な監督で、『春夏秋冬そして春』とか『魚と寝る女』とか撮ったキム・ギドクが原発を扱った『STOP』を撮ったんですが、それは日本じゃ公開されてないですね。台湾の現代美術館に行ったら、原発を扱った作品が普通にありましたが、日本では多分展示できないと思います。別にそのぐらい神経質にならなくていいじゃない、いろいろな作品がある方が豊かじゃない、と思う一方で、国際的なイメージとか、風評とかに懸念を覚えてそういうのを表に出させたくない人たちの理屈も分からないではないです。

円堂　『娯楽としての炎上』ではミステリ小説を論じているわけですが、ミステリは謎があって真実を推理して当てるのが基本。ポスト・トゥルース時代のミステリはどうかというと、真実を当てるのは基本線としてあるけれど、相手をどう論破するかみたいなことが中心にせり出しています。

藤田　最近のミステリは事実とか現実がどうかをほとんど気にしない作風が増えていて、それらしい物語、解決らしきものを作って人に信じさせればいいという作品がありますよね。『虚構推理』（城平京著、二〇一九年、講談社）という今度アニメになる作品が特徴的で、これは本格ミステリ大賞とっていまして、本格ミステリファンたちは本格ミステリと認めてると思うんですが、ネットに書き込んだりプロパガンダをして世論をある方向に向けて、その世論が多数になったらそれが事実になり解決っていうミステリなんですよね。

円堂　真実がどうか以上に、みんなを納得させたやつが勝ちという世界観。

藤田　そうですね。真実や事実がどうでもいいとなっているわけで、その世界の世論を操作する主体を描いている寓話なんですよね。ぼくはそれをかなり批判したんですが、ちょっと揺らいでもいるんです。でもどうしたらいいんですかね。なんでもかんでも事実や真実を出すべきかというと、単純にそうでもないような気もして……。

円堂　そもそも一つの真実があるということが信じられなくなっているわけだから。

藤田　そういう現実を無意識に感じ取っているから、陰謀論も増えるし、政府や専門家への信頼も低下するし、ディストピアを読んで、現実を理解するモデルとしてピンと来る読者が増えているんじゃないかなと思うんですよね。

円堂　ディストピア小説は昔から書かれてきましたが、繰り返し登場する主題は言葉の扱いです。使える言葉が規制される、本の出版や所有が禁止される、個人的に文章を書くことが禁じられる世界。

だから、ジョージ・オーウェル『一九八四年』みたいに主人公が密かに手記をつけていたというのが、逆に定番のパターンになるわけです。いよいよ書けない状況になったらレイ・ブラッドベリ『華氏451度』のように一生懸命記憶する。そのことからすると、僕は震災後文学の出発点といえるのは、意外に『紙つなげ! 彼らが本の紙を造っている』(佐々涼子著、二〇一七年、早川書房)っていうノンフィクションなのではないかと思っています。日本製紙が、被災して製造がストップした石巻工場をいかに復旧し再稼働させたか、苦難の道のりを追った内容です。同工場は出版用紙、つまり本の紙の主力工場なんです。文庫本では百田尚樹『永遠の0』、冲方丁『天地明察』、東野圭吾の『カッコウの卵は誰のもの』、単行本で池井戸潤『ロスジェネの逆襲』(ドラマ『半沢直樹』原作の中の一作)、マンガだと『ONE PIECE』、『NARUTO』などを作ってきたそうです。1981年から角川文庫の用紙も生産していて、この分野の主力工場。震災直後は、同工場の被災で出版用紙が不足するのではないかと言われました。結果的にひどいことにはならなかったのですが、『紙つなげ!』によると日本製紙が輸出していた分をやめて国内向けに集中したのと、同社もここにしか工場がないのではないから、他工場に生産を振り分けた。あと普段から行なわれていることですが、メーカーの工場は定期点検で止めなきゃいけない。その時は他社に委託生産して必要数を確保するんです。当時は王子製紙に肩代わりしてもらったそうで、極端な品不足は防げた。とはいえ、主力工場でいろんな品質の紙をすけるマシーンなので復興したのはめでたい。

『紙つなげ!』は、震災物のノンフィクションのなかでも売れたらしいです。これは、本の紙についての本ということで、ことさら本好きの心をくすぐったんだろうなと思いました。これがもしダンボール工場の話だったら、ヒットしなかったのではないか。東北にはいわき大王製紙という規模の大きい工場があって、新聞用紙とダンボール原紙が主力の製品なんです。こちらも一部に被害があり稼働を停止しましたが、幸い二週間ほどの早期で全面的に操業を再開できました。これがもし、もっとひどい被害からダンボール原紙の製造設備を復興しましたって話だったら、本好きの人はさほど感動しなかっただろうと考えてしまいました。実際の災害現場ではダンボールのほうが遥かに重要だし、物を運ぶ時以外にも避難所のパーティションとか、今ならダンボールのベッドもあるし、より生活に密着している。でも、出版用紙の方にどうしても思い入れちゃう。

藤田 それは障害者がたくさん殺されてしまった相模原の事件よりも、京アニの事件のほうが同情と寄付が集まるのと近い感じがしますね。エイズの訴訟団でも可愛い女の子を前に出すわけじゃないですか、世の中の貧困とか飢餓も、いたいけな子どもを前に出してキャンペーンするじゃないですか。ぼくらの脳みそは、やっぱりそういうのにハッキングされやすくできてるんだなと思うんですよ。アテンションエコノミーですよね。

円堂　出版不況が強まるにつれて、本屋さんを舞台にした本とか、本好きのナルシシズムを満たす本が増えている印象がすごくあって、『紙つなげ！』もその一環だったと思います。著者は、震災で製紙工場が止まったままなら、電子書籍化が進んでしまうのではという危機感を書き留めています。実際、震災直後には、先ほど話したようにツイッターでの情報集めを多くの人たちがしていたわけで、言葉が流通する場所をネットじゃなくてもう少し本の方にしたいなと、文化的な人たちは願うわけじゃないですか。震災後文学と言ったときにもベースとして紙を思い浮かべる人が多いでしょう。藤田さんが、震災の当事者に書いてもらう文芸誌『ららほら』を立ち上げるとネットで知った時、浦安の郷土博物館では黒い水事件の聞き書きを集めて冊子にまとめていたから、それに近いこじんまりした本を作ると想像したんです。東日本大震災はスマホが普及した後だったため、いっぱい動画が撮影された。地震の揺れも津波も液状化も無数の動画が撮られたし、防犯カメラの映像だってある。膨大な映像アーカイブが被災地ごとに設けられ、テレビ局も作っているでしょう。浦安も市の図書館が担当した液状化アーカイブがあります。データとしては、すごい数がある。震災文芸誌には、その種のアーカイブに収まりきらないなにかを集めたいんだろうと思って、興味を持ちました。ネットで流れていくものではなく、たとえ少部数でも深く読みたい人が紙で読む。地域の図書館に入れれば、後々次の時代の人も読むだろうというようなことですよね。

藤田　そうですね。マスメディアやインターネットとは違う受け止められ方、時間の感覚のある紙と本ならできることはあると感じましたね。小森はるかさんの、『息の跡』という作品があるんですよ。それは陸前高田市を舞台にして、陸前高田は津波が来て、その後12メートルくらい広大な領域を上げるかさ上げ工事を何千億円もかけてやったところなんですが、そこの種屋さん、種のお店が流された人が新しい種屋を作って復興させる話なんですが、なぜか種屋のおじさんが自分の文章を書いたものを何カ国語かに翻訳して出すっていうので、いろんな多言語を学んでずっと翻訳してるんですよ。そのエネルギーがどこから湧くのか、よく分からないんです。超自然的な力が乗り移ったんじゃないかと思うぐらいで。『ららほら』は単純にそういうことに感動した、それを内側から書いてほしいと思って企画した部分があるんです。それは単純に証言を残すとか、語り継ぐということとは違って、ぼくらが想像することを超えた現実や人間の姿に対する畏怖みたいなもので、そこに迫りたかったんですよ。平山さんも大澤さんもそうだけど、明らかに何がしかの神なり、超自然的なものに触れているというか、宿っているというか。それはなんなんだろう。金菱清さんが『呼び覚まされる霊性の震災学』という本を出しているのは、嘘ではない。確かに霊性が呼び覚まされているとしか言えない状況があった。それはなんなんだろう。危機で目覚める生命力なんだろうか。修験道で過酷な修行を行なって目覚めさせようとしているのはこれなんだろうか、とか思ったりもします。それを内側から表現してもらえないもんかな、と思ったりはしました。

ネガティヴな現実の中で、ポジティヴでいなければいけないから

藤田　なぜディストピアは流行るのかと言えば、イメージと実態の乖離ということがあると思うんですよ。授業で話を聞くと、学生たちは被災地はピカピカになっていて復興していて大丈夫って思っているんですよ。そういうイメージになっちゃってるんですね。そして毎年3月11日に放送される番組は暗いから見たくないと言っている。でも、現地に行くとピカピカではないんですよ。ある村に行ったのですが、ブログでは綺麗な建物の前でみんなが笑顔で祭りとかやってて復興してる印象でした。しかし、現地に行くと、村全体はボロボロで、ピンポイントで新しい建物が作られているだけで、笑顔なのはお祭りの日だからですよね。そこだけが発信されて、それを見ると、復興している印象になるんだけど、現実はそうではないですよね。こういう乖離を何度も何度も経験していると、ディストピア作品で描かれる事態とものすごく似ているなと感じてしまいます。

円堂　浦安でも主要な道路は整備されたとはいえ裏通りの路面に凹凸が残っているとか、家屋は直っても塀は歪んだままにしているとか見ますし、住宅地の液状化対策だってまだ完了していません。浦安ですらそうなんだから、東北の復興が終わっているはずがない。

藤田　もう一方のディストピア的な認識が生まれる源泉の話ですが、多分日本ってかなりネガティヴな状況じゃないですか。少子高齢化も不況もあるし、環境問題もヤバい。しかし、そんなことを直視して生き続けるのはしんどいですよね。生きるためには前向きにポジティヴにならざるをえないし、なんとか気持ちを整えないといけないですよね。だから、ネガティヴな気分にさせるものは意識から外さないといけないと、無意識に防衛機制が働いているんじゃないかな。この意識の二重化が、ディストピア的じゃないですか？『天気の子』とか完全にそうだったじゃないですか。東京が雨で異常気象でヤバい、沈むかもしれないと大人たちは危機意識を持っているのに、でも子どもは知ったこっちゃない、恋愛の方が大事。海外の観客は気候変動の映画だと観るらしいですが、日本の学生と話すと、キャラしか見ていないで、気が付かなかったと言うんですよね。新海誠はそのような若者の意識の状態を理解した上で批評的に本作を作ったと思うんですが、なんというか日本の若者の意識がディストピアの世界に生きる人たちに似た構造になっているのは感じるんですよ。そもそも『マトリックス』のモデルが日本人ですからそういう文化があるのかもしれません。

円堂　不幸より希望を見たいがために東京オリンピックをまたやることにしたわけだし、液状化で埋め立て地の歪んだ風景の話をしましたけれど、震災当時は東

京スカイツリーが竣工間近でした。スカイツリーはけっこう遠くからも見えるから、浦安の家並みは傾いたのにあの新しい塔は真っ直ぐ立ってるなと印象深かったんです。当時から復興のシンボルと語られていましたけど、スカイツリーは東京タワーの反復なわけで、東京オリンピックを再び招致して、大阪万博もまたやるわけでしょ。戦後の夢をもう一度の流れになっている。震災と原発事故が敗戦に類する出来事だったからともいえますが。

藤田　未来に希望があった時のノリをもう一回取り戻したいってことですよね。現に地価が上がりまくってて、マンションの価格がどんどん上昇しているんですよね。買う人は減ってるのにですよ、経済学的におかしいと思うんですが。しかし、気持ちを上げれば、非実体経済は上がっていく、非実体経済は実体経済と不可分ですよね。予言の自己実現みたいな、前向きなマインドにすれば経済が本当に好循環になる仕組みがある。だから為政者が未来に希望があるというイメージを広めて、それで統合したり協力行動を生もうとするのはよく分かるんですよね。それが、決して悪いことだけではないのも間違いのない事実でもあるんです。

円堂　オリンピックといえば、震災後文学の一つに桐野夏生『バラカ』（二〇一六年、集英社）があります。この作品は、震災直後から『小説すばる』で連載が始まり、後に本になったのですが、放射能警戒区域で保護された少女が主人公。まだ原発事故の影響がどの程度になるのか、被災地の復興はどれくらい進むのか、先を見通せない時期に書き進められました。作者は現実と同時並行で書くうえで、もっとひどいことになっている前提で物語を作っていました。汚染は東京にまで広がったが、それでも大阪でオリンピックが開催されるという設定です。CNNなど海外では首都圏まで影響が及ぶ可能性を報道していましたから、そういう発想が出てきたのは当然でしょう。『バラカ』に限らず、ディストピアものは基本的に現実の震災や放射能汚染よりひどい状況を仮定して書く。直接的に東日本大震災のことだとしていなくても、『ボラード病』や『献灯使』もそういう設定なわけで。つい最近ノーベル文学賞が発表になりましたが、ひょっとして多和田葉子が受賞かもみたいな話が事前に一部でありました。もしそうなって彼女の『献灯使』が話題になっていたら……。

藤田　そうすると、首相が祝辞上げなかったんじゃないか……。

円堂　そうそう。日本を貶める話だとネトウヨ方面に批判された是枝裕和監督の映画『万引き家族』（二〇一八年）と同じ反応をされたかもしれない。ネットレベルだとそういう風に叩かれちゃう。でも、文学って基本的に大々的には売れないものだし、本当は売れた方がいいと考える人もいるだろうけど、実態として読みたい人が読む、考えたい人が考える世界なわけです。ところが、そういうところにもう閉じこもれない、時には一部が切り取られ情報がネットで拡散されてしまうと、あいちトリエンナーレの例などで露呈してしまった。

藤田　もうちょっと作品とかフィクションってのは自律してるもんだっていうの

が、80年代90年代のぼくらの常識でしたけど、今はクールジャパンの時代ですから。外交のツールですよね。フィクションというのは自律してこの世界にあるというよりは、人々の印象や感情、思想を誘導するためのツールだと認識されていますよね。「汎プロパガンダ的な認識」とぼくは呼んでいますが。これ、ネトウヨや保守もそうだし、左派やリベラルもそうなんですよね。そうじゃない側面もあるし、もっと複雑で多様で矛盾しているもんだ、文学や芸術の言語とはそういうものので、守らなければいけないって言わなきゃいけない気がするんですが、ぼくも大声を出すのが怖くて、こんなところでこっそり言うように撤退しちゃって(笑)。

あいちトリエンナーレとディストピア

円堂　あいちトリエンナーレの「表現の不自由展・その後」を批判し、大村秀章・愛知県知事のリコール運動に進んだ河村たかし・名古屋市長の昔のインタビューを読んだら、興味深いところがありました。彼の先祖は中級の武士で書物奉行をしていたそうなんです。昔、書物は貴重品でしたから広く見せないで家の中に置いておくものだったけど、先祖は「文会」なるものをやって公開していたんだ。図書館第一号だと誇っているんです。どうも、今の彼のイメージと違う(笑)。河村たかしの実家は、河村商事という古紙問屋です。だから一冊いくらじゃなくて一トンいくらという、文化財ではない再生紙用原料としての本の紙の世界も知っている。ちょうど僕が紙パルプの専門誌で取材記者をしていた頃、古紙問屋のせがれが衆議院議員に当選したぞと古紙業界で話題になりました。一橋大学を卒業し政治家になった彼は国会議員から名古屋市長に転身しましたが、文化への憧れと現実主義で引き裂かれた感情を持っているように思います。そのへんがあいちトリエンナーレにぶつけられた印象があります。

藤田　面白いですね、紙がいろいろに関わっていて。しかし、難しいですよね。ぼくは河村さんが座り込みをした日に行ったんですが、裏でやっていて見れなかったんです。あいちトリエンナーレも、ある意味で現在がディストピア的だと認識している人たちの抵抗だと思ったんですよね。表現の自由が実は「空気」や「脅迫」や「下からの検閲」で侵害されていて、本当は侵害されているのにそうではないことになっている、ディストピア的な状況だと津田さんやアーティストたちは認識していたんじゃないかなぁ。津田大介さんは、日比嘉高さんっていう日本文学研究者と『「ポスト真実」の時代』(二〇一七年、祥伝社)という本を出してますよね。元々あの人は、『Twitter社会論』とか書いて、震災後はツイッターが世の中を変えると言っていたんだけど、ネットやSNSはフェイクニュースとヘイトばかりなってしまった。そのことへの忸怩たる思いが、あいちトリエンナーレのコンセプトにある感じがしますね。

円堂　僕は2008年に『「謎」の解像度　ウェブ時代の本格ミステリ』(光文社)なるミステリ評論をまとめたんですが、サブタイトルの「解像度」は津田大介と小寺信良の対談本『CONTENT'S FUTURE ポストYouTube時代のクリエイティビティ』から拝借したんです。YouTubeが一般化し始めたくらいの頃、津田さんがまだＩＴジャーナリストと名乗っていた時期にその本で議論されていたのは、ネットに動画が違法にアップされているが低解像度のものばかりだから、高解像度を求める人は正規のＤＶＤなどを購入するのではないか。震災前の当時は映画のネット配信が発達する前でしたから、解像度のニーズで棲み分けできるのではないかということでした。僕はそれを推理の「解像度」としてミステリ論へアナロジーとして使ったんです。津田さんに関しては、２００９年刊の『Twitter社会論』にしても、どんどん流れていくツイッターでは間違った意見が出てもそれを正す意見が出て淘汰されていく。自分がフォローしたい人をフォローして嫌な相手はブロックすれば遮断できる。それでなんとなく上手くいくみたいなネットの可能性を信じた論調でした。

藤田　津田さんと一日あいちトリエンナーレを巡らせていただく機会があったのですが、それがうまくいかなかった、そのことの責任を取ろうとしているという感じがしましたね。ゼロ年代はネットにポジティヴな希望をみんな感じてましたよね。ニコニコ動画でみんなが二次創作していればすごいものが生成されてくるとか、みんなが発言すれば民主主義的に国が良くなるとか。ぼくもその論調に乗っていたから反省することしきりなんですが、そうはならなかった。要するにかつては「表現の自由」の背景にある「思想の自由市場」が信じられていた。でも、ネット社会でそれは機能しなかった。では、どうするか。表現の自由や民主主義をどう考え直すか、という段階に踏み込んでいたと思うんですよ。

円堂　ネットに対する感覚が全然変わってしまった。僕は２０１１年の震災の一ヶ月前くらいに『ゼロ年代の論点』（ソフトバンク新書）というその前の10年間の批評、メディア論のブックガイドを出したんですが、「ウェブ・郊外・カルチャー」とサブタイトルをつけて『Twitter社会論』も取り上げていました。その頃はウェブに明るい未来を見る論調が多かったのですが。

藤田　今、『10年代の論点』をもし出すとしたら全然変わりますか。

円堂　ネットに関してはネガティヴにならざるをえないでしょう。震災直後には、ネットの呼びかけによる官邸前デモとか、ＳＥＡＬＤｓの動きに希望を見出す向きもありましたが、やがて萎んでしまった。

藤田　ぼくも震災の直後は日本が変わりうるんじゃないかって期待してたんですけどね。最近は左翼も抗議の声を上げる人たちも、ＳＮＳ見ると一面的に糾弾するだけで、どんどん駄目になってる感じがしてて。それに希望持てなくなってきたんですよね。円堂さんがプログレ好きだからこのメタファーで言いますけど、ゼロ年代は60年代だったんですよ。新しいテクノロジーが出てきて、アナーキーに新しい文化が出てきて、ポジティヴな希望を持って、ある種の革命的気分を持っていた祝祭的な時代。70年代に入ると、みんな暗くなるじゃないですか。ロックの人たちは病気になったり死んだり、ヒッピーたちも気が狂ったり、集団自殺したり。社会も公害問題が出て来て楽観的じゃなくなって暗くなって、日本では『日本沈没』とか『ノストラダムスの大予言』とかが広がって、連合赤軍事件が起こり、内ゲバがあり。60年代がゼロ年代で、70年代が10年代、こういう風に考えるといいんじゃないかとぼくは思ってるんですよ。10年代は、キングクリムゾンで言えば『RED』、ピンク・フロイドで言えば『アニマルズ』。

円堂　ピンとこない(笑)。

仲俣　じゃあ、20年代はどうなる?

藤田　ニューウェイヴかパンク?(笑)

フェミニズムと生殖をテーマにした小説

仲俣　いまの時代の流れという論点でいうと、このあいだ河出の「文藝」の編集長が坂上陽子さんに代替わりしたとたんに増刷が相次いだりして、実際、中身もよくなったと思うんです。その前の尾形龍太郎さんの時代は、言ってみれば「Ｊ文学」の時代の感覚が２０１０年代まで続いてしまっていた。ある意味でそれを大きくシフトさせるために、韓国、フェミニズム、ヒップホップといったラインで攻めてきたのは良いと思うんです。でもそれは新しい動きというよりも、むしろゼロ年代や10年代の前半にすでにあった可能性が、ようやく文芸誌に出てきたという感じもしているんです。つまり、ある意味では企画としては保守的で手堅いものでもあった。もしかしたら、いまやらなければいけないのは一種のフェミニズム批判だったりする。そういう建設的な意味での転倒をしなければいけないと思うんですね。でもそれはネット時代では難しいというのが、たぶん藤田さんがこの場を作った理由だと思います。つまり、とても複雑であるがゆえに、公然の場ではシンプルに語ることが難しいことがいくつもあるのが今の時代だなと思っています。

前回にした阿部和重の『Orga(ni)sm』の話の続きなんですが、『シンセミア』は２０００年の夏を舞台にした２００３年の小説で、その次の『ピストルズ』はさらに5、6年してから出た作品です。ところがこんどの新作はなぜかオバマ政権時代の話で、しかも読むとびっくりというか、一種の「イクメン小説」なんですよ(笑)。それでいま『シンセミア』も読み直してるんですが、『シンセミア』を書いていたときの阿部さんは、「神町」三部作の最終話がこういう話になるとは予定していなかったんじゃないだろうか。ある意味、この20年間にわたる文学におけるポリティカル・コレクトネスの流れの果てに『Orga(ni)sm』もあるような気がしているんです。これから『Orga(ni)sm』への評が出てくると、そのあたりの論点も出てくるんじゃないですか。なにしろ「芥川賞作家」同士の間に生まれた子どもについての小説ですからね。

円堂　今の『文藝』編集長の坂上さんの話が出たから話すと、坂上陽子という編集者は、僕が速水健朗さんたちと共著で

『バンド臨終図巻』(二〇一〇年)を作ったときの担当編集でした。それ以降は今まで、ほぼ共に仕事する機会はなかったですが(2020年にリアルサウンドブックにて『文藝』リニューアルに関し円堂が坂上にインタビューした)。

仲俣 いわば佐々木敦さんの門下生ですよね。

円堂 そうですね。ただ、ツイッターでその後の坂上さんの仕事はなんとなく知っていて、担当したいとうせいこう『想像ラジオ』が芥川賞とれなくて悔しがってたとか、ヒップホップ系の本、野間易通『「在日特権」の虚構』(二〇一三年)を出したんだなとか。

仲俣 そのあたりの運動系は、阿部晴政さんからの流れかな。

円堂 SEALDs本のほか、池澤夏樹編『日本文学全集』を担当していたでしょう。そう見てくると、坂上さんが編集長になってリニューアルした今の『文藝』があういう路線になるのはすごく納得します。

仲俣 うん、でもそれは他があまりにも古すぎるからですよね。すばるクリティーク賞をやっている『すばる』だけはちょっと毛色が違うけどね。

円堂 フェミニズム路線については、『早稲田文学』の近くで渡部直己のセクハラ・パワハラ問題が起きたことも意識してのことでしょう。

仲俣 この研究会も女性の論者を呼ばないと、あまりにホモソーシャルな感じになるかも(笑)。でもそのあたりはとても大事なところに来ていますね。フェミニズムに限らず、生殖や出生の問題。まさに『Orga(ni)sm』の問題ですよ。

藤田 そうですね。確かに語りにくいですね……。震災文学でディストピア系の中で生殖をテーマにしたものも随分多かったですよね。窪美澄の『アカガミ』は若い人が全然セックスしなくなった世界で、子どもを産むと国からお金をもらえる。徴兵ならぬ徴産みたいな感じでしたね。

円堂 それこそ男を性転換させて産ませてしまう田中兆子の『徴産制』という小説がありました。この種のテーマでは村田沙耶香の存在が大きいですね。

仲俣 『殺人出産』(二〇一四年、講談社)を書いた村田沙耶香も『コンビニ人間』(二〇一六年、文藝春秋)で芥川賞をとったし、しばらくこの流れが続くのかな。マーケティング的にもこれからまだまだ行きそうだし。

藤田 なんで震災後にディストピアが出てくると同時に出生のテーマが出てくるのかも不思議で。単純に、放射能が意識させたのか、未来とかを考えなおす機会が多くなったのかなと思っていますが。

円堂 『ディストピア・フィクション論』でも書きましたけど、『アカガミ』なり『徴産制』なり、軍国主義に喩えてフェミニズムなり出生を扱った小説はもっと早くから書かれていました。村田基が1988年に発表した『フェミニズムの帝国』がそうです。男女の地位が逆転した社会において献身した男が、靖国神社のようなところに奉られる設定でした。その頃すでに論点が出ていたにもかかわらず、世の中が変わらなかったから同じテーマで繰り返し書かれるしかなかったととらえています。

藤田　だけどお母さんの危機意識というか、子どもを産んだり育てるときに放射性物質に過敏になって、その不安がいわゆる科学的な論理的な人たちにネットで袋だたきにされるとかは、ちょっと以前と違うのかな、と感じるんですよ。園子温の映画『希望の国』(二〇一二年)でも描いていましたよね。遺伝子検査とか、不妊治療とか、日常的にもう生殖や出産と「科学」の結びつきって意識するじゃないですか。神秘とかファンタジーではなくて。そういう新しい時代の葛藤の産物という感じもするんですが。たとえば松波太郎さんの『LIFE』は、生まれた子どもの遺伝子がトリソミーで、ダウン症になっちゃったという話なんですが、医者に問い詰めてるんですよね。原発のせいじゃなかろうかと。それでショックのあまり脳内で国家に架空の演説をして、「あなたたちは本当のことを言えばいいのに」って訴えかけるんですよね。それは当時の不安感の表現で、非科学的かもしれない。でも、放射能って確率的な被害じゃないすか。因果関係がミクロで複雑すぎて、現在の科学技術の水準では辿れない。そういう確率的な不安と懐疑が生じやすくなるわけですよね。子どもがダウン症かそうでないかで、やっぱり大きく運命が変わるわけですよね。

円堂　今ちょうど世田谷文学館で小松左京展をやっています。彼の世間的な代表作は、大規模な地殻変動で大地震や火山噴火が頻発したあげく日本列島が沈む『日本沈没』です。1970年代にベストセラーになり、映画にもテレビドラマにもなりました。1995年の阪神・淡路大震災の時に続き、東日本大震災でも『日本沈没』の作者として小松左京が再注目された。とはいえ、3・11後に東浩紀編で河出書房新社から出された『小松左京セレクション』は全三巻の予定だったのに二巻で止まったままだったりする。再注目されて売れたのか、どれだけ再評価されたのか、疑問があります。日本が危機に陥ったら国家としてどんな対策をとりうるか、シミュレーション小説としては面白いし迫力がある。でも、人間ドラマとしてはどうか。右翼の黒幕の老人が天才的な学者に日本が沈没するかどうか調べさせ、政府に働きかけて避難計画もまとめさせた。老人は箱根の方にいて最後まで逃げないのですが、身の回りの世話をしてくれていた娘は逃がす。その時のセリフが、元気な赤ん坊を産めというものです。この場面以外にも女性は子どもを産むとの前提で書かれたところがあるし、女性観がすごく古い。2006年に樋口真嗣監督が『日本沈没』を再映画化した際には、ヒロインをレスキュー隊員に設定し直したほか、女性の閣僚が政府を引っ張って対策を進めるなど、女性像を如実に変化させたアレンジになっていました(2020年にはNetflixで湯浅政明監督により『日本沈没2020』としてアニメ化もされた)。

藤田　出ていましたね。小松左京で言えば、ぼくは2011年に『3・11の未来』ってSF論の本を編集しまして、その序文を小松左京さんに書いてもらって、それが小松さんの絶筆になったんですね。

仲俣　80年代から90年代にかけて、とくにバブルの時期の基本的なトーンは家族解体だったし、家族不要論でした。いまでもフェミニズム的な議論のなかでは家族という考え方、あるいは結婚という制度も含めて原理的に否定的じゃないですか。

藤田　保守、右翼、宗教原理主義者くらいしか言わない感じになってますよね。

仲俣　だけど、その一方で普通の人たち、とくに保守派でもネトウヨでもリベラルでもない人たちの感覚としては、震災後はむしろ「家族いいよね」という感じになっているんじゃないかなと思うんですよ。

藤田　百田尚樹とかそういう感じで、多分そこが受け入れられているんだと思いますよ。

仲俣　実際、藤田さんも子どもができると子育てに意識が向いてるわけで。

藤田　家族と出産は大事だと思いますね。そう思うこと自体がホルモンと脳内物質のバランスが変わったせいだと思うけど。遺伝子は我々を乗り物として使いこなしていますよ(笑)。

仲俣　そこに一種の認識の断絶ができていて、いくら議論をしても嚙み合わないことになりつつあるんじゃないか。むしろそのことが危険だと思っていて。

円堂　僕の場合、夫婦だけで子どもがいないから、子を持つことの本当のところはわからない。

仲俣　そういう意味で阿部さんの『Orga(ni)sm』に対する読み方もこれから変わってくると思うんです。

藤田　仲俣さんは子どもがいいって感じはありましたか。

仲俣　実際に子どもができるまでは、やっぱりまったくなかったですね(笑)。『Orga(ni)sm』でも、主人公の「阿部和重」は迷惑なアメリカ人の闖入者の言うとおりに行動しないと日本が滅ぶ、日本が滅ぶのは止めたいけど、その一方で幼い子どもの面倒も見なきゃいけない、どちらか一つを手放すわけにいかないから子連れで行くしかない、という話でしょう(笑)。それはいいんだけどさ。でも最後のオチでは日本がアメリカの州の一つになっている、と。「え?　それでいいの?」という感じで、正直、論じるのが難しい作品でした。

藤田　震災と関係あるかわかんないけど、子どもが減ってるのは確かで、それは大変ですよね。若者は恋愛をしない結婚をしない出産もしない、若者だけに限らずか。それは、世界とか未来に希望がないこと、今現在の生存が苦しいことと繫がっていると思うんですよ。どっちも解決しないとダメかなと正直感じますね。

仲俣　でも、その反面で一人の子どもがもつ価値は高まるわけです。いわば子どもそのものが「ニッポニアニッポン」になる。

藤田　それでも自殺率は上がってるんですよ。文明としてヤバいんじゃないかって気は普通にしますけどね。

仲俣　遠からず日本は中国の一部、つまりアメリカの西にある「極西」からまた「極東」に戻るんだと思いますね。

藤田　ほっとくとそうなってしまうかもしれませんね。

仲俣　でもそう風に考えると、これからの日本社会をどう記述するかという問題は、SFの世界でチャレンジされている問題と近くなる。ある意味、いまはオールドスクールのSFを書くよりも、現実を見ながら純文学を書くほうがよっぽどSFっぽいし、書くハードルも高いのかもしれない。

ミステリは東日本大震災に対応したか？

仲俣　ミステリやSFといったジャンル小説の中でも震災後に大きな変化はありましたか？　たとえば生命の問題でいうと、当然ミステリでは「人を殺す」わけだけど。

円堂　被災地を舞台にした友井羊『ボランティアバスで行こう！』（二〇一三年、宝島社）が一部で話題になりましたが、震災後ミステリと呼べるような目立った傾向はなかったと思います。

藤田　ポスト・トゥルースには対応したけれど、直接的に震災にはあんまり対応した感じないんですね。

仲俣　阪神淡路大震災後には、被災地で殺人事件を起こしてまぎれさせるみたいな話もあったけれど、たぶんいまそれはタブーですよね。アイデアとして安易だというだけでなく、倫理的にも書きづらさがあるはず。

円堂　それで言うと、この連続トークでたびたび話題になっている『美しい顔』には一つの意外性が仕込まれていて、そこに重心を置いていればミステリになっていましたね。

藤田　前も話したことだけど、斎藤環さんが言うには、前回の阪神淡路大震災はライトノベルとか、清涼院流水『コズミック』みたいな作品を生んだ。谷川流さんもそうかな。現実と虚構の関係が変わったり、トラウマや解離みたいな感覚を構造で表現していたわけですよね。ではそれに対して3・11はどういう影響を与えたかというと、3・11は純文学と現代美術に大きな影響を与えたけど、ジャンル小説やオタク文化は変化が乏しかったですよね。相対的にはSFは変化した気配はありますが。映像で言えば、ドキュメンタリーの対応が速かった。この二つの震災と、ジャンルの差はなんだろうってぼくはずっと気になっています。

円堂　ミステリだと定番の型があるじゃないですか。戦中に誰かを殺して人が入れ替わるとか、戦後のどさくさでしたヤバイ行為の隠蔽が動機になるとか。そのシチュエーションは他の大きな災害で代替可能だから、どの時代にも適応できるかもしれない。逆に、他の災厄を扱ったミステリを読んで震災後の状況を連想するかもしれません。例えば、中井英夫『虚無への供物』は千名以上の死者を出した洞爺丸の海難事故をモデルに書かれましたが、水の悲劇である点は津波とイメージがかぶる。

藤田　笠井潔さんの「大量死理論」っていうミステリ論がありますよね。戦争で匿名的に人がたくさん死ぬような状況が第一次世界大戦で生まれて、そのせいで死の栄光が失われた。ミステリという形式は死を記号的に扱いつつ、一人の人間の死の栄光を取り戻す秘儀だと論じたわけですよね。じゃあこんなに人が津波で死んだ東日本大震災に対して、ミステリは応答するのかな、って思っていたんですが、あんまり応対する作品は見られなかった。

円堂 最近、東浩紀が笠井の「大量死理論」に言及して『ゲンロン』10号に書いた「悪の愚かさについて、あるいは収容所と団地の問題」が面白かったんです。その原稿では、中国でひどい人体実験をした日本軍の七三一部隊に関する森村誠一のノンフィクション『悪魔の飽食』にも触れている。実験の犠牲者が「マルタ」と呼ばれていたことは知られています。そこで語られているのは「大量死理論」と同じく、数として扱われる人間のこと。東浩紀のデビュー作は、ソ連の収容所において死が確率的に訪れることを考察した「ソルジェニーツィン試論」でした。この種の人間を数扱いするディストピア小説は、ザミャーチン『われら』、アイン・ランド『アンセム』など昔からたくさんあります。そういう意味では、3・11以後にディストピアものが増えたのは、直接震災を題材にしなくても、人も状況もなにかと数値として扱われる場面が増えた現在の感覚が反映されているのかなと思います。

藤田 それこそショッピングセンターもそうだし、ネット上でのぼくらは数値として計数的に扱われているわけですよね。監視社会や管理社会というのは、基本的にそういう発想ですよね。そして、デジタルエンターテイメントの中の人と話すと、お客さんを完全に数字で扱って、技術的に操作する感じで、本当にすごいですよね。実際にぼくらはそう扱われているわけですね。中国なんかはすごい監視社会だけど、中国人はオッケーだと思っているみたいですね。元々マナーが悪いから、マナーが良くなって治安が良くなっていいって評価で受け入れているらしいです。

参加者 今思ったのが、東日本の場合だと、あんまり大量死感が世の中に流れていないというか、逆に顔が見えているというか、大量死として扱ってはいけませんな空気が強いので。逆に先にもう顔を見なきゃいけないって空気が強いので、大量死が問題化できない構造というか。95年当時にアイドルが炎上していたじゃないですか。数で数えて興奮したって。そうやって捉えられていたのが阪神大震災なり9・11で、東日本は大量死で見ちゃいけない空気が強いのかなって。

仲俣 あいちトリエンナーレの皇室タブーや従軍慰安婦タブーと似て、東日本大震災にもどこかタブー感があるんですよね。なにに触れてはいけないのかはよくわからないけれど、非常に取り扱いを注意しなければならない空気がある。そういう空気が出るのも、ある意味で当然なんですけど。

阿部和重の『シンセミア』はまだYouTubeがないからビデオ撮影の話で、しかもスマホがない時代だから携帯電話とビデオ盗撮なんですよね。その後に情報空間がすっかり変容していくから、『Orga(ni)sm』ではオバマがiPhone5を使ってる(笑)。東日本大震災のときに僕がいちばん「ユーモラス」だと思えた映像は、皮肉なことにYouTubeに上がっていた、津波から避難するお年寄りの映像だったんです。足が遅いおばあちゃんがゆっくり歩いて逃げているんだけど、うしろからもう波が迫ってきている。見ている誰もが「頑張れ！　おばあちゃん」と思うけど、間違いなくその方は亡くなられているわけですよね。そういう感じの、どこか泣き笑いみたいなかたちで死を厳粛に受け止めるような映像がネットからずいぶん流れてきていた。ネット文化のあの感じは文学作品には出せない。

藤田　ぼくは3・11の当日覚えてますけど、みんな津波の映像観て喜んで、スペクタクル映画みたいだ！　ってテンション上がっている書き込みが多かったですよ。その後、みんな消してしまいましたけどね。あの瞬間までには、あった。

仲俣　本来のテーマに戻ると、あのときは被災地における感覚と、東京のとくにメディア関係の人の震災観はまったく違っていたし、自分もそのうちの一人だったと思っています。東京で「被災」した人の中核的なイメージは、あの日は家まで歩いて帰ってたいへんだった、でもどこか一体感あったよねという一種の「災害ユートピア」なんですよ。でも深刻に被災した地域では、そんなわかりやすい「ユートピア」はなかった。ジャンル小説では震災がなかなか書かれないのは、純文学は贖罪の意識で書けるけど、エンターテインメントが前提のジャンル小説はそうではない、というのが大きい気がする。

藤田　ミステリはフィクションの中で記号的な死を発生させることが面白さの中核にあるエンターテインメントですからね。やりにくいのかな。そのことの本質を主題にしてほしいと思うんですけれど。

円堂　これまでの型を踏襲することに留まったというか、直接的に主題とするところへは向かわなかったですよね。

仲俣　一つの思考実験として、西村京太郎がいつ三陸の路線を舞台に鉄道ミステリを書けるか、ということを考えました。書かれたらきっと「いい話」になりそうだけど(笑)。つまりリアリズムの水位が高まると、フィクションであるはずの世界にどうしても現実の条件が流れ込んでしまうわけです。そうなると、ジャンル小説はこれからどうなるのかなという興味があります。推協賞まわりだと評価が高いのやはり『屍人荘の殺人』とか?

円堂　謎解きを主眼とした本格ミステリで評判がよかったのは、今村昌弘『屍人荘の殺人』(二〇一七年、東京創元社)ですね。

仲俣　僕は文庫になってからようやく読んだんですが、あれはゾンビものですよね。

藤田　あれは震災後のミステリかも。主人公は震災を経験していて、だからあの危機の状況に対応しうるという話でしたね。

円堂　確かに、あの危機の設定は震災と重なるといえなくもない。ただ、面白い作品でしたけど、新本格と呼ばれたムーブメントが1980年代後半からあって、その初期の1989年に死者が蘇る世界での連続殺人事件を山口雅也が『生ける屍の死』に書いていました。同作を出版した東京創元社の鮎川哲也賞に応募して受賞したのが『屍人荘の殺人』だったのですが、作者は『生ける屍の死』を読まずに発想して書いたらしい。それはそれで才能だなと思うし、藤田さんが『新世紀ゾンビ論』で論じていたようにゾンビものがネタとして広く一般化しているからでもあるでしょう。その後もゾンビ・ミステリは書かれていますし。

藤田　震災後はゾンビ物増えましたね。SFはゾンビが増えたイメージありますよ。

円堂　日本だけではないですからね、ゾンビものは。ゾンビは多義的な存在で震災以外にもいろいろ結びつけが可能です。僕は『ディストピア・フィクション論』にゾンビは老人の比喩でもあると書いたのですが、初稿の表現がえぐいと担当編集から指摘され修正しました。

藤田　それは確かに。でも、作品にも拠るんですが、ゾンビが、アル中とか老人とか社会的に排除されるホームレスとかの比喩の場合もあるんですよね。そういうシビアな問題をエンターテイメントを通じて意識化させるための装置でもあるんですよ。

円堂　本を執筆中に両親が立て続けに入院し、母は要介護の状態になって退院し今は老人ホームにいますけど、父はそのまま病院で亡くなりました。最後の二ヶ月くらいはベッドに寝たまま動けなくなっていて、見舞いに行っても反応がない状態だった。病院からは父の使う紙おむつを買ってきてくれと言われ、ただ、その在庫を補充するために通う形になっていました。率直な印象としてゾンビみたいだと感じましたし、無意識のうちに原稿でえぐい表現をしていました。でも、前世紀にはゾンビは動きが緩慢なのが普通だったのに、今は速くなっているでしょう。

藤田　ディストピアとの関係で言えば、意識がなくてコントロールされてるようなゾンビが増えてきていますよね。

円堂　僕は『ディストピア・フィクション論』ではゾンビのルーツとして『フランケンシュタイン』に触れました。あの原作は、フランケンシュタイン博士が死体を継ぎ接ぎして人造人間を作る話ですが、執筆したメアリー・シェリーが産む側の性である女性であったことから、フェミニズム的観点からの読み直しも進んでいます。先ほど話にのぼった生殖がテーマの最近の小説との関連からも興味深いんです。

仲俣　90年代には郊外論がゾンビとセットで語られた。郊外に暮らし、ショッピングセンターで買い物をするような人間はもはやゾンビである、しかしゾンビで何が悪い、といったゾンビ的存在を肯定的に語る議論がありました。でもいま、ディストピアを肯定する論理は不在です。本当にベタなディストピアが繰り返し描かれるけれど、あえてそれを肯定するような反転の契機はないんでしょうか。たとえ物語の中でも、放射能の影響で新しい人類になってしまった、という話は書きにくい。人類そのものが廃絶された超未来を描いた上田岳弘の『キュー』みたいな話があるのが、唯一の救いかもしれません。

ナショナル・アイデンティティの変化

仲俣　ポリティカル・コレクトネスの話

でいうと、「ジェームズ・ティプトリー・ジュニア賞」というジェンダー理解を促す作品を評価してきたSFの賞が、夫を殺して自分も死んだティプトリーの最期が「自殺契約」だったか「介護殺人」だったかという議論を経て、その名を冠するのをやめましたよね（アザーワイズ賞と改名）。東日本大震災とは直接の関係はないけれど、いまの「政治的」なものに対する敏感さの中で、ジャンル小説においても一種の歴史修正、というと言いすぎかもしれないけれど、積極的な見直しがある。さらにいえば、ディストピア的な現実というなら、震災後の日本よりも中国のほうがもっとディストピアだ、みたいな議論もあります。自然環境における放射能への不安よりも、遥かに射程が長くてより高度なディストピアが情報技術によって実現しているなかで、日本では震災後にわりと素朴な感情の方への揺り戻しがある。情報社会に接続した議論がもっと必要じゃないかなと思うんですが。

藤田　日本は科学技術立国で、ハイテクの情報国家だと若い人は思っていないですよね。80年代は、家電を売りまくってGDPが世界第二位、だから機械とかサイボーグのメタファーで日本が考えられていた。サイバーパンクは日本がモデルの一つですし、『攻殻機動隊』みたいな最先端のテクノロジー国家というイメージでしたけどね。でも、シリコンバレーに、TRONとかの国産は負けてしまって、経済的に凋落してしまい、技術は今や中国が圧倒的で、AIやドローンは特にすごいですよね。深圳の派手さもすごいし、新しい実験的なことも実装されていく。だから、もはやセルフイメージとしても、アイデンティティとしても、テクノロジーの最先端だと誇れなくなったよね。そういいだしたら、中国の方が上じゃん、ってなってくるから。じゃあ、四季があるとか、自然が美しいとか、人情がいいとか、もてなしとか心を重視しようっていう戦略に出るしかなくなったのかなという気がしますね。

円堂　いま若い人はどうなんですか？　やっぱり「日本すごい！」と思ってるのかな。

藤田　そうですね。それはソフトパワーってことですよ。要するに、重工業から、サービスや観光に産業の中心を移したわけですよね。そうすると、広告のロジックが前面に出ます。観光客を増やしたり、日本のポジティヴなイメージを増やして日本製品を売ることで、安全保障をしようとしてるんです。その戦略は、国外だけじゃなくて国内にも用いられるはずで、日本人のアイデンティティとか誇りの気持ちをかき立てる材料が、科学や技術ではなくなったってことなんじゃないのかなぁ。

仲俣　つまり、やっぱり若い人は日本スゴイって思ってる、と。

藤田　サブカルチャーに結び付いた文化的アイデンティティになっている印象がありますね。例えばアニメは普通に日本文化だと思っているし。でも日本はアメリカに占領されてアメリカ化した、そのアメリカ化した戦後日本で栄えたのがアニメーションであって、伝統的な日本とは切り離されているよ、って言うと、すごい傷ついて混乱しますね。サブカルチャーは、そもそも保守的で封建的な日本文化を否定してきた部分があるのに、そういうことは一切忘却されてますね。ナショナル・イメージが全然違うものになっている。空気系とか日常系みたいなリアリティですよ。古代からずっとそうだったと思っている、自然を愛でて、人と人が調和して。だから1960年代や70年代の映像を見せると、「これ本当に日本ですか」みたいなリアクションがある。

円堂　1970年代に日本で爆弾闘争があったとか、若い世代は知らないでしょう。

仲俣　連続企業爆破事件とか、日本はある意味テロ先進国なんですよね。

藤田　そうなんですよ。殺伐としてましたよね、昭和って。工業とか暴力とか。

仲俣　いまの人からみれば、藤田さんの記憶している昭和でさえ「戦時中」みたいな風景に思えるのかも。

藤田　学生が、1980年代を舞台にした映像作品を作ったときに、白黒で表現していて、教員は衝撃を受けていましたよ(笑)。歴史やナショナル・アイデンティティも、ディズニーランド化したと言えるんじゃないですか。表面的なキレイなイメージが覆い尽くしていき、美しい日本というイメージに変えてしまう。実際それが成功して効いてるんですよ。その良し悪しは、ちょっと分からないんですが。

仲俣　結局、それに対する文学側のアクションが、坂上編集長路線の『文藝』なのかもしれない。天皇制や在日の問題もたしかに文学にとって大事な問題だけど、その語り方がまだオールドウェイヴのストーリーであって、それ以降の闘い方が見いだせないところがある。フェミニズム路線はいいとして、じゃあ男はどうしたらいいのか。誤読かもしれないけど、『Orga(ni)sm』みたいな「子育ては大事」という話だけでいいのか、と(笑)。

学生(男性)　若い人ってどっちかっていうと、そういう風で、なんとか自分で生きていくために、出し抜くために自己啓発とか流行っていて、オンラインサロンとか。でもそれって結局オンラインサロンに搾取される存在になって疲弊していって、結局何か大きなものに巻かれていって、そういう風になっていくことしかありえないんじゃないかなって。でも確かに藤田さんがおっしゃったことって、僕らよりちょっと下の世代に効いてる感じがすごくあって、リアルがあるなって思って。でも彼らが触れるのは自己啓発とかオンラインサロンなんじゃないかなって。で、文学にはアクセシビリティがなくて。

片上　今の大学生は自己啓発さえもいらなくなっている気もしますね(注：このイベントの後で、この点についてはやや見解が変化したところはあります)。自己啓発も一つの文学的なものとして見ることができると思うので、だとしたら、自己啓発から文学の方へさらに進んでいこうかみたいなところが、自分の中にあるかもしれない。自己啓発に向かうことは、ネガティヴなものを抱えていて、啓発されてアッパーになっていこうという回路だろうけど、一応なんとか就職して生きていくというルートになんとか乗れると感じる人たちは、そのルートに疑問をあまり持っていなくて、自分がそこから落ちるリアリティは感じずスッと乗っていってる気がします。

藤田 環境問題とか少子高齢化はどう考えているんですかね。

片上 その辺りはあまり感じないで、既存のルートにスッと入る感じにも思えるかな。だから「自己啓発くらい読めよ」っていうのが僕のリアリティです(笑)。当然、そこにアイロニーは入ってますけど。いま少しその辺を考えながら、今後自分の対学生モードを考えようかなっていう。そうすると、自己啓発はすでに文学かもなっていう気がしている。

藤田 ナチュラルにハッピーっていうのはぼくも感じますね。古市憲寿さんが言っている『絶望の国の幸せな若者』っていうのは結構正しいと思いますね。

片上 それが絶望なのかはわからなくて、疑問持たずにこのままハッピーなまま行っちゃった方がこの人たちは生き残れるのかなみたいなリアリティもありますね。余計なことはこっちから言わない方が良いかもしれないとも(笑)。

藤田 それは分かりますね。成長とか進歩とかにぎらぎらするんじゃなくて、コミュニケーションとか共同体で、わりとハッピーになる。プロテスタントじゃなくて、カトリックになったような印象ですね。でも、確かにそれはこの状況を生き延びるためには必要な適応な気がするけど、物足りない気もする。この間、グーグルで働いてたIT系ジャーナリストの話を聞いていたら、ビル・ゲイツは凄くて、何十億、何百億って地球環境問題解決に投資してるらしいんです。シリコンバレーの人々がどうして社会課題の解決に取り組むかというと、人類救うとかじゃなくて、俺はこんなに頭が良いんだから、こんな問題も解決できるはずだって思ってて、ガンガンイノベーション起こしたり社会の仕組みを効率化したりして、やってやろうぜってやってるらしいんです。ああいう本気のアッパー感が日本にもいるんじゃないかと思ったんです。

仲俣 日本が環境問題をはじめとする国際社会の論理になかなか組み込まれないのは、もちろん言語の問題もあるのだろうけれど、日本はラッキーな国だという無意識が強いからかもしれない。元寇を撃退したときの神風みたいに、福島第一原発事故でも東向きに風が吹いて、大半の放射能が海側に流れた。それはとても幸運だったという感じで、自然災害に対する感情が素朴なままな気がしています。

円堂 最近の台風19号で水の被害がありましたけど、東京都の江戸川区は海抜が低いため、いざとなったら区の外に避難しなさいという話になっています。そんなこと言っても、川を挟んだ浦安だって低い(笑)。仲俣さんは僕と同世代だから覚えているでしょうけど、昭和の頃あのへんは地盤沈下がとても問題になりました。例えば『日本沈没』でもあのへんは海抜が低いから早くから浸水するとなっていた。

仲俣 僕も「江東ゼロメートル地帯」という言葉を聞かされて育ちました。あのあたりは関東大震災と東京大空襲の記憶とゼロメートル地帯でいつか必ず滅亡する前提で暮らしていたけれど、戦後長らく大きな災害は来なかったんですよね。

円堂　やっぱり都心に近くて利便性が良いから、住むわけです。日本の住宅地の多くは海沿い、川沿い、でなければ崖沿い。

藤田　ってことは、カタストロフにならず、意外とハッピーで行けちゃうかもしれない？　その辺がよく分からなくなる感じはありますよね、震災の経験がぼくらに与えた衝撃って。

近頃の若者は……

学生（女性）　学生なのですが、さっきこんなひどい災害が続くと諦めて生きていくとおっしゃっていましたけれど、『献灯使』を読んだときに、多和田さんはそういうことを推奨してるんじゃないかなって私は勝手に受け取っていて。こんなことがあったって、落ちているばかりでも思考が進まないので、しょうがない、こうなっちゃったって諦めないと進めないし、私だけじゃなくて、若者と言って良いかわからないですけれど、大体そういう風に思ってると思っています。

藤田　そうですよね。『シン・ゴジラ』とかもそうだし、生存を維持するためにはモードチェンジするしかないっていうのは、当然そうだと思います。

円堂　多和田葉子に母国が消失する設定の『地球にちりばめられて』という作品があったでしょう。有名な話だけど、小松左京は、日本を沈没させたかったのではなく、本当は国土を失い世界に散らばった日本人がどうなるかを描きたかったのにできないまま時間が過ぎた。後に谷甲州との共作の形で『日本沈没　第二部』が発表されましたが、小松印らしく国家プロジェクトとしてどう対処するかが書かれています。それに対し『地球にちりばめられて』はあくまで、この地球にいる個々人を書こうとする姿勢をとっています。『日本沈没』に関する小松左京の初期構想を知ったうえで多和田葉子作品を読むとより面白いです。

藤田　「死者の島」でしたっけ。子どもがどんどん弱くなっていく一方で老人は元気で、悲惨になってるんだけど、若い人は問題があると感じもしない、それが当たり前になっているみたいなのも書いてましたよね。今の話聞いてどうですか？　ディストピアの話を聞いて、実感として。

学生（女性）　いや、そんな（笑）。結構若者はこれをわかっていない、あれをわかっていないって何度もおっしゃっていたと思うんですけれど、ああその通りだなって聞いてて。自分含めて。あと、こちらから見てディストピア読んでると説教臭いなって思います。黒川創さんとか読んでると、わかってるんだからそんな風に言わなくたっていいじゃんって。

仲俣　「説教小説」だよね（笑）。

学生（女性）　で結構イライラしながら読んでいます。災害後小説、震災後小説で、私は結構加害意識を書いてくれないかなって期待して読むんですけれど、こんな風になってしまったって被害意識ばっかり強いものも結構読まされていると、どうしてそういう思考になるのかなとは。

藤田　それは飯田一史さんも指摘してましたね。被害者意識というか、世界はこんな悲惨な状況だって書くのばかりだって文句言ってましたね。ぼくはそれは日本の文化的伝統だと思うけれどね、まさに多和田葉子が「夢幻能ゲーム」で揶揄する能とかそうでしょ。死者の無念や怨念が何度も蘇ってきて、毎回成仏させないといけない。論理的・政治的に解決できないそういう問題を心理的に昇華する装置が社会的に必要となる文化なんだよ。

学生(女性)　私が一番好きなのは『献灯使』なんですけど、怒りももちろんあるし諦めもあるし、でも最後は考えていくしかないみたいな。平凡な考えかもしれないですけど、そういう風に綺麗に着地点をつけてくれたのが、一番読後感がいいじゃないですか。ただ、問題提起だけをされたものを読んでも、ふうん……と(笑)。読んで直接自分が影響されるかは別ですけれど、作者は、あなたはどういうことを考えているのかってことがちゃんと透けて見えてほしいです。じゃないとなんのためにそれを書いてるの？　ってどうしても思ってしまいます。こういうテーマの小説は。

学生(男性)　僕はちょっと文学をやってない人間なので、文学的な視点から最近の若者の話だったりとか、それこそ震災の話だったりっていうのはあまりできないんですけれど、最近の若者って話に戻ってしまうんですけれど、最近の若者は情報を得る手段が狭くて、意外と震災の話だったり、実際の被災地のことを知らないっていう認識はされてると思うんですけれど、正直言ってしまうと、90年代後半から2000年代前半に生まれた人間って、高校生中学生の頃に、大人にゆとりって言われて育ったんですね。自意識が芽生える頃に直接大人から批判されるところから始まるので、いわゆるピストルズみたいなパンク精神、反抗精神が元になっているのが多いと思うんですね。だからまず批判するっていう視点を結構何か物事を見る上で、一番最初の視点にしているのが多いと思っていて、結構それをわかりやすい言葉だなって思うのが「マスゴミ」なんですけれど、結構ネット社会で生まれたものなんですけれど、最近の若者は情報を得るために、生まれて自意識を持って、社会に目を向けられますって時点で、目の前にあるものはテレビとネットですよね。で、まあ、これは若者全体に当てはめて良いかわからないですけど、本だったり新聞だったりは。

藤田　まあ読まないよね。

学生(男性)　それこそ現地に行って正しい情報を得る手段をそもそも親や先生から教えられていないというか。

藤田　電車に乗ればいいだけじゃない。

学生(男性)　そうなんです(笑)。そんなこと教科書に載ってないんです。なので、まず正しい情報を得るのはネットが第一で、しかも反抗精神っていうものがあるから、テレビも批判的な目で見るんです。

藤田　なんでパンク精神、反抗精神があるのに、教科書で教えてもらうことに従順なのか分からないというのが正直な気持ちで(笑)。人生の大半のことは教科書に載っていないような気がするけど。でも、そうなんだろうね。ネットに対しては批判的に見ないの？

学生(男性)　ネットは若者が多いから批判的に見ることは少ないと思いますね。

ネットを見たら仲間しかいないみたいな。

藤田　ネットの方が責任主体がないから、情報発信にインチキが多いというのがぼくの認識なんだけれど。陰謀論やデマがすごいネットで流通しているじゃない。

学生（男性）　最近の若者は自分が気持ちいいことしか見ないんですよね。

学生（女性）　どうしてもディストピア批判みたいなのに吸い込まれているっていうか、メディアは嘘だっていうのは、我々のディストピア批判も知ってるわけですよね。そこでマスコミがディストピアだけど、ネットは逆にわかってるけど真実がある感触が。

藤田　そう感じやすいのはよくわかるよ。でも、それは多重になっててね。マスコミがディストピアを作っていると思い込まされているけど、むしろそれこそが洗脳かもしれないし。むしろネットの方が嘘が多くて、真実ではないんじゃないかな。マスメディアによってディストピアが生じている、と洗脳するネットによるディストピア、みたいな、多重でややこしい感じ。Aが嘘だったら、Bは本当ってぼくらは思いやすいけど、そうじゃないからね。AもBも嘘ってことも多いから。

仲俣　ベースに批判精神があること自体はいいことなわけですよ、あとはクリティカル・シンキングが身についていれば。でもどこかでバイアスが掛かっている。大学でメディア・リテラシーの話をしたときに、「ネトウヨはネトウヨのサイトばかり見てるから自分たちと異なる意見に出会わない。そういうのをフィルターバブルという」みたいな話をしたら、熱心に講義を聞いていた学生から、「授業でネトウヨという言葉を使わないでください」という、真摯で長い文章の抗議がコメントシートで来てハッとした。たしかに「ネトウヨ」という言葉は講義では使うべきじゃなかったな、と。でも多くの学生、とくにメディアの講義に熱心な学生は基本にネトウヨ的なマインドがあって、メディア・リテラシーの初歩の話をしただけで、これまでたくさん引っかかってきましたといってマインドコントロールが解けたみたいになる。Aも嘘、Bも嘘で、無限の反転をしていった結果、なにが真実か判断できなくなるというSFは昔からあるけれど、いまは現実でもそうなっているから、単純に「それは真実と嘘がひっくり返っているんだよ」と説得しただけでは通じないんですよ。

藤田　だから信頼できるものの手応えをどこで獲得するかって問題にフェーズが移ってるんじゃないかと思うんです。今信頼性が高いのはヒカキンだそうですよ。

仲俣　それもすごい話だけど、そうなるとまた難しい……。

藤田　だから親密的な家族とかが、何を信じるのかの根拠として重要性を増しているんじゃないかな。論理じゃなくて、親密性が原理になっている。

円堂　震災後の美談として出版用紙について話しましたけど、もう一つ、石巻日日新聞が手書きの壁新聞を作って貼り出した話もありました。あれも確かに被災地で有意義な行動だったでしょうけど、大手新聞がことさら美談として取り上げたのは、自らの存在意義を主張せずにいられないというか、それくらい追い詰められているんですよね、新聞の発行部数が。

藤田　総務省の通信白書を見たら、今の20代の新聞読者は0・3%、SNSもYouTube利用率も70何%、テレビは40%くらい。もう恐るべき世界ですよね。新聞触ったこともない学生ばかりですよ。それはともかく、メディアの変動期であることは確かで、そこでどっちにアイデンティティを持つかで印象が変わるんでしょうね。

仲俣　グラデーションじゃなくて、大きな段差がいくつかあるのに、それが見えないままにお互いコミュニケーションしてる。かなり意識のギャップがある気がしますね。

片上　最近考えていることは、大人の責任として、これ面白いよ、これ薦めるよと言うことを意識してやった方がいいかなってことですね。これは信じていいと思うという、何かの信じ方をちゃんと教えた方が良いのかなって。先に物事の疑い方は知ってしまってる気がするので、そういう意味では細かなポジティビティをちゃんと口にしていったほうが良いのかなって思います。ここ行け、ここ面白い、これ読めの方が大事だなと。これでも、批判理論研究者なんだけど……。

藤田　それは面白いよね。ぼくも、批判理論の影響を受けてきたんだけど、その批判理論に批判をして、ポジティヴさが重要と言う心境になるというのは。前にドクメンタを観に行ったときに、片上さんとフランクフルト近くで電車で偶然すれ違ったけど、「フランクフルト学派陰謀論」ってあるじゃないですか。あれ、笑ったり憤慨したりしてきたんだけど、そう感じる心境は最近理解できる。要するに、前向きに、明るく、ポジティヴに気持ちを整えているところに完全に水を差して「理性や科学や文明が破滅をもたらすんだよ」という恐怖と不安を生むじゃない。罪作りだよね(笑)。でも、そう思ってたら生きられないから、一生懸命奮い立たせているんだと思う。すると批判理論、心理的に本当に嫌だよね。ところで、ディストピア型の認識って左も右も使いますね。安倍政権が嘘をついているとか、原発が嘘とか。でも右の人も百田尚樹とかが、朝日新聞は嘘を広めてたとか日教組とか戦後アメリカに洗脳されたとか、右も左もディストピア構図を使いすぎていて、みんなディストピア的世界観が飽和しすぎていて、それがヤバい感じがするんですよね。

「なにもせんほうがええ」

仲俣　ところでディストピアの話でいちばん面白いのが、ネットだと「デストピア」と書く人がすごく多い(笑)。

藤田　『献灯使』の帯にもそう書いてありますから(笑)。

仲俣　ユートピアとディストピアのカップリングじゃなくて、「デス」という感じがとにかく一般化されてて、それはそれで面白いですよね。

藤田　むしろ現代にはユートピアがないんですよね。ユートピア的ビジョンが全然出てこない。ユートピアあってのディストピアなんですけどね。

仲俣　いま、ユートピアを書くのはすごく難しいですからね。

藤田　IT系の、シンギュラリティとか、加速主義とか、そんなワンパターンなやつばっかり。現代にどうユートピアのビジョンを出せるかは勝負のポイントな気がするんですけどね。

片上　さっき出てきた、子ども可愛い系とか(笑)。

仲俣　子どもに託すしかないのかもしれないけど、託された子どものほうも大変ですよね。

藤田　信じる物とか手応えを伝えるときって、例えばどういう基準で何をどうやって言います?

片上　素朴に、面白いよ!　でいいかなって思ってます。意識して、これ面白かったって言うようにしています。

仲俣　いまは教師や年長者の側が、わざわざ批判的な視点を示す必要がなくなったのかもしれないですね。それらはすでに過剰にインプットされているから、愚かに見えるかもしれないけどむしろ何かを信じてる様を見せて、あとは相手に取捨選択を任せる、みたいなかたちで反転させていかないと、そもそもよいものが注目もされない感じがします。

西崎　その話でいうとソーシャルディアという人文系のイベント企画団体に所属しており、関西学院大学の鈴木謙介先生とよく一緒にいろいろやらせてもらっています。彼は宮台真司ゼミ出身ですし、本来その路線で行ったら鈴木先生も学生に対して「これがいいんだ」という提示、宮台派だったらやるであろうことを、『未来を生きるスキル』で書いている気がしています。この本では「協働」などのキーワードに触れていて、企業の中で何ができるか、という点を重要視しています。彼は今研究というよりはむしろ学生の教育の方に力を入れているところを見ると、仲俣さんがおっしゃったように、学生に取捨選択を任せるような感覚でやられているのかなって話が一つ思い当たりました。鈴木先生のやり方は、企業とかみんながキラキラしているような感じ。

藤田　ぼくも今まで話していた話と反対のことを言うんだけど、こういうメディアがあったら面白いなと思っていたことがあって、それは会社がやっている面白いこととか製品とか、こういう政策がエビデンスに基づいてこれから行いますとか、こういう科学の発見があったとか、こういう進展があったみたいなのばっかり集めたメディアがあれば、人々がポジティヴになるというか、面白いですよね。そういうのはないですよね。

西崎　例えば『WIRED』とか。

藤田　そういうの(笑)。

西崎　「ナラティヴと実装」という副題で、企業の取り組みやグーグルの今の状況を書きつつ、SFを混ぜて。あとはモビルスーツを実際に実装してとか。

藤田　SDGsもそうですし、貧困を解決する具体的なテクニックって全然出てこないじゃないですか。具体的な仕組みがいっぱい発明されて実装されてるのに、なんでいわないのかなって思うんです。政策も失言とか悪いことばかり言われるけど、良いこともやっているわけだから、そのへんをPRしても良いのかなって気はするんですよね。やっていることを、プラスもマイナスもエビデンスに基づいて判断できるようなメディアがあったらいいなと感じます。

仲俣　日本人のなかに、ネガティヴなことを消費して楽しむ回路がすでにできているんですよね。出版業界の人間は「出版はもう終わりだ」という話を喜んで読むし、70年代に筑摩書房は『終末から』というすごい題名の雑誌を出して、未来はいかに暗いかということを議論していた。でも現実に来たのはバブルの時代だったわけです。文明的・普遍的な課題についての議論を阻む、認識上の鎖国みたいなものがあってフィルターがかかっている。ネガティヴなものごとに固執し、文明が提供しうる解決策には目を背けるところがありますよね。

藤田　多分これは、本当の意味で「近代文学の終わり」と関係していると思うんですよ。夏目漱石は近代化して富国強兵していく日本の中で失われていくものへの追悼とか、苦しみを描いたわけですよね。それが国民作家だった。それに影響を受けた江藤淳は、戦後のアメリカ化・民主主義化していく日本でそれをやった。筒井康隆や小松左京も、科学技術立国として高度成長していく日本の「進歩」を茶化した。『AKIRA』もそうですよね。すべて、社会が上昇して変化していくときに、失われるもの、零れるものをなんとか文学的・芸術的に掬い上げ、昇華しようとしているわけです。これは日本が上昇し、豊かになっていくフェイズには意味があったが、本当に停滞したり衰退している時期には、違う効果を果たしてしまうということなんじゃないかな。ぼくは、正直、今日反省しました。下降や衰退のフェイズでは、そうではなく、前向きに進んでいくポジティヴなフィクションが必要になるのかもしれない。百田尚樹や維新の会の人気は、そういうことなのかもしれない。

仲俣　それがどのくらい、特定の世代と関わりがあるのか知りたいですね。

円堂　小松左京の『日本沈没』で日本が沈没するってわかった時、とるべき選択肢を学者など有識者三人に議論させるでしょう。で、出て来た選択肢の一つが「なにもせんほうがええ」……っていう。小松左京はよくわかっていたと思います。追いつめられていざとなったら、「なにもせんほうがええ」が有力な選択肢になる。これが日本。すっごいリアリティがあるじゃない(笑)。

仲俣　そのほうが運よく生き残ったりもするからね(笑)。

円堂　あれはもう伝統だなって。

藤田　自然災害を受け続けて生きてきた長い歴史からくる態度なんでしょうね。現状分析から具体的な解決策っていうのが、上の官僚はやってるのかもしれないけど、一般レベルまではあんまり降りてこないですよね。

仲俣　霞が関の官僚は、日本の未来がメチャクチャに暗いことを知っているわけですよ。でも、いくら本当のことでもそれを国民に対しては言えない。

藤田　彼らは本当にシビアなものを直視して、なんとかしようとしていると思うんです。だけど、それを言えない空気は確かにある。聞きたくない不都合なものを見せると、怒りますからね。マスメディアを批判したくなるのも分かる。

仲俣　メディアの側も、いまある危機をきちんと解読しつつ、オルタナティヴなストーリーを提供するかたちで対抗すればいいのだけれど、相変わらずのやり方でしか批判しない。メインストリームにいる人間の危機感も伝わらないし、オルタナティヴなストーリーも伝わらないから、結局、このままでいい、という話になる。だったらそのストーリーは小説などフィクションのかたちで伝えたほうがいい。いっそのこと、日本人全員が読まなければいけない暗い未来の本を書く「国策小説家」を、国家が雇うとか(笑)。

藤田　その意味ではメディアがちゃんと報道していないって部分は確かにあるなとは思うんですね。これはどうやったら変わるんだろうかっていうのはわからない。ちゃんとしたエビデンスに基づいてこういうアクションを取らなければならない。あるいは取ろうと思うってことをはっきり明言して、それを議論すればいいのにって思うんだけど。

仲俣　そういうことが議論できるメディアを作らなくてはいけないけど、ネットにはすでにいろいろな「真実を語る」サイトがあって困りますよね。

円堂　ユートピアと言えば、「どこにもない場所」という意味で最近一番ユートピアだと思ったのが、映画『ニューヨーク公共図書館エクス・リブリス』(フレデリック・ワイズマン監督、二〇一七年)。ドキュメンタリーですが、ネガティヴなトラブルがほとんど描かれていないでしょう。

参加者　映画館には若い人が一人もいなくて、待合室の会話が昔ニューヨークに行ったのよみたいな、高所得高学歴おばさんとかおじさんとかおばあさんとかご夫婦とか。僕と妻二人で行ったんですけど、一番若い感じで。

仲俣　あの映画とたぶん同じ客層だったのが、何年か前のハンナ・アーレントの映画でしたね。70代前後の白髪のおばあさまが、「ああ、いいわねえ」という感じでした。

片上　映画見た後に、たまたまニューヨーク公共図書館の実物に行ってきたんですけれど、わりに排除あるように思いました。静かにしてくださいみたいな注意のかたちで、それとない排除があったので。

仲俣　それは本館の研究図書館のほうですか。映画の『ニューヨーク公共図書館』のほうは、ブロンクスなどの分館の話をメインにしていましたからね。

円堂　いろんな人種や所得の違いへの対応をしていて偉いって描き方なんだけど、日本の図書館でよくあるホームレス排除の問題とか、ないわけがない。笠井潔が東野圭吾『容疑者Xの献身』を批判したフレーズを使っていえば、ホームレスが見えなくなっていたという問題があるのではないか。

仲俣　そのことについても誰かが書くべきですよね。

第5回

文学の自由と倫理
――『美しい顔』をめぐって

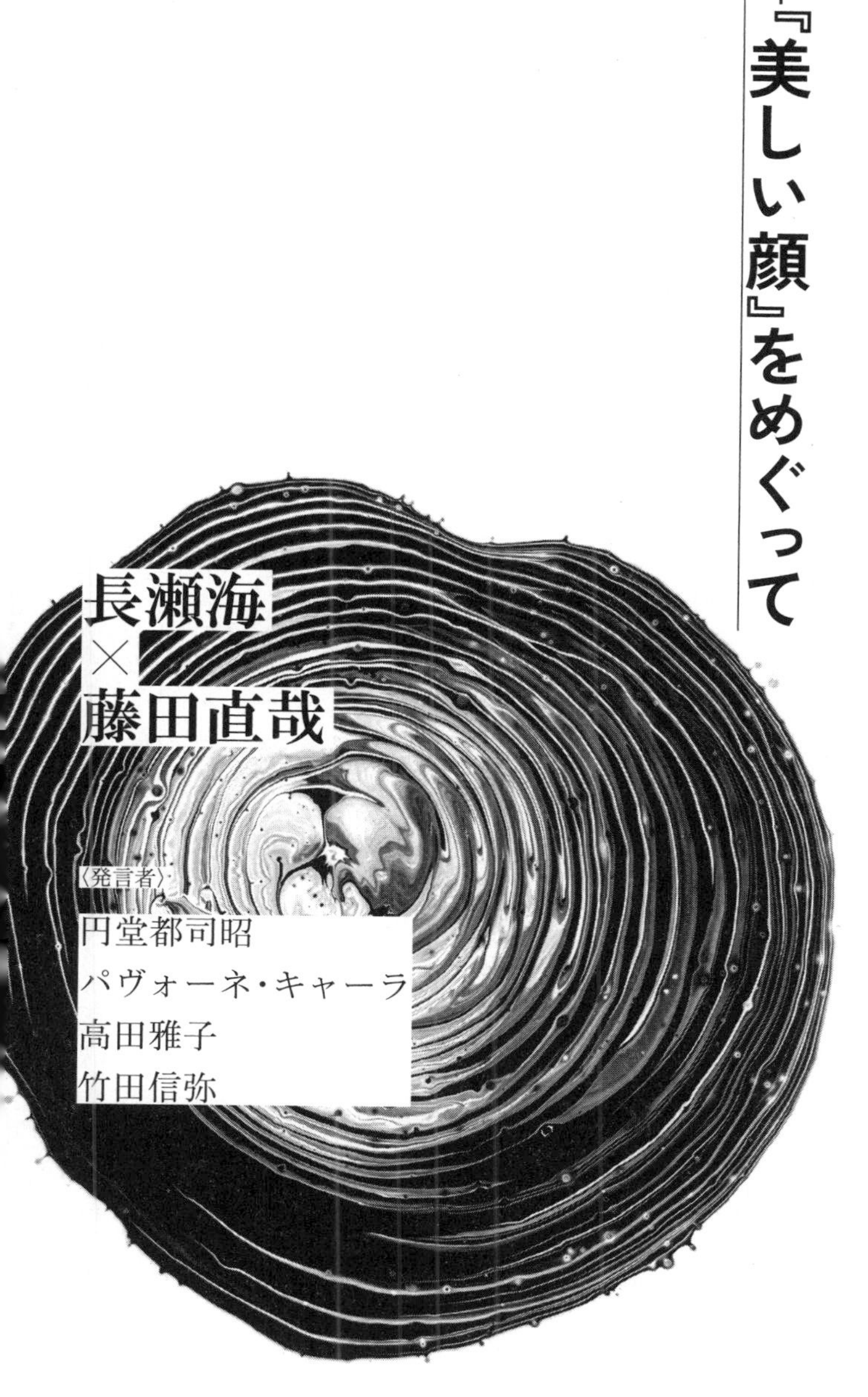

長瀬海
×
藤田直哉

〈発言者〉
円堂都司昭
パヴォーネ・キャーラ
高田雅子
竹田信弥

文学を軸にして語るということ

藤田　被災地に行くといろいろなイベントが開かれていて、震災を経験した人たちが集まってそれぞれ自由に語ろうみたいなイベントや哲学カフェを開いて、そうやって語ることを取り戻したり公共性を回復したりするイベントがよくあったんです。それに刺激を受けて、東京でそういうことをやってみようじゃないかと思ったのがこのイベントを始めるきっかけで、いろいろと自由に語りにくくなっている震災後もしくは震災後文学について、比較的閉じた場所で自由に語るようにしたらこの状況は変わるのではないか、あるいは震災後文学についての語りが少ない状況が多少はましになるのではないか、少なくとも語って蓄積していけば何かに繋がるかもしれない。そういう思いでこの企画をやっています。五回目の今日は、長瀬海さんにいらしていただきました。

長瀬　書評家でライターの長瀬海です。現代文学はずっと関心をもって読んできましたが、「週刊読書人」で2019年の一年間、文芸時評を担当した際に、じっくり純文学作品と向き合う時間を持てました。そこで感じたのは、もう震災について書くという使命をもっている小説家は少なくなってしまったってことですね。（注：この対談は2019年末に行われた。周知の通り、震災10年後の二〇二一年には、芥川賞を受賞した石沢麻衣『貝に続く場所にて』や、佐藤厚志『象の皮膚』など、震災を描いた作品がいくつか発表された。長瀬は「週刊金曜日」2021年7月16日号で『象の皮膚』を取り上げ、震災後文学のフェーズが移ろいできたと指摘していることを記しておく。）

藤田　長瀬さんは『世界のなかの〈ポスト3・11〉ヨーロッパと日本の対話』（二〇一九年、新曜社）という本の中で、「失墜する物語の力—震災後の高橋源一郎論」を寄稿されて、震災のこと放射能のことを語っていらっしゃいます。文芸時評も一年間担当されて、現代の日本で書かれている小説を広く読むことによって文学の状況を明確に掴まれていて、さらに韓国、アジアなどの海外文学を読むという読書イベントも定期的に行なっています。

長瀬　韓国文学が大きなブームとなっていることはご存知だと思います。その流れがきっかけとなって、本屋さんにアジア文学の大きなコーナーが5年ほど前からでき始めたんです。果たして「アジア文学」というジャンルが学術的にあるのかというのは置いておいて、アジアの小説が積極的に読まれる気運が生まれた。では、この「アジア文学」とは一体何なのかということを読者の人と一緒に考えていこうと書評家の倉本さおりさんと「アジア文学の誘い」という読書会を神保町にある韓国文学専門の本屋さんチェッコリで開催することとしました。驚いたことに、第一回の呉明益『歩道橋の魔術師』（天野健太郎訳、河出文庫）の回は、チケットが3日でソールドアウトしたんです。

藤田　文学のイベントでそれほどの動きがあるとは、ちょっと信じがたい。

長瀬　これは何かの鉱脈を掘り当てたの

ではないかと思っているうちに、NHKが取材に来たりして、ありがたいことに評判になりました。日本の読者がアジアの小説に何か大きなシンパシーを持ち始めていることは肌でひしひしと感じています。

藤田　このように、素晴らしく旬な場所で非常にエッジな活動をなさっている書き手の方だというのがぼくの理解なので、今日来ていただいて一緒にこの会を行なっていただいて嬉しく思っています。

長瀬　ツイッターで藤田さんが『ららほら』に関する活動をしているのを眺めていて、率直な僕の感情で言うと、悔しかったんです。めちゃめちゃ悔しくて。その頃、僕は何の実績もないアイドルライターみたいな存在だったけれども、文芸に対する思いは人並み以上にありましたから。書評家あるいは批評家として震災と何か関わらなければいけないんじゃないかと燻っているなかで、藤田さんが『ららほら』のクラウドファンディングを始められた。やられた、と思いましたね。文学の側から震災に関わるという無謀な試みを果敢になされていたわけで。そのことは素晴らしいことだと思いました。藤田さんにお聞きしたいんですが、文芸が震災と関わるときに担うべき役割って何だと思いますか?

藤田　やっぱり人間の内面とか心の奥の一番深いところが表出できて、他者がそれに触れるための手段としては今でも文章もしくは文芸が強いんじゃないかと思うんです。文学というのは基本的に自由だという理念があるはずで、自由であるからこそ、そこで起きている社会的現実や葛藤とか複雑なものの表出はしやすい。マスメディアみたいなものと較べると複雑性とか多様性とかそういうものが表出しやすい、あるいは簡単にはわからないことが出うる場なんじゃないかと思ったんです。文学というのはそれが可能なフィールドとして意味が再定義できるかもしれないと思いました。ステレオタイプで平板じゃない言葉が必要だと思っていたんです。繰り返しになりますが、『ららほら』を準備しているときに沼田真佑さんの『影裏』が出たり、若竹千佐子さんの『おらおらでひとりいぐも』が出たり、あれはみんながステレオタイプに思う震災とは違うものが描かれていた。『影裏』は被災地での同性愛的な関係、東京から来た青年と地元の男性との文化的なやり合いがあったり、破滅に感動してしまう体質の男が津波を見に行って巻き込まれて死んじゃったらしいところとか、それでも親父さんもあいつはクズだからむしろ生きてるだろうと思っているみたいな、普通のステレオタイプじゃない被災者の姿を書いた。若竹さんの作品も震災そのものではないんだけれど、非常に最悪なことの波が通り過ぎた後、夫を亡くして孤独になった老婆が墓参りするだけなんですけど、一見マイナスなことしかないような状況で非常に自由が見える。解放されるというか非常に神的な何かが芽生えて、みんながネガティヴだと思うような状況が一転してポジティヴになる。それを標準語だと綺麗事になっちゃうから、東北弁を使って自分の底にある本当の言葉みたいなものを引きずり出すことをやってるんですよ。

現地で起きている特殊なこと、不思議なことはいっぱいあるわけです。普通の想像力では想像できないようなことが起きていて、それをなるべく表出させることが一つの使命だろうと思って作ったんです。ですから被災地とか震災とかに対して一般的に思うこととは違うことが、ごろっとどれだけ入っているかがこの本の勝負どころだと思ってて。

長瀬　僕が『ららほら』を読んでいて、一番心が震えたのは土方正志さんの「被災地で本を編む」でした。土方さんは自分の言葉が言葉にならない状態と葛藤しながら、息絶え絶えに、原稿を書き続けるということをなさっていて。僕は現在、非常勤講師として、大学で百人くらいの学生に文章表現について教えているんですね。学生にエッセイを書いてもらっているわけですが、毎年、「記憶」みたいなテーマで文章を書かせると、二十人ほどのクラスで三人くらいは被災した経験について書いてくれるんです。被災地に住んでいた彼女・彼らが、毎日のように開かれる葬式に出席し、小学生として受け止めきれないくらいの悲しみに押し潰されそうになった話。あるいは、津波が押し寄せてきて、あたり一面に漂うヘドロの臭いをくぐりながら避難したときの話。そういったことを書いてくる。読んでいて、ありがたいなと思う一方で、僕はすごく暴力的なことをしているんじゃないかと思っちゃうんです。そういう被災者の声を聞く取材者の暴力性について、藤田さんはどう思っていますか？

藤田　それはもうエグい暴力であると自覚していますね。みんな書きたくないし、トラウマを蘇らせながら非常に苦しんで書いている。書きたくないと仰っているのをこっちが無理やりお願いしますと何度も頼んで書いてもらっています。土方さん、大澤史伸さんが特にそうでした。平山睦子さんもそうです。そこは暴力的であって辛いし、彼らも苦しみながら書いているのが文体と構成から分かるので、こちらも辛かったです。それは暴力といえば暴力なんです。けど、仙台短編小説賞の審査をしている経験から言うと、書くことによる浄化や解放の効果もあると思うんです。自分で言語化すること自体で救われる部分もあるし、言葉や内面を共有する可能性へと開かれること自体による癒やしもあると思うんですよね。オープンダイアローグみたいに。

長瀬　対話療法のような効果はあるかもしれませんね。抱えているものを、そっと一緒に共有することで荷が降りるというのは、このことに限らず、人間のケアとして大事なことですから。

『美しい顔』について

藤田　ではここから『美しい顔』の話ですが、『美しい顔』が参照した文献、それは被災の当事者が書いたものなんです。その編者が金菱清さんで、当事者の言葉を集めて編むとはどういうことかお話を聞きにいって、原稿を書いていただいたのですが、金菱さんも当事者は書けないし語れないんだとすごく苦しんでおられて、それを書いてもらうための信頼関係の調整がすごく大変だったとおっしゃっていました。金菱さんには記録を残さなければいけないという使命感もある。でも書く人にとってはキツいわけです。文章を書く気になれていない人たちが必死に書くわけで、そこに向き合うと言葉というものは、ゼロ年代的な、単なる記号としての言葉ではない。実際に生きている身体のこうむっている苦痛と非常に密接に結びついた言葉なんですよね。それは、『美しい顔』の言葉とは違う。このあたりが、焦点になるかなって。

長瀬　『美しい顔』の言葉が果たして記号的なものかどうかは後ほど議論するとして、僕も震災の物語を書く、ということは痛みを見つめながら自己の内なる言葉を吐き出すことだと思います。『ららほら』が震災文芸誌と名乗っているのがそこに繋がってくると思うし、報道だったりオルタナティブなメディアだったりが伝えられない言葉や声を伝えられるのが小説なわけです。僕は震災後文学という言葉に少しためらいを覚えるのですが、震災以降に書かれた文学として2010年代にはたくさんの作品が書かれました。そのなかで、一番コントラバーシャルな議論を呼んだのが『美しい顔』だったわけです。今日はそんな『美しい顔』を徹底的に読んでみたいと思います。そのために十四ページほどの資料を頑張って作ってきました。これを手掛かりに議論しましょう。

『美しい顔』の二つの文体

長瀬　『美しい顔』は、第六十一回群像新人文学賞の選考会で満場一致だったわけです。新人文学賞にしては珍しく全く票が割れなかった。選考委員の青山七恵さん、高橋源一郎さん、辻原登さん、野崎歓さんといった方々が大絶賛で、文字通り期待の新人小説家として世に出ました。当時、文芸時評を担当していた日比嘉高さん、倉本さおりさん、佐々木敦さん、石原千秋さん、田中和生さんといった評者たちに通底していたのは、あの震災をこれだけ真正面に捉えた作品はなかった、ストレートな表現に文学性がある、ということでしたね。田中和生さんに関しては、「（それまでの震災を取り上げた作品は）震災が起きたという事実を『反映』しているだけで、本質的なところで表現しているとは言えなかった。そう感じさせる作品である」とまで言っている。つまり軒並み高評価だったのですが、本作をめぐる盗用騒動が起きると空気がガラリと変わる。講談社の経緯説明によれば、2018年5月10日までに、編集部が調査し、石井光太『遺体』と本作を照らし合わせた結果、五点の類似箇所を確認した、とあります。また、金菱清さんが編まれた『3・11 慟哭の記録』と照応してみると、やはり類似箇所が確認されたと発表されています。そこからこの作品が実は盗用なんじゃないかということで大騒ぎになる。『美しい顔』の大バッシングが始まるわけです。例えば、次の箇所。

＝＝＝＝＝＝＝＝＝＝

◇資料：雑誌掲載（『群像』二〇一八年六月号）と参考資料との比較

「なぜ警察も自衛隊も助けに来てくれない。日本はどうなってしまったんだ。」（「美しい顔」）

「なぜ警察も、自衛隊も助けに来てくれないのか、日本はどうなってしまったんだろうと思いました」（金菱清編『3・11 慟哭の記録』）

「今日までに見つかっている遺体はこれがすべてです。お母さんと思われる特徴の番号があれば、みんなここに」（「美しい顔」）

「今日までに見つかっている遺体はこれがすべてです。ご家族と思われる特徴のある方がいれば何体でもいいので番号を控えて教えてください。実際に目で見て確認していただきます」（石井光太『遺体』）

長瀬　このように、参考文献の言葉をほとんどそのまま持ってきてしまっているというのが、残念ながらある。

藤田　そうですね。全然変えていない。学生のコピペを見ているかのようです。

長瀬　一番騒がれたのが次の死体の描写です。

「隙間なく敷かれたブルーシートには百体くらいはあるだろう遺体が整列していて私たちはその隙間を歩いた。すべてが大きなミノ虫みたいになってごろごろしているのだけれどすべてがピタっと静止して一列にきれいに並んでいる。」（「美しい顔」）

「床に敷かれたブルーシートには、二十体以上の遺体が蓑虫のように毛布にくるまれ一列に並んでいた。」（石井光太『遺体』）

長瀬　この小説は震災について書いた数多ある小説のなかでも、死体について書いた数少ない作品だったわけです。しかし、その遺体に関する表現自体が参考文献から持ってきた言葉だったということから、深い衝撃が文壇に走って、「美しい顔」という小説に対する批判が溢れてきた。参考文献として使われた『3・11 慟哭の記録』の編者・金菱清さんも怒りの意を示されていますが、何が問題だったのでしょうか。今一度、確認してみましょう。

＝＝＝＝＝＝＝＝＝＝＝

「つまり、当事者にインタビューをすれば震災を理解できるというものでは、すでになくなってきている。当事者もどう震災を理解してよいのか考えあぐねている場面に多々巡り会う。小説家だけが言葉を書く特権性を持ちうるのだろうか。否、市井の人々こそ言葉を書き綴ることの文学性を持ち合わせていると痛感する時がある。私は当事者が自らの意思で書き綴る手紙と、そこから読み取れる深い沈黙の意味を、ライティング・ヒストリーと呼んでいる。〔……〕7年経った今でも行方不明の方がいて、たとえ1％でも生きていることを日々願って帰りを待っている家族がいる。そしていまだ手を合わせることもできない人がいる。語れない人がいる。現場では当事者性すらが奪われているのである。その生々しさを抱えたまま、薄皮一枚でかろうじて繋がり未だ傷の癒えない人々にとって、否応なく小説の舞台設定のためにだけ震災が使われた本作品は、倫理上の繋がり(当事者/非当事者の溝)を縮めるどころか、逆に震災への『倫理的想像力』を大きく蹂躙したのだと私は述べておきたい。その意味において罪深いのである。」(東北学院大学　金菱清「「美しい顔」に寄せて―罪深いということについて」)

＝＝＝＝＝＝＝＝＝＝＝＝

長瀬　厳しい言葉ですね。震災がこの作品ではただの舞台装置になってしまった、そのことが許せないと金菱さんは言うわけです。『美しい顔』は、こうした騒動のなかでも芥川賞の候補作に選ばれます。芥川賞の選評では山田詠美さんの「だいたい資料に寄り掛かり過ぎなんだよ!　もっと、図々しく取り込んで、大胆に咀嚼して、自分の唾液を塗りたくった言葉をぺっと吐き出す、くらいの厚かましさがなければ。」とか、そもそも小説としての出来はそんなに評価されるべきものではないという意見もあった。例えば、吉田修一さんは「お涙頂戴の流れに乗っているようで〔……〕自己撞着を起こしているようにも思える」と言っていますね。

藤田　後半は確かにそうですね。実はぼくも感心しなかった。

長瀬　僕はこの作品は決して小説として悪いものだとは思っていません。震災がただの舞台装置になってしまったとも考えない。クライマックスは物語として、必然性があって書かれていると思います。この作品の個人的な評価はあとで話すとして、ひとまず本作をめぐってどんな議論が起こったかざっと概観しましょう。斎藤美奈子さんはこんなことを書いています。

＝＝＝＝＝＝＝＝＝＝＝＝

「この小説には三つの大きなプロットというかモチーフが埋め込まれている。

Ⓐ(冒頭部分に代表される)「私」とメディアの関係。後に彼女はメディアが期待する「求められる被災者像」を進んで演じ、そこに屈折した快感を見いだすまでになる。

Ⓑ津波を高台から間近に見た恐怖、親しい友人らを失った悲しみ、自分だけが生き残った痛みなどの被災体験。

Ⓒ母の遺体の問題。「私」は遺体安置所で母の遺体と対面して大きな衝撃を受け、遺体を七歳の弟に見せるかどうかで悩む。

ⒷⒸは、けっこうリアルで読ませるところがある。〈作者は、それがどんな過酷な体験であったかを、まるでドキュメンタリーのように詳細に描いてゆく〉(高橋源一郎)、〈陰惨な光景を、《私》は高台からカメラのように写し取る〉(辻原登)といった選考委員の評価も、そこに基づくものだろう。

しかし、ここからは後付けになるけれど、結果的にⒷが資料の力によるもので、Ⓒの遺体安置所に関する部分も資料に依拠しているとしたら、作者のオリジナルはⒶだけということになり、そして、肝心のⒶは自意識過剰で、違和感が拭えないのだ。」(斎藤美奈子「「美しい顔」問題をどう考えるか」「ちくま」二〇一八年九月号)

＝＝＝＝＝＝＝＝＝＝＝＝

長瀬　斎藤さん自身もこの小説を、小説としては評価しない、というスタンスをとっているわけです。参考文献を読んだ上で本作を読むと、違和感を覚える。なぜかというと、「(参考文献の)被災者が一様に語っているのは震災当日やその後の『寒さ』である。しかし、『美しい顔』に寒い感じはない。空腹の苦しさやトイレの問題には一応ふれているものの、切迫感も薄い」。つまり参考文献に依拠した割には、被災者の苦しみを掬いとれていないのではないか、ということです。また、藤田さんは「『ららほら』の立場から、『美しい顔』について考えたこと」でこのように書かれています。

＝＝＝＝＝＝＝＝＝＝＝＝

「問題を整理すると、一、盗作疑惑(技術的問題)。二、被災者の言葉の簒奪(当事者性、倫理的問題)。三、露悪性(善意や建前の裏にある欲望の露呈)」「『ららほら』の立場からすると困るのが、三の露悪性である。被災地に取材に来たカメラマンを、かわいそうな人間を消費するポルノグラフィを撮影しに来た人として描き、その欲望に呼応してかわいそうな被災者を演じていく目立ちたがりの若い女性の共犯関係を描いた箇所がある。端的に言って、カメラマンは災害のカタストロフに興奮し、かわいそうな被災者でオナニーしている、と描いているし、被災者は被災者で物語を演じて同情などをせしめる詐欺師みたいに描かれている。

「公」の名の下の抑圧により発せられない声を発することこそが、文学の使命であると考えた場合、この作品を擁護しなくてはいけないのではないか？　理屈としてはそうなのかもしれないが、どうもぼくにはこれが「本当の言葉」のようには感じない。これは倫理的というよりは、美的な判断だ。作者の演技的な人格における「本当の言葉」は確かにあるが、震災という未曽有の経験に即した「本当の言葉」という、ぼくらが耳を澄ませようとしている特異な声とは程遠い、ステレオタイプな声でしかない。もちろん、こういう皮肉の面白みや問題提起の価値は認めるし、才気ある文体であることも否定しない。が、個人的には、『ららほら』とは正反対の方向を向いている震災後文学だと感じる。」

＝＝＝＝＝＝＝＝＝＝＝＝

藤田　これもちょっと苦々しい言い方をしていますね。『美しい顔』が面白いことは間違いがないんです。読み返した印象としても言いますが、やはり被災地のリアリティみたいなものを描いている部分がありつつ、その被災地のリアルな状況の中にいる語り手みたいなのがメディアと自分の自意識みたいな、ある意味ポストモダン的に露悪的に叫んでいるところが面白いのであって、そこの面白さはみなさんと同じように認めざるをえない。そこに文学の自由の問題が関わるとも言っていて、確かに何か被災地に対する偏見や先入観を覆すような気がする。リアリティはあるし本当の言葉っぽくて、作者がモデルとか芸能とかの仕事に関わっているわけで、メディアと自分との関係についての部分は確かに迫真性がある。でもそれ以外の部分は文体が違うんですよね。弟との会話や遺体を見つけたときもそうで、そこは資料に依存していると言わざるをえなくて、その資料にあった震災のリアリティ、ザラザラした文体と、自意識に関係する軽いものが衝突したからこの作品が良かったんだなと改稿版を読んで思ったんです。これまでその二つが同居している震災後文学はなかったので斬新で新鮮な印象を受けた。ある意味シュルレアリスムみたいなもので、現場のリアリティみたいなものとその軽い感じがする異質なものが衝突したコラージュなわけで、そのダイナミズムに惹かれたんだなと思ったんですよね。ある意味で、サンプリング小説だった。借り物で、ポストモダン小説だったわけです。それが良いのか悪いのかという問題は、ポストモダン的な言葉の使い方が震災後一気に駄目になったということと関係があると思うんですよね。われわれと言語との関係、文学とは何かということの編成が変わったわけです。

長瀬　もう一度言葉の関係とかシリアスさというものを取り戻さなきゃいけない、ということですかね。

藤田　そういう感覚が、少なくとも被災地にはある。基本的に日本のポストモダンというのは、高度消費社会の都市部の感性をベースにしていますから。地域ごとの文化的感性と、それが産み出す言葉というものの捉え方の差が背景にあると思うんです。ゼロ年代の舞城王太郎とかを読めばわかるけれど、全部記号だみたいなリアリティでその中で暴力も性もいくらでも過剰化していく。でもそれは全部虚構にすぎない、でもいつか逆襲してくるかもしれないというのが、ゼロ年代の感覚ですよね。オタクの感性もこれに近いわけです。『美しい顔』の、自意識とかメディアに関係する部分は、こっちの主題系ですよね。実体とイメージの乖離という主題は、まさに広告産業やブランドが大きな意義を持ったポストモダンの主題でした。その、身体とイメージの葛藤みたいな主題系が、被災地とメディアという形で延長されている。素朴実在論的な言語と、ポストモダン的な言語、その二つの衝突と葛藤の作品だから、バフチンのいうポリフォニーのような祝祭感があって面白いんだとぼくは思うんです。そう思ったのは、元のバージョンと改稿バージョンを読み比べると、改稿版はやはり面白くなかったからで。

『美しい顔』論／受賞作と単行本の比較

長瀬　単行本と受賞作について比較する前に僕が一つ言っておきたいのは、あれだけ騒ぎにしておきながら単行本になったら文壇黙殺かよってことです。新潮社もあれだけ騒いでたんだから、少なくとも誰かに論評させるとかしろよと思うのですが、僕が調べたなかでは書評はわずかしか出ていなくて、田中和生さんが『群像』に書いたものと、高原到さんが『週刊金曜日』に書いたものを目にしたぐらい。他に雑誌とかであるのかもしれないけど、それなりの紙幅を避ける場所では取り上げられていない。あとは、「共同通信」で藤田さんと北条裕子さんのインタビューが同じ面で掲載されていたくらいかな。あの記事は「共同通信」の記者の瀬木広哉さんが、震災と文学の関係性を深く捉えていることがわかる内容でした。

藤田　あれは面白いやり方ですよね。対比させて議論を呼ぶという。

長瀬　というわけで、改稿版の『美しい顔』が刊行されて、ここから議論が生まれるのではないかと斎藤美奈子さんが言っていた予言も虚しく、結局、何も生まれていないというのが現状です。『ダ・ヴィンチ』の「二〇一九年新人賞受賞作メッタ斬り対談」で大森望さんが今年の一番にあげていたのですがそれぐらいです。せっかくなのでここでみなさんと議論したいのですが、何がどう変わったのかを資料に載せておきました。本当に微細なところ、語尾や時間帯とか、そういうところまで数えたらきりがないぐらい改稿されています。

藤田　周りの人物とか状況を描いているところが消える傾向がありますね。

長瀬　削除するだけでなく、加筆も行われています。幼なじみの広子ちゃんの部分なのですが、確かに雑誌掲載版を読んでいると広子ちゃんはすごく薄っぺらい存在に思える。広子ちゃんのバックグラウンドや私との関係性もよくわかりませんが、改稿版では加筆されています。避難生活の描写も大幅に削除改稿されて、つまり資料に寄りかかっていた部分は完全に削除されていると考えていいと思います。単行本だけ読んだ場合、被災地の資料に寄りかからずに書かなければいけないという強迫観念に襲われてしまったがあまり、被災地の細かい状況というものが無くなってしまっている。だからといって、そうした部分をばっさり切ると文学として伝わるものが伝わらない。この小説家がただ逃げるために改稿したわけではないということは単行本を見ればわかります。「これが津波なんだと思った、そのとき、それらの一本一本が、羽のむしられたフラミンゴの赤茶けた長い首のように、私に向かって頭を垂らしながら歩み寄ってきたように思われ」(単行本、七三頁)というように「私」の心の揺れ動きの部分を加筆し、読者の前によりありありと描出しようとしているのがわかります。僕は単行本への改稿作業によって、作者がより語り手の内面に深く潜り込んで、彼女の捉えがたい痛みと自意識にしっかりと向き合うことができている、そんな気がするんです。

藤田　ぼくはそこは駄目だと思ったんです。なんか、弱いですよね。フラミンゴって何か軽い感じがして。感覚だから根拠はないんだけれど加筆したところが浮いてる印象がある。本当に見たという感じがしない、頭で考えたテクニカルな比喩だなという感じがするんですよね。

長瀬　この作者が資料に寄りかからないで想像力一本だけで書いたから、そう感じさせる部分はあるかもしれない、とは思います。頼りなさというか。

藤田　そういうところが下手だなと思うんです。ひょっとすると、すでに成立事情を知っているからかもしれないけど、でも違うと思う。言葉そのもので、分かる部分があると思う。長瀬さんはわりと肯定的に評価しえると思われますか？

長瀬　そうですね。僕自身は肯定的に評価したいかなと思っています。北条裕子という小説家は、言葉に衝迫性を与える能力の非常に高い人ですよ。ただ、藤田さんのおっしゃることもわかって、やや改稿への意識が先走って、過剰になっている部分はあると思います。

藤田　先ほどの話ですが、浮わついている文体とシリアスなもののモードの差が面白かったと思うんですよ。でも、改稿では浮わついたモードでシリアスなものを描写しちゃってて、それはただ浮わついている感じがしちゃうんです。緩急がおかしくなっている。

長瀬　読んでいる方としても、手触りとしてすごく不確かな感じがしてしまう。

藤田　文体のリズムとか呼吸みたいなものも、自信がないから無理に強調したりリズムをつけたりしているような文体に感じちゃうんです。

長瀬　自信がないというより、不安なんだと思います。金菱さんが指摘していたのは、被災地で盗みが日常的に行われていたという部分で、それは被災者の切実さの中で行われていたことなので簡単に言葉にするなということでした。その部分も改稿されている。

＝＝＝＝＝＝＝＝＝＝

「どのコンビニもスーパーもガラスが割られていた。ほとんどのお店にはたくさんの人がいた。子どもから老婆まで詰めこんでいた。みな、商品を、食べられそうなものを探していた。店とはいえ他人の家なのにみんなどんどん入っていく。当たり前みたいに入っていって物を持っていく。それが盗みだ、ということに私は気づかなかった。」（雑誌版「美しい顔」）

「商店のガラスが割られていたので弟を背負ったまま店内に入っていって残っているものはないかと探した。横転している棚の下に手を伸ばすと缶詰が二個転がっていて私はそれを取ってすぐに店を出た。それが盗みだ、ということに私は気づいていなかった。」（改稿版『美しい顔』）

＝＝＝＝＝＝＝＝＝＝

そこを指摘されたがゆえに単行本（九四頁）では大幅に削除してしまった。被災地のカオス、秩序がなくなってしまった部分を描くことに怖気づいてしまったのかなと思わざるをえない。

藤田　これも前者の方がいいですね。あっけらかんとした、能天気で、事態の深刻さが分かっていない感じがいい。ここに関しては、こういう現実があったわけだから、金菱さんがそう言われたとしても、書いていいと思うんだけれど。ただ、深い考察はいるよね。そのことについての。人生観と言うか、哲学と言うか。

長瀬　改稿に関しては、細かいところなのですが、雑誌掲載時の「これは、精神的売春だった。」（五四頁）という一文を削除しましたね。母が死体で見つかった後の母の死を売り物にしてしまう自分についてのモノローグです。

藤田　なんで消したんだろう。これも消さない方がよかったよ。

長瀬　ここで本当は北条裕子が何を言お

うとしていたのか、何が言えなくなってしまったのか、は今後、しっかり考えるべきだと思います。

藤田　作品のメタファーの系列としては完全に精神的売春として成立してるんですけどね、裸とか、カメラとか。そこをなくしてしまうと、主題系がズレる気が。

長瀬　あと、斉藤さん夫妻の妻の方が「私」に向かって、自分の息子の喪失を淡々と激しく語る部分（単行本、一二四頁）が大幅な改稿になっています。

藤田　この部分はちょっとイージーな感じがしますね。

長瀬　このように数えあげれば、五〇箇所以上の改稿があります。全体的に資料に寄りかかりすぎている部分を大幅に削除して、フィクションのリアリズムを自分の想像の中で紡ぎ出そうとしている。それが藤田さんの目からしてみたら想像力というものが貧弱なためにリアリティがないものになってしまった。あるいは被災地の状況というものが深く伝わるようなものではなくなってしまったということですね。

藤田　被災地に対する倫理はともかく、元の作品の構造がどういうものかというと、震災というリアルで汚れた悲惨なもの、そのリアリズムのテクストに対してそれを美化する、化粧する、美しくしたいという欲望があるわけで、それが拮抗しているんですよ。主人公はそれを美化したいわけです。それはお母さんの遺体にも関わっているわけで、それを現実のノンフィクション的テクストを引用しながら、どう美しいものに化粧させていくかというのが前のバージョンでは行なっていた勝負なんだなと思うんですよ。それは盗作といえば盗作なんだけれど、小説のドライブとしては理解できる。それはリアリズム的なものに対してフィクションはどう勝負できるか、ある種ポストモダン的感覚がどう対抗しえるかという主題で、そこに多くの人が共感したのはわかるし、そういうものとしてはぼくは今読んでも面白いと思うんです。その、文体レベルでの闘争が、改稿したらなくなった感じがして、そうすると主題も違うのではないか。ナチュラルなものではなくて美化して演じてそっちが本当の自由の素晴らしいものだとするその試みがいかに挫折するかみたいな話なんだけれど、その緊張感がなくなっているのが残念です。この「化粧」で「美しくする」という主題系は、前回話した、被災地をポジティヴに見せようとすることと重なるだろうし、よしもとばなな的な、他者や現実を拒否しようとするスノビズムの世界観と近しい問題を抱えているというか、同じ方向性の欲望ですよね。

長瀬　うーん、緊張感が確かに無くなっている。

藤田　『ららほら』はその逆で、美化したような震災語りに対してザラザラしたものをぶつけるという、どちらかというと美化に対するリアリズム的なものの対抗です。『美しい顔』はリアリズム的なものをフィクション的なもので覆い隠したいという欲望の話なので、そこは逆かなと感じる。ただ同じ主題系、問題意識を抱えているとも思ったんです。仲俣さん、円堂さんの回で繰り返している「ポストモダン」問題ですよね。

長瀬　資料に寄りかかれなくなってしまった結果として、「私」の内面がどれほど揺れ動いているかということを言葉で捉える方に主題が移っている。

藤田　自意識だけになりすぎてる感じがして、これはちょっときついかなという気がします。でっかい状況の中でそれでも自意識にこだわるというのはすごく意味のあることで、谷崎潤一郎のように戦争中にうまいものを食い続けるとかに近い、状況に対抗する意味も生じるんです。革命の時代に家庭や内面の話ばっかり書いているとか、第三の新人のことですけど、それに近い意味だって生じるので、それは悪くないと思うけど。

長瀬　僕はそうはいっても、この作品はある程度評価したいと思っているんです。それはなぜかというと東京の人間を被災地に出してきたて、要するに震災を描くものの加害性、それはある種ポルノグラフィーみたいなものかもしれないけれど、そこを正面から描いているからです。そういったことに取り組んだ小説はそんなに多くない。それをまず描いたということ自体に僕の中の評価が一つあって。その上で、この作品はメタ構造として書かれていると思うんです。この作者はこの物語のどこにいるのかなと思うと、東京の人間のところなわけです。震災を写し取るということ、それ自体が罪深いことなんだと作者は自覚した上でこの小説を書いている。だから、僕はこの小説は震災を乗り越えようとかそういうことに挑戦したものだとはあまり思っていないんです。どちらかというとここでは震災と物語が釣り合っているというよりも、震災を描くことで深い罪を背負わなければいけないという感覚とこの物語が釣り合っているような感覚がある。この小説家は震災のリアルを描けば描くほど小説を書くという営為の虚しさ、営為自体が虚しくなるということに自覚的なのではないかと僕は好意的に受け取っています。

藤田　確かに、ある程度メタ構造が仕組まれていて、この作品に描かれているメタ構造と彼女自身のポジションが非常に重なるようになっていて、メディアイベントとしての彼女の扱われ方とこの作品に書かれているものとある程度は相当しているとと思うんです。ただ北条裕子さん自身が東京のメディア側に自分を位置づけていたかは微妙な感じがしていて、作者だからいろんな場所に立てるのですが、津波でさらわれて死んだ人が一番美しくて羨ましくて、そうであったらいいと憧れる箇所がありますよね。もう一つ、自分は波に乗り損ねた感覚があります。つまり被災者になって死んでいたらその波に乗れてより美しかったというニュアンス。これを描いたことは素晴らしいんです。北条裕子自身の立場からすると、震災という「可哀想」のコスプレをすることがある種自分を美しく見せる化粧みたいなものという意識は当然持っているんだろうと思っていて、あと世論の流れに迎合して自己演出して波に乗りたいという気持ちね、それが暗喩であれ正直に書いてあるところは、いいと思うんですよね。さらに主人公の立場と作者の立場はメタ構造になっていて、そこはぼくも面白いと思うんだけれど、震災を自分をよく見せる化粧に使うのは本質的にどうなのかな。「そういう人がいる」ということを書くことはいいと思うんです。しかし、これを書くことが罪を背負うことになる覚悟があるようには読めなかった。

長瀬　私が書きたかったのは震災ではない、十七歳の女性の内面、自意識なんだということならば震災にしなくてもよかったということですかね。

藤田　震災を道具にするのかという、当然そういう意見はあるわけで。それは震災という巨大なもの、被害者もたくさんいるわけですから、それを記号や化粧や装飾品に使って良いのか悪いのかという本質的なところは悩ましいです。とはいえ、ぼくもエンターテインメントや、戦争をおもちゃにしているゲームも楽しんでいるわけですから、なかなか難しい問題です。ただ、本作は正直なところ、面白い小説なんだけど、やり方は本当にきらいですね。たとえば、ハラスメントが社会的に問題になっているから、被害者を演じて、社会的な同情を集めて、会社からお金をせしめようみたいな、そういう人間に近い主人公のメンタリティを感じます。そういう人間を対象化して描いて露呈させることには意味があるんだけどね。

長瀬　この作品が描かれたのが震災から七年後ですが、この七年という時間の経過をどう考えるかというのも大事ですよね。時期もあると思うんです。人によっては七年はまだ短いという人もいるかもしれないし、七年経ったから震災のあまりにも重い呪縛から逃れて書くことができたと思う人もいるかもしれない。

藤田　被災者たちにとっては全然過去のものではないですよね。今ぼくが教えている女子美の学生で福島出身の学生がいるのですが、彼女は自然をテーマにして描いているんだけど、描いているのはほとんど戦争画のような、藤田嗣治の『アッツ島玉砕』のような、真っ黒な絵ばかり。彼女は、自然が好きでいいものだと思っていたけれど、震災をきっかけにそれが非常に怖いものになってしまって、いまだにそれを描き続けている。描くことで考えたりして克服していこうとしているのか、分からないんだけど、とにかくそればかり描いてしまう、いまだに克服はできていない。そういうもんなんですよ。その感じを知ってしまうと、確かに軽々しく使われたらキツいというのはわかるんです。言葉も、表現も、決して記号じゃないんですよ。経験と、身体と、魂の深い部分と不可分に結びついた言語なんです。それへの扱いに、畏れが足りなさすぎると感じる。

長瀬　さっき第三の新人の話をされましたけど、例えば戦後文学では、第一次戦後派、第二次戦後派があって、第三の新人というのが大体１９５０年代くらいに出てきます。吉行淳之介を筆頭に、ある種、軽薄な書き方だったり、小市民的な感性を大切にしたりする人たちでした。そういう人間が戦後十年経ったあたりで出てきた。彼らは出てきたときにはやはり批判をされたわけです。お前たちが書いているのは日常の半径五メートルくらいの世界だと。政治性がすっかり欠如してるじゃないかって。そういう批判があったわけです。そういうときに、戦争との時間的な距離って考えるべきだと思うんですね。戦争から何年経ってそういう作品が書かれたか。そのことと同じように、震災から何年経ってそういう作品が書かれたのかは、これからも考えなければいけない問題だと思うんです。

藤田　確かにそうではありますね。

長瀬　例えば、僕は沼田真佑の『影裏』がとても好きなんです。あの文体の強度とあの短さの中で一人の人間の不在を描くということを成し遂げた。そのときの状況すべてを描くのではなく、堀江敏幸が「故意の語り落とし」がここにはあると評しましたが、語らないことで本当にあったことを映し出すことができていることがあの作品の一つの美点でした。あの作品も、震災から六年が経って書かれたわけですが、そうした時間の経過のなかで書かれ、読まれたということも考える必要があるんじゃないかなって思うわけです。

藤田　そうですね。あれは見事でした。

長瀬　『美しい顔』は確かに震災の重みと作者がやろうとしたことのバランスがズレてしまっているかもしれないけど、当事者ではない東京にいる人間がそういう物語を書くときに、加害性を持っているということに自覚的なまま小説を書いたと僕は受け取っていて。震災から七年近く経って、北条さんがそこを始点に物語を書いたということは評価して良いのではないかと思うんです。

藤田　そうですか、それは興味深い評価ですね。ぼくはそんなに罪悪感のある感じはしなかったんです。でも、長瀬さんは彼女がそういうふうに罪を意識しながら書いたんだろうと思われたんですね。なるほど。

『美しい顔』をどのように評価するか

円堂　僕も「見る／見られる」の自意識をめぐる部分は面白く読んだのですが、最後の方はいい話にしてしまった。いい話にしなければいけないという罪悪感みたいなものでああいう展開にしたのかなと思うし、終わり方は物足りなくて、取って付けた印象は否めませんでした。「見る／見られる」の話で言うと、僕はダンボール文学みたいな系譜をちょっと考えまして。避難所のダンボールの敷居は低いからすぐ覗けてしまうわけですが、かつて安部公房は『箱男』でダンボールで全身をすっぽり覆って都会の中にいる人間の話を書きました。周囲の人はその男を気にしないという、ホームレスへの視線をデフォルメした設定です。安部公房はそういうテーマに取り憑かれていて、それこそ『他人の顔』という作品がありました。『他人の顔』だと、顔が崩れてしまった男がマスクを作り、自分が夫であることを隠して妻に会いに行く。醜い顔をモチーフにした作品では、横溝正史の『犬神家の一族』もありました。戦争で顔を損傷し復員して来た息子が、醜くなった顔にマスクを被って母親とともにいる。母親は息子だと思っているけど、一族の他の人々は息子ではないのではないかと疑いの目で見ている。身近なはずの人であっても、誰が誰だかわからなくなる状況がある。それこそ震災もそうで、『美しい顔』には遺体の描写がいろいろ出てきますが、そこで判別がつかない遺体や醜い遺体ということではなく、美しい遺体という設定でやっているところが「見る／見られる」の主題との関連で興味深いところかもしれない。僕はミステリの評論を書いていたりもするので、『犬神家の一族』や『オペラ座の怪人』（ガストン・ルルー）のような「醜い顔」の系譜を考えていたこともあって、それに関連したものとして『美しい顔』を読みました。実際、この小説を読んでいると何回も「美しい顔」と表現されると同時に「醜い顔」「醜い表情」という表現も出てくる。そのへんの描き方は面白いと思いました。

高田　私はこの作品は、読者側の情緒を引き出したところがあると思っていて、震災からの年月というお話もありましたが、ちょうど社会全体がそういうことを受け止めはじめた時期にこの作品が登場した。自分たちが抱えていた罪悪感とかそういうものを揺さぶられた。『影裏』『おらおらでひとりいぐも』が出たり、芥川賞も何回か震災関連だね、方言だねという回が続いて、受け止める側の読者の意識とか『美しい顔』の表現が合致したのかもしれないと思いました。震災直後から書かれてきた『遺体』などの震災関連で書かれたものを読んできて、表現に慣れてきたということもあるかもしれない。第一印象は私も面白く読んだ、面白くというと消費しているようで申し訳ない感じがしますが、そういう感じがしました。

藤田　確かに揺さぶられますよね、自分たちの罪悪感とか倫理観とか、いろんなものを揺さぶってくる。自分たちもいろんなものを覗き見して楽しんでいたんじゃないかとか、カタストロフを消費していたんじゃないかとか。

円堂　芥川賞の候補になった「震災後文学」といえば、いとうせいこうさんの『想像ラジオ』がありました。同作については死者がラジオのＤＪになるファンタジー的な内容に否定的な論調があったじゃないですか。

長瀬　村上龍は物語からは安易なヒューマニズムだけが抽出されていると言ってましたね。

円堂　『美しい顔』は群像新人文学賞を受賞した段階では、被災地がリアルに書かれていたとする評価が多かった気がします。

パヴォーネ　そのためにはリアルというより、作者がどのような思いがあって自分が被災者の立場に立って語る権利があると思ったのかが問題になったと思います。お二人が話されたように作品が書かれなかったらほかの作品も書かれなかったと思います。そもそも震災後文学のカテゴリー、震災を扱った作品は間接的にせよ直接的にせよ、出てこなかったのではないかと思います。疑問に思ったのは、『美しい顔』の単行本は読んでいないのですが、掲載時に読んで面白いところ、生々しいところがあって、これはデビュー作だとわかって、不器用なところはあると思ったのですが、残す価値のある作品だと思いました。それでやはり、ノンフィクションの作品を引用したと認めて、作品を生かす方法はないのかと思いました。私は被災地に行ったことはないのですが、直接行く方法がなかったので（参考文献に）心を揺さぶられて文学にしたかったと作者が普通に認めて単行本にする方法はなかったのかと思いました。

長瀬　キャーラさんは、僕の友人で、現在、ＵＣＬＡで震災後文学を研究されています（木村朗子編『世界文学としての〈震災後文学〉』に「身体とテキスト・「身体文学」としてのいとうせいこう作品」を執筆）。キャーラさんの震災後文学の研究から考えると、『美しい顔』はどういう位置付けになりますか？

パヴォーネ　位置付けとしてはいろいろあると思いますが、私が個人的に興味深かったのは、いとうせいこうさんは震災が書くきっかけになったというのが私の理解で、北条裕子さんだけでなく、文藝賞をとった日上秀之さんの『はんぷくするもの』、芥川賞の『影裏』の沼田真佑さんの場合もそうですが、デビュー作として、震災に関するものを書くということ。震災がどれほど文学的なテーマになっているかも含めて、文壇というまだ存在感のあるシステムが震災を大事なテーマとして認める反面、作家を目指す若い人たちは震災について書かなければならないという必要を認めながら書いてデビューしていることは興味深いと思います。

長瀬　自分が小説家として出発するのであれば震災を書かなければならないという人がいまもちらほらといる。

藤田　そうなのかなぁ。「震災後文学」とか言っているから、ぼくは圧を掛けている側かもしれないけれど、下読みとかをしていると、守秘義務があるのであれなんですけど、なんか全然ないという印象なのですが。

長瀬　確かにそれに関してはそうかもしれないですね。

藤田　そんな作品は来ないですよね。一方、仙台短編文学賞には第一回からご協力させていただいているのですが、こちらはもうほとんどが震災、震災後。そういう痕跡ばかりで、ギャップをつくづく感じます。上手い小説じゃないんだけど、読んでしまうんですよね、生々しいというか、現実の手応えがあるので。

円堂　僕は光文社の日本ミステリー文学大賞新人賞の予選委員をやっていて、２０１９年の回では、震災の現場で集団窃盗していた若者のその後という設定の応募作が最終候補に残りました。かなり面白いと思っていたのですが、最終選考では倫理観に問題があるのではないかと意見が出て受賞しませんでした。東日本大震災後の同賞の予選では以前にも、東京に原爆が落とされるけれど小型だったため東京全体が壊滅することはなく、生き残る人も一部いてとか、原発で殺人事件が起きてといった類の話を何本か読んでいます。ただ、多いというほどでもないし、作品の出来不出来の問題とはべつに、応募側にも選考側にも謎の倫理観が働いて発表を自主規制するようなところがあるのではないか。

藤田　戦争のときはそうでもなかったんじゃないですか。ＳＦですが、原爆落とされてその影響で超能力者になってしまったんだけど、仲間がいなくて寂しいから、朝鮮戦争でもう一度原爆を落として仲間を作ろうという『弥勒戦争』を山田正紀が書いていますよね。これは、山田さんが凄すぎるということかな。

円堂　昭和の昔には被爆して強くなろうみたいな設定のエンタメもけっこうありました。『核と日本人　ヒロシマ・ゴジラ・フクシマ』(中公新書)で山本昭宏さんが、そこらへんの系譜を調べてまとめていましたが、本当にあきれるくらいあります。大木金太郎というレスラーがいて、必殺技が「原爆頭突き」だったり。プロレス技のネーミングでは「原爆固め」なんてのもありましたし、たんに強さのイメージとして「原爆」が使われていた。

藤田　マンガとかサブカルチャーで、無造作に「強いモノ」の象徴に使われているんですよね。「笑いの放射能」という特集があったり。強いキャラに「ピカドン」というあだ名が使われるとか、そういうの多いんですよ。松竹歌劇団には「アトミックガールズ」がいました。今思えば、すごい不謹慎ですよね。以前からよく話していることですが、戦争へのリアクションとして生まれた作品と、東日本大震災に応答する作品の質はかなり違いますね。ところで、炎上しやすくなった時代ですが、炎上したら抹殺されるというのは、萎縮効果がありますよね。この連続トークでずっと問題にしているのもそれなのですが。

円堂　あいちトリエンナーレもそうですね。

藤田　右も左もそうだという感じですよね。保守も革新もリベラルもそうでない人たちもみんなそうなっていて、それが良いか悪いか難しいですよね。差別的なフィクションやエンターテイメントがなくなっていくのは良いことかもしれないけれど、確かに不自由といえば不自由だし、つまらないといえばつまらない、でも社会が良くなり酷い目に遭うことが減ることも、倫理的に向上するのも良いことである。これに引き裂かれるわけですよね。個人的には、ちゃんと検証して議論して、もっとどうするべきかを前向きに話し合っていくといいと思うんだけど、それが機能していない。機能しなくなる言説環境になってきていますよね。

長瀬　この騒動以降、小説に参考文献を載せるケースがすごく増えました。ただ、そのせいで逆に騒動になった作品もありました。古市憲寿さんの『百の夜は跳ねて』(新潮社)のことですが。

円堂　窓拭きを題材にした『百の夜は跳ねて』は芥川賞候補になりましたけど、参考文献に上げた木村友祐「天空の絵描きたち」を下敷きにして小説を書いたと選評で批判され、騒動になりました。考えてみると『百の夜は跳ねて』も、ビルの窓の清掃員が、たまたま目があった室内の老婆に頼まれビル内を盗撮するようになる「見る／見られる」の話です。そして、作者は、ジャーナリズム批判をしながら自分はアイデアを流用したと責められた。でも、古市さんは木村さん本人に取材依頼して応じてもらい、窓拭きの達人を紹介してもらっていた。了承を得ていたわけです。『美しい顔』もそうだけど、必要以上に批判されていると思います。

長瀬　「古市、憎し」みたいなね。

円堂　彼のキャラクターに神経を逆撫でするようなところがあるというか。作家やジャーナリストというのは観察者で、観察の仕方が批判されるだけでなく、観察している立場自体がお前は当時者じゃないのにズルしてると見られるところがある。北条さんに関しては、本人が群像新人文学賞の受賞の言葉で自分は被災地に行ったことはないと書いていた。直後に出た文芸時評で小説を褒めていたのは、それを承知のうえだったはず。でも、盗用といわれても仕方がない行為が発覚したあと、読んだ人は騙されていた、当事者でなければ書くなみたいな空気になったのはちょっとフェアではない気がします。

高田　でも本人は故意に引用したわけではないですよね？（無断引用は絶対NGだという最低限のルールはわかっているはずと仮定すれば）。

円堂　どういう動機でこの作品を書いたのか、知りたいですね。北条さん自身は小説を書かなければいけない人だったのか、書かずにいられない人だったのか。

長瀬　もちろん「盗用」は小説家の手続きとしてはあまりにも不用意なことだとは思います。それ自体は決して肯定できない。ただそれにしても、文章の力はある程度あるんです。全体的な文体としては強度がある。

藤田　急に知能のレベルとかが上がったりしてね(笑)。

竹田　自意識が高いのであれば、そこも混ぜるというかね。

長瀬　ただそれにしては文章の力はある程度あるんです。全体的な文体として。

藤田　そうであれば、もっと工夫して変えればいいのに。なんでコピペで語尾変えて誤摩化すみたいなことをしちゃったんだろう。

長瀬　そこを、なんでそんな不用意なことをしちゃったのかなというのは、脇が甘いということに尽きるというか……。

藤田　ネット世代の学生たちみたいに、本当に普通に当たり前にやっちゃったんじゃないかという疑いも、ぼくは捨てきれないんですよ。

震災後文学の倫理と自由と

パヴォーネ　もともとの問題に戻るのですが、斎藤美奈子の比喩にも出ていたと思うのですが、震災を取り除いて、十七歳の女の子の自意識の物語になっていたら、これは群像新人文学賞になっていたのでしょうかという問題は残ります。

藤田　受賞してもおかしくはないけど、ここまでの絶賛はなかったかなと思います。

パヴォーネ　震災にかかわっていたからこそ取り上げられたということはあると思います。彼女はどんな姿勢を持って、またどうやって震災にかかわって、そういう状態を描きたいと思ったのか、そもそも明らかにしていたらそういうことになっていなかったかもしれません。残念だと思います。

藤田　その部分の動機みたいなものって本人からは語られていないですよね。ただ謝るだけで。

竹田　小説を書くときって普通は資料にめっちゃあたると思うんです。取材をしないという選択肢もあると思いますが、単行本の参考文献には一応五作くらい載っていますが、逆にそれだけでここまで書けるのかと。

長瀬　石井光太『遺体　震災、津波の果

てに』、『つなみ　被災地のこども80人の作文集』、金菱清編／東北学院大学震災の記録プロジェクト『3・11　慟哭の記録　71人が体感した大津波・原発・巨大地震』、池上正樹『ふたたび、ここから』、丹羽美之、藤田真文編『メディアが震えた　テレビ・ラジオと東日本大震災』。この五つを参考にして書いたわけですね。

竹田　逆にその五冊くらいを読んで、これだけの人を感動させる作品を書く技量があれば、どんどん作品を書いてほしいなと。

長瀬　僕も北条さんは絶対に二作目を書いてほしい。100パーセント、読みます。講談社もバックアップしてあげてほしい。

円堂　主人公の感情表現の一環として、文末を「のである」で繰り返したり、改行を少なくしたり、句読点をなくしたり。そういう部分は技巧的。

竹田　この前イベントをしたときに、文芸誌を校正している人が来て話をしたのですが、新人賞のとき候補作五作全部を必ず五人くらいで校正をかけるという話を聞いて、かなり万全をきしてるけど、さすがに一文一文を他の書籍の文章と照らし合わせるのは無理か、と思った。

円堂　少なくとも、書いた本人に無断で流用していませんよねと確認するでしょう。賞の応募者のなかには著作権意識が薄い人もいることを版元は承知しているから、そうしていると別の新人賞で聞いたことがあります。

長瀬　お腹に赤ちゃんがいて、というのはすごく大事なことなのですが、センシティヴな問題なのでそれはおいたとして、だからといって、編集者が身重なのでしょうがないみたいになったのは、もう少し説明が必要でしょう。

藤田　あの編集者のコメントも変ですよね。お腹に赤ちゃんがいる女性に配慮するのは当然なんだけど、あれはなんか妊娠を、同情を引いて誤魔化すための逃げ口に使っている感じがして、編集者も共依存的になっている感じがしましたね。

竹田　僕は何だか『群像』がどうしてもこの人を出したくてという感じがしてしまってチェックが甘かったのではないかという気がします。

パヴォーネ　私は写真を見たときに、村上春樹の『1Q84』の「ふかえり」のような存在なのかなと。だから当たり前にみんなが魅了され、作品が話題になったかなと思いました。彼女はそれほど存在感がありました。

竹田　候補作を全部ウェブでも公開すればいいんですよ。本当にこの作品が良かったのかみんなで検証できるような。本の帯文はあるんですか？

藤田　「私は私を売らなければならなかった。少女は闘う、たった一人で。絶望からもう一度立ち上がるために」。ただこれは、系列としては震災を書くこと、語ることが罪悪感があるという倫理問題がずっと震災後にありましたよね。高橋源一郎もいとうせいこうも。その系列として倫理観を突き破った作品として爽快感があったということは想像できます。

長瀬　選評が満場一致だったのもそこです。倫理観を突き抜けた。

藤田　高橋源一郎の『恋する原発』的な。あえて不謹慎なこともやるんだというものとして読まれたということですね。源一郎の場合は、AVを使っていたわけですよね。

長瀬　この小説を選んだ選考委員たちのその後のコメントというのがあっても良かったかなとは思います。

竹田　選考員たちは帯文にコメント寄せたり、対談するとか。本人が対談したくないとかもあるでしょうが、結局共同通信のインタビューしか基本的にない。

長瀬　書評もほとんど出ていない。これを論じることを避けてしまった。

藤田　ぼくらがこれだけ五回にわたって論じてきていますから(笑)。誰も語らないなら、ぼくらが語るしかない。それで残していくしかないんじゃないでしょうか。

長瀬　僕は北条さんのことは評価していますし、二作目も期待したい。

竹田　文学フリマとか自分で出てもいいってことですよね。本気で小説家としてやっていく気であれば。

パヴォーネ　二作目を書きはじめているらしいです。

藤田　五回目ですが、倫理的問題と文学がどうあるべきか問題は毎度未解決のままになってしまいましたね。まぁ、答えを出すのではなくて、論点を出せば使命は果たせるのかなとも思うんです。

竹田　せっかくなので長瀬さんが今まで批評したものも含めて震災後文学を。

長瀬　年々、震災を物語にした作品は減ってきています。震災直後に、震災を小説に書くには蛮勇を振るわなければならない、のようなことが言われました。震災の記憶が生々しいあの頃、震災をテーマとした小説は書きづらいと思われたんですね。でも、果たしてそうでしょうか。実際に刊行点数を見ているとそうではないことがわかるんです。震災直後の方が震災を題材にした小説が非常に多く書かれてきた。それが、時が経つにつれ、刊行点数が減っている。その状態は危惧しなければいけないことなんじゃないかと僕は高橋源一郎を例に出して論を書いたことがあります（「失墜する物語の力ー震災後の高橋源一郎論」『世界のなかの〈ポスト3・11〉ヨーロッパと日本の対話』所収）。高橋さんは、震災後、明らかに自分の倫理的な部分を強く持ち始めてしまって、文学から政治へ関心が移った。その結果、小説に震災を描くのをやめてしまった。それが広く文壇の中でも言えることではないかと僕は思っています。今の方が震災を描くことに関して倫理的なことを問われる、でも小説家はそこに抗って小説を書いてほしい。そうでないと記憶の風化が進んでしまうと思うんです。

円堂　伊格言『グラウンド・ゼロ　台湾第四原発事故』という台湾の小説が、日本でも翻訳されましたが（二〇一七年、白水社）、アジア文学で原発を扱った小説はその後出ているんですか？

長瀬　どうでしょうか、そんなには多くないと思います（その後、パク・ソルメ『もう死んでいる十二人の女たちと』（斎藤真理子訳、白水社）が日本でも刊行された。そこには日本の原発事故に影響を受けた小説が収録されている）。

竹田　『アメリカ新進気鋭作家傑作選』という本で、大学翻訳センターが出していた2008年頃の作品で、日本の広島の原爆か何かで汚染された子どもが生まれて地下室に飼われていて、その子どもが夜中に地下室から出てくる。その子がけむくじゃらかなにかで言い表せないのだけれど、カフカをオマージュしてるっぽい、原発の話が入っていて、アメリカの大学生が書いた話で読んだことがあります。それを読んで不思議な気持ちになりました。これまでの話を聞いていて、距離感とか時間、七年が早いのか遅いのか、広島の原爆の話があってその孫の世代がこうなってるみたいなことをアメリカ人が想像して書けちゃうことの、嫌な感じも不思議な感じも、海外からこういうふうに見られてるんだなと。

パヴォーネ　私の思っている震災後文学というのは、震災を直接扱わなくても、言説的にはたとえば放射能を扱った作品、それも私の中では震災後文学になっていて、そういうものとして扱われるということは言えます。私にとってはこのトークイベントはとても助けになった、博士論文はもう変えられないので。木村朗子先生はそういうことを書き続けているし、比較文学の芳賀浩一先生もエコクリティシズムの観点から本を出しておられます。アジア文学の話に戻れば、韓国で原発に関する映画が出てきました。日本の原発ではなかったのですが、3・11の二年後くらいで、フクシマが韓国に起こったらどうなるかという設定で、3・11に言及していました。

藤田　やはり福島を扱ったドキュメンタリーも公開し難くなるし、助成金をもらうと、もっと明るく書け、こう書くなと言われますよね。助成金をもらうと何が起こるかというのは、あいちトリエンナーレではっきりわかる。大学も交付金を貰っている。意地はってやっている人もいっぱいいますけどやはり圧力はかかる。忖度をしたくなる人たちの気持ちがよく分かりますよ。怖いですもん。原発を批判する作品や、あいちトリエンナーレでも福島の問題に触れたアーティスト集団「Chim↑Pom（チンポム）」の作品も問題になりましたし、展示できない。台湾に行くと公立美術館では原発に反対する作品が置かれていて、台湾は国として原発反対だからということもありますが、全然状況が違っている。美術で起きていることは、おそらく他の領域も同じことが起こっているであろうとぼくは思っているんです。その意味では、ディストピア作品が増える根拠はあると思っています。ネガティヴなものは美的に化粧して、いいイメージにしちゃえばいいという方法論や、それを求める人々が増えているんだと思う。これは、現状の日本の状況を考えれば理解できるというのが前回のぼくの結論で、しかし、このまま行けば最終的には文学や美術は干からびてしまって、結構国益を損なうと思う。自由の領域を確保しないと、存在意義を失うし、発展しなくなってしまう。『美しい顔』は、こういう現状の問題をわりと天然で内在化させて葛藤と矛盾のドライブを描いた作品だと思うんで、実に興味深い作品でした。個人的には、文学は自由であるべきと思いつつも、この軽い文章による、重い現実を経験した人々の言葉の簒奪は許せないなという気もして、この矛盾の解決がつかないというのが正直なところです。

第6回

震災後文学と東北文学

――木村友祐作品をめぐって

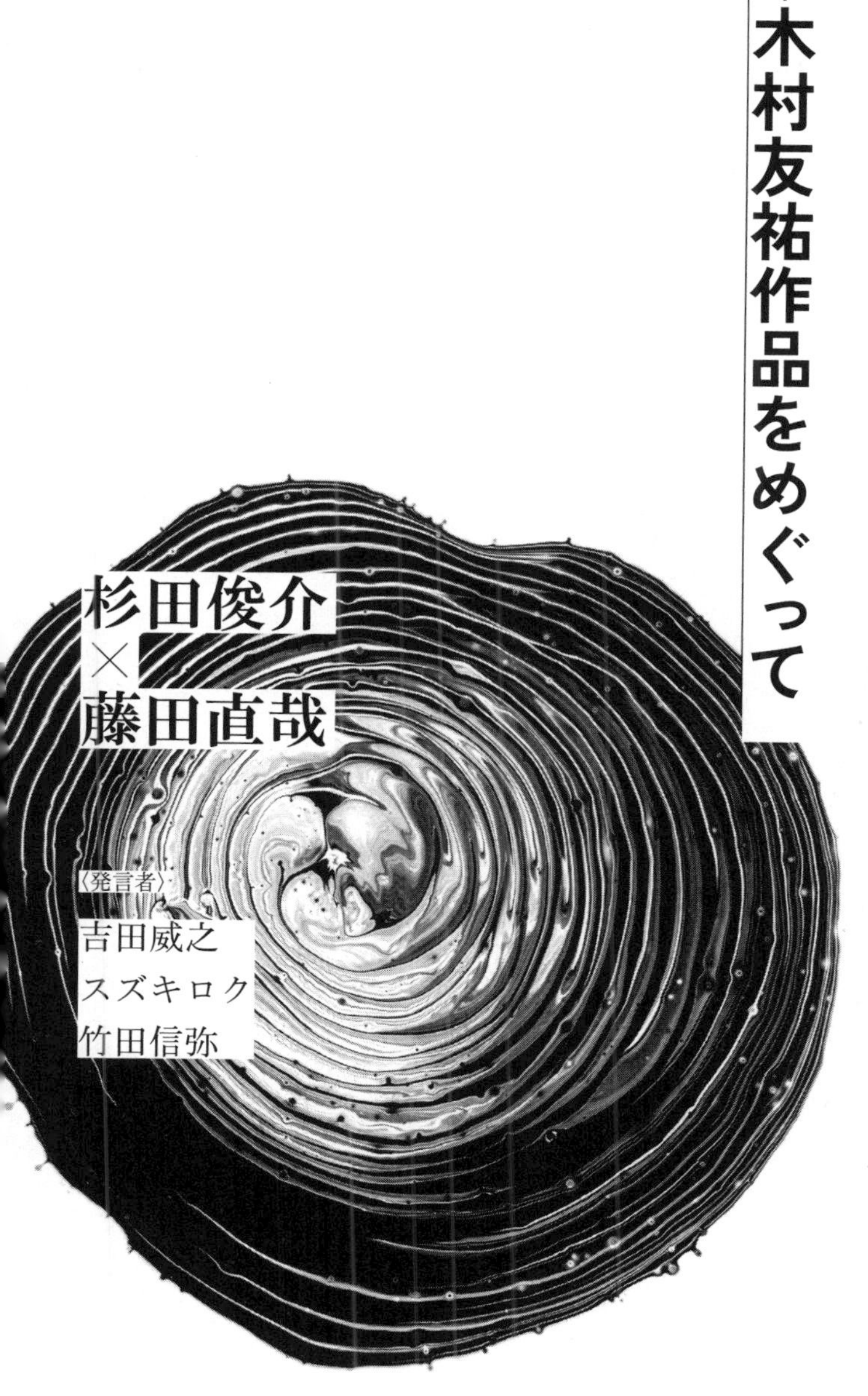

杉田俊介×藤田直哉

〈発言者〉
吉田威之
スズキロク
竹田信弥

木村友祐作品をどう読むか

藤田　連続トークも最後の回になってしまいました。これまで、最初の四回は状況論に近い話、言ってしまえば二〇一〇年代日本文学論でもあったわけですが、ここ二回は、作家論・作品論に絞ろうと思っています。今回は、青森出身で、東北的なものを背負って表現活動をされていらっしゃる木村友祐さんの作品を、批評家の杉田俊介さんと語りたいと思います。

杉田　もともと藤田さんとは限界小説研究会などでご一緒していて、そこでは『東日本大震災後文学論』という共著を編んだりしました。

藤田　そのときに震災後文学をたくさん読んで議論しておりまして、その後に東京新聞で対談させてもらったりしましたね。

杉田　ではなぜ僕が木村友祐さんについて話し合いたいと思ったかと言えば、単純に「推し」だからです。別に芥川賞候補になったからではない。候補になる以前から、木村さんでトークをやらせてほしいと話していた。今回、「幼な子の聖戦」という作品が文芸誌に載り、芥川賞候補になったけど、残念ながら落選してしまいました。僕は今日に向けて木村さんの全作品を順番に読んできました。単行本未収録の「おかもんめら」「ひのもとのまなか」も読んできました。

藤田　木村さんを簡単に紹介すると、1970年生まれ青森県八戸市出身で、日本大学芸術学部を出てますね。青森出身の芥川賞作家っていうのが、これまで高橋弘希さんや三浦哲郎さんなど、あまり多くはない。木村さんは、いろいろ東北的な物、青森的な物を背負って、しかも東北弁、南部弁を使って書く作家ということで、東北文学・地方文学の一翼を担う重要な作家だと思います。さて、今日はお客さんとして木村さんの「幼な子の聖戦」を担当された編集者の吉田さんにいらしていただきました。そこで、木村さんの話や、東北的なものについてお話を伺えればと思います。

吉田　木村さんの住む八戸は太平洋側で、岩手とかに近いんですね。僕は津軽の人間なんですけれど、言葉や文化は結構違いますね。彼は南部弁です。

杉田　弘前はどこに入るんですか。

吉田　弘前は津軽弁です。八戸は海沿いって言えば一番わかりやすいですね。青森県全部で言葉が一緒ってわけじゃないのがすごい面白いところなんですよ。細かく違っていて、僕も南部弁はわからない言葉がたくさんあります。

藤田　藩以前の文化圏ごとの違いがあるらしいですね。昔は雪で孤立してたとか、道が整備されていなかったとか、いろいろあって、それで濃縮するみたいで、今の地理的な区分とは異なるような文化のそれぞれの違いがあちこちにあるようなんですよね。「大地の芸術祭」のときに越後妻有の話を聞いたら、結構、集落ごとにいろいろと違ったみたいで。

杉田　福島も会津と南会津で全然文化が違うから、カタカナでフクシマって一括りにされてしまったときに、見えなくなる物が随分あるらしい。

藤田　そうらしいんですよね。室井光広さんと話していて、そのことは結構話題になりましたね。杉田さんは首都圏の郊外である川崎がご出身ですよね。川崎周辺はそういう感じはないですか？

杉田　言語レベルはあまりないと思うけど、川崎駅周辺の南部のダーク川崎と、北部の町田とか東京にアイデンティティが近い地域との文化的な差異はありますね。それと、僕が住んでいる中部は、のっぺりした郊外的な空間で、北側とも南側とも結構感覚が違う気がしますね。最近は武蔵小杉駅周りにタワーマンションがどんどん建って、開発が進んでコンパクトシティになって、ドバイみたいに急速に発展している。

木村さんの作品を通読してまず驚いたのが、震災の前から、じつはすごく震災的な作品を書いてるんですね。具体的に言えば『海猫ツリーハウス』（二〇一〇年、集英社）、「幸福な水夫」（二〇一〇年）と「おかもんめら」は震災の前に発表されてるんです。でも、例えば『海猫』だと、主人公の青年がラストに突然大波にさらわれて溺れるシーンがある。あるいは「幸福な水夫」だと、六ケ所村が舞台で、地方を食い物にする原子力開発の暴力性を告発するシーンがある。あるいは「おかもんめら」だと、国家と資本が東京湾の海を囲い込んで、海洋汚染されていく状況が主題になっている。あたかも水俣の話とか、未来の福島の話を、東京湾の中心に見出して共鳴させていくかのような作品なんです。最後にフグの毒を使って、海の側から陸に住む東京人（おかもん）に向かって、テロ的な暴力が予告される。これもどこか震災以後的な感じがします。ある種の予言性を持っていて、読んでいると目眩がしてくるというか。どういうことなんだろうって。木村さん自身は自分の書き方は震災前と震災以後で大きく変わってしまった、って言っているんですけれど。

藤田　『幸福な水夫』（二〇一七年、未來社）の最後にあるエッセイですね。

杉田　そうですね、「黒丸の眠り、祖父の手紙」。ご本人は断絶を強調しているんだけど、テクストを通読していくと連続性しているように見えるんです。しかし木村さんが言うのは、テクストの表層とは少し違う次元での変化なのかもしれない。しかしいずれにせよ、単純に「震災後文学」として読めなくなってくる。するど、僕らは木村文学を「震災前」的な視点からもジグザグに読まなきゃいけないのではないか。それは僕らが今も東日本大震災の「後」にいると同時に、来たるべき未来の災害の「前」にいる、ということだと思うんですね。さらに言えば、僕らは本当に東日本大震災の「後」に立っているのか。やっぱり震災は何か決定的な人類史的な出来事で、その後に我々はいると。しかもそれを忘れてしまっている。忘れてしまったことを思い出さないといけない。福島原発の廃炉だって、進行形の人類史的プロジェクトですよね。本当はあの時、災害というものの意味が拡張された。人工的な原発事故と自然災害の境界線が徹底的に崩された。放射性物質が数万年、数十万年単位でこのまま残るんだとしたら、それは地球規模の生態系においては自然そのものでしょう。『ナウシカ』の世界だと、セラミックとか毒物を含めて腐海が生まれて、それが自然の一部になっている。ナオミ・クラインが「災害資本主義」って言ったけど、これも資本主義の破壊力自体が津波とか地震とフラットな状況ですよね。熊本や北海道でも巨大地震が起こっていて、それは気候変動や気候危機の話まで繋がっている。資本主義は労働力のみならず自然も搾取している。マルクスはそれを本源的蓄積と呼んだけど、自然の搾取の話は、人間による動物の搾取性とも連続しているわけですね。そういういわばノンヒューマンな認識が震災後には開かれたはずで、にもかかわらずその「後」に我々がいるってことを実はすっかり忘れてしまっている。

これは前に藤田さんが言っていたけど、第二次大戦後の戦後文学が敗戦の体験を本当の意味で全体小説として描くには、30年くらいかかっているんですね。大岡昇平にしろ武田泰淳にせよ。巨大な災害や被災に応答するには20年、30年という規模の試行錯誤が必要で、そこで初めて大きな小説が書ける。そういう文脈で木村さんの作品を読まなきゃいけないと思う。やっぱり小説を読むことって消費的に読み流すことではなく、読者がある種の変身を強いられることだと思うから、それに値する「新しい読者」に僕らが生成変化するとはどういうことか。そして木村さんもまだ中編くらいの長さしか書いていない。木村さんの長編小説、いわば全体小説としての震災後文学が読みたいですね。

藤田　多岐に渡る問題提起、ありがとうございます。「災害資本主義」ですが、あれは「惨事便乗型資本主義」のことですよね。それは被災地にいくと、もうエグいぐらいリアルですよ。住宅メーカーとか、土木業とかが、相当に跋扈していますよね。そしてこの問題提起は「変身」にも絡むんですよ。つまり、災害や惨事のショックを利用して、政治や経済を改革するという新自由主義のやり方への批判でもあるわけですよね。それから、人工自然みたいな話も興味深いのですが、それはちょっと後に回して、ぼくの全体的な木村作品の感想ですが、震災前と震災後で言うと、結構違う感じを受けましたね。震災前の作品も結構面白くて、『海猫ツリーハウス』と『幸福な水夫』は、わりと瀟洒な、地方の文化的な生活みたいなものも出てきているかなと。で、震災後の『イサの氾濫』(二〇一六年、未來社)も好きでした。こっちは、現在の瀟洒な生活じゃなくて、もっと根源的な、生命の衝動のようなものが叛乱する話ですよね。これは結構、大きな違いというか「変身」がある感じがしましたね。怒りが直球になったというか、立ち向かう勇気が噴き出ているというか。特徴として、震災後は取材して書くものが増えていますよね。『聖地Cs』(二〇一四年、新潮社)も『野良ビトたちの燃え上がる肖像』(二〇一六年、新潮社)も『幼な子の聖戦』(二〇二〇年、集英社)も「天空の絵描き」もそうかな。地元とか自分の親族とか家族をモデルにしたらしきもののほうがより複雑で繊細で、取材したもののほうが図式性が上がってるように思うんですよ。なんというか、怒りがまずあるから、結論ありきみたいな構図になっちゃってる部分もある。「幼な子の聖戦」は取材モノだけれど、現実をモデルにして図式化してはいるものの、エンターテイメント性と批評性と社会性がマッチしてて面白くて、しかも割り切れない立場の複雑さの葛藤があって、これが取材モノでは一番好きだったかな。良くも悪くも、震災後、ある種の単純さの磁場がある。例えばタワーマンションと村人っていう、それが資本主義と自然とか、あるいは生命と人工的な物とか、そういう善悪の図式が結構わかりやすくなっちゃってますよね。もうちょっと複雑だったと思うんですね、震災前は。木村さんの小説に描かれている世界って、五つくらい層があるんですよね。土着的な青森的な層と、生活者としての身も蓋もない層、地方におしゃれなものを持ち込んでいろいろやる人たちの層、東京に来ている非正規雇用者という層と、タワーマンション的な資本主義的な層。これらが複雑に絡み合う世界観なところが面白いんですよね、その地方と中央の見方が、地方で新しいクリエイティヴなことをしている人たちが出てくるときが面白くて、それは震災後に描かれるような、虐げられて反逆するという東北性じゃないんですね。追いやられたとか、自然と近いとか、貧しいとかのステレオタイプに反するような、現代的な地方の豊かさみたいなものも描いている。『幸福な水夫』だとお父さんが車椅子になって、親子で喧嘩しながらお父さんがかつて駆け落ちした人が働いている宿に行くわけですよね。途中で原子力の施設の横も通って、そこの地上げ的なことをやっている関係者とかもでてきて喧嘩になったりするんだけど、それはそれですり抜けて。最終的に、「地方」と一括りにされる中でいかに複雑で充実した人生があるかを作品全体でも提示できているわけですよね。『イサの氾濫』では、もっとさらに地方でも疎外されている暴れん坊が主人公で、でもそこに眠っている生命のようなものが蘇ってくる。これは、わりと違いますよね。地方にある生活そのものの複雑さ、豊かさを描くというのと。もっと自然に近い、生命の根源のようなものが叛乱するというのとでは。そこに充実した生がある。別に生産性がなくてみんなから嫌われていても、そこにある強い生命それ自体に価値があるという感じですよね。そこを作品そのものの充実感として提示できているんですよね。『聖地Cs』や『野良ビト』もその延長線上で、イサにあった蝦夷的な叛乱の魂を猫とか牛に託そうとしていると思うんだけど、生き物が単に生きているだけで豊かで充実している手応えはあまりないような気がする。イサ的な魂が燃えてしまった人を描こうとしている、手探りしていると思うんだけど、攻撃的というか敵対関係の図式になっていってしまったがゆえに、単純化されているんじゃないか、という感じが特に『野良ビト』にはあった。

杉田 もうちょっと説明してもらってもいいですか。藤田さんが言っている切断って、物語の構造みたいなところですか。

藤田　いや、認識の構造ですね。生命の内なる衝動みたいなものですかね。あと、美学かな。感性・認識のレベルというか。東京とかは要するにフラットで、清潔な環境で、みんながちょっとずつ努力をして人々が調和して、努力をした結果社会が前進していくことを目指して競争していく社会ですよね。より高くを目指す社会で、そういう洗練された世界ではなくて、東北の猟師が生きている、もっと腐った魚とか血が出るとか、そういうドロドロした感性レベル。近代化の過程で失われていき、現代ではあまり歓迎されない感性と言うか、生き方それ自体の報復のような感じですよね。DNAを分析した調査によると、東北、特に青森って、縄文人の遺伝子が濃いらしくて、近畿地方は渡来人の遺伝子が濃いらしいんですよ。それで言うと、縄文人的な狩猟採集民、自然と組み合って生きていた荒々しさの文化のようなものの感覚があると思うんですよ。DNAと文化を結び付けるのは、今では批判されやすいけど、文化って人の生きた結果として生まれるものなので、ある遺伝子が傾向として持つ体質と文化は関係していると思う。そういう、縄文的な文化というかな。弥生的な、農耕をするために、集団で規律正しくし、富を蓄積して……という文化的感性と違う感性ですよ。狩りをして、それをみんなで分けてっていう、原始共産制のユートピア像みたいな感じかな。ADHD的とも言えるかもしれない。それは現代の文明社会、資本主義社会にぼくらが疲れているから幻想でロマン化しているのかもしれないけど、それだけじゃないような気がする。ぼくは、母方の祖母のルーツが青森なんですよ。身体や顔の作りも縄文系だし(笑)。なので、大袈裟に言ってしまえば、身体レベルで何かを感じる。『イサ』以前はその縄文的な感性は控えめで、むしろ地方の瀟洒な生活と、それへの違和感が出てくる。『イサ』で、野性的な衝動が噴出する。『聖地Cs』にはまだそれがギリギリあるけど、『野良ビト』で減る。なんでかはわからないんですけど。東北性と東京性の違いって、生命とか人間存在とか人類の存在とか自然とのつながりに関する心の盛り上がりだと思っていて。それは観念というよりは、もっと匂いとか血とか、物質的なものに惹起されるものだと思う。言ってみれば今では不潔さや野蛮さと見做されるようなもの。生命が、世界に直で向かい合って燃焼する瞬間みたいな。それが、東京的なものと東北的なものの対比として、木村作品では描かれている。たとえば「天空の絵描きたち」では、ビルと、生命の生きるか死ぬかのギリギリをむしろ楽しんでしまう、そこでこそ生が燃え上がる労働者の対比で示されていますよね。そこでは、地方とか、そういう労働者とか、貧しくて、命の危険のある仕事をしてかわいそう、3K、みたいに思われているその中に、実は別種の価値が、積極的なすごいものがあると言いたがっている気もするんですよ。

地方と東京と

杉田　木村さんは東京中心主義に違和感があるけど、それと同時に、故郷というか地方というか田舎の暮らしにも埋没できませんよね。最初の『海猫ツリーハウス』からしてそうです。田舎の人間関係のドロドロした側面が描かれています。アーティストとか言っているけど、実は結局ヘドが出るようなくだらないやつらだったっていう話でもある。それに対して東京での暮らしにもうんざりしている。地方にも東京にも安住できない、という行ったり来たりが木村作品のテーマになっています。「ひのもとのまなか」は青春小説で、田舎から出て来て都会に暮らして、東京の女の子と付き合うけど上手くいかない。地元出身の女の子とも付き合うんだけどやっぱり上手くいかない。そして最後には自分の過去を辿り直しながら自殺寸前まで行くけれど、結局死ねない。

東京がテーマになる小説は「おかもんめら」から始まっているんですけれど、常に木村さんは東京を変な場所から見つめるんですね。例えば「おかもんめら」は主人公のお父さんが東京湾の中の江戸前と言われる、内湾の漁師だったんです。それが開発によって漁師ができなくなってしまったという話です。東京湾の側、海の側から東京を見つめている視点なんですよね。『東京干潟』『蟹の惑星』っていうすごく面白いドキュメンタリー映画があるんだけど、ああいう多摩川の自然からビルを見つめ返すような視点に極めて近い。

あるいは「天空の絵描きたち」や「猫の香箱を死守する党」とか、それから「突風」っていう短編では、ビルの上から東京を見る。「野良ビト」では川から見つめる東京。全部東京小説なんだけど、天とか海とか川から多角的に東京を見つめ返している。様々な高さや角度からの立体的な視点は「天空の絵描きたち」でも強調されていますよね。視点が複合化する小説なんです。一人称ではなく三人称なんですね。主人公の女の子の視点だけだと、窓拭きをしている労働者の視点だけになっちゃうんだけど、それに対して爪弾きにされてる知的障害が少し入ってる男の子は、下から安全確認をする係で、下からの視点も入っている。そもそも「絵描き」っていうのは、ビルの中の人たちからすると、綺麗になった窓を通して外の風景がまるで絵画のように見えるはずだ、っていう視点のことです。そういう視点の立体性というか複合性が「天空の絵描きたち」の一つのテーマになっている。

藤田　東京は、ぼくらの生活している具体的な空間という感じはしませんね。常に、寓話的になっていたり、際のところだけを描こうとしているというか。

杉田　東京の周縁から東京を見る、という目線はありますね。

藤田　それが何を意味しているのかまではわからないですね。際にすることで何を達成しようとしているのか。

杉田　それに比べると正直、「幼な子の聖戦」はちょっと図式的な感じもしたんですね。青森の田舎の選挙戦を通して、旧来のおじさんたちの腐った政治に対して、新しい観点を持った若い男性リーダーが出てきて、若者や女性が熱狂していく。おじさん的なものVS ＳＥＡＬＤs的なもの、MeToo運動的なものというか。その図式は正直図式的な感じはしました。

藤田　自民党とれいわ新選組の対比みたいな話ですね。

杉田　主人公はどっちにもいけないというのは木村さんらしいんだけど、先日吉田さんとも話したんだけど、リーダーの仁吾が少し胡散臭い。星野智幸さんの『呪文』ではそういう両義性が描かれていたけれど、木村さんもじつは、聖人のような香具師のような、両義的な人物を描くのは本当うまいんですね。「希望の農場」を取材した『聖地Cs』にせよ、『海猫ツリーハウス』の親方にせよ。親方は役者をやったりオブジェ制作をしながら、海猫ビレッジっていう場所でツリーハウスを手掛けて、アーティストや職人が集まる居場所を作っているんだけど。一見聖人であったり変革者であるように見える人間が、下半身的にはくだらない人間だったり……っていう両義的な人物像に比べると、『幼な子の聖戦』のリーダー的な人物はあまりにも清廉潔白に見えて、あいつがもっといかがわしく猥雑な人間だったらどうだったんだろう、って正直思った。そのときに主人公との対決がもっと面白くなるんじゃないかと。例えば武田泰淳だったらそう書くはずだと思う。「猫の香箱を死守する党」に出て来る木村さん的主人公の同僚の若者なんかもそうだけど、そこではリベラルなものにも右翼的なものにもいけない鬱屈があって、それがさらなる暴力を呼び込んでいくかに見える。動物虐待と殺人的な暴力性がないまぜになって。

藤田　そこにフォーカスしてほしいところがあって、木村さんの場合は「幼な子の聖戦」の場合は主人公がそうですよね。二つの派閥について、自民党的なほうが悪くて、れいわっぽい方が悪いと書いてますけど、主人公は二重人格みたいなものので、どっちも嫌いなんじゃないかみたいな話もあるし、人の性的スキャンダルを告発するくせに自分は性的に滅茶苦茶で不倫もするしで、変な人格じゃないですか。ずるずるしてて。主人公は何の図式にもよく当てはまらない感じだし。結局主人公の感情の動線というか思考の動線が変な二重な感じの中に、ままならなさというか、どっちの図式にも入らない変なメンタリティ。ネトウヨみたいに誹謗中傷もするし、変な虚無感も持っているし、途中で「ストーリー」を担っちゃう人をエミュレートしていますし。

杉田　木村さんの中には、一貫して、底辺の駄目な男性たちが真っ当な人間になろうとしてなりきれずに、ズルズルと駄目な人間に落ちていくという、それこそドストエフスキーの『未成年』みたいなモチーフがずっとある。それに対して「幼な子の聖戦」では、リベラルな新時代の波にも乗れないし、保守的な腐敗にも埋没できない主人公が、迷った末に最後は保守的な親父どもを刺して、自分をある種人身御供のように捧げることで、リベラルな人たちや女性たちが輝かしい未来に行くことを応援する、という自滅願望の自己陶酔みたいなものを感じてしまった面がある。

藤田　「ストーリー」と呼んだのは、その意味づけですよね。自分を聖なる者として意味づけて生と死を物語化することへの陶酔にこの人はハマったんですよね。それは右も左も同じかな。でも、違うかもしれない。こういう憑依型の、神が降りてくるという感じこそが、縄文的、東北的なものなような気もしてしまう。『イサの氾濫』のときには、それは、ダメ人間である自分の夢想かもしれない、現実逃避かもしれない、という葛藤があったけど、わりとそういう繊細さがなくなって、殺しに行くという派手な展開になってしまった。

杉田　『文學界』の書評に書いたんだけど、保守的な親父どもはもう人間として終わっている、こいつら絶対宗教的な意味で改心することはないし、生まれ変わることはない、そういうやつらは俺が殺すしかない……というロジックは、はっきりいえば、対象が違うだけで相模原の障害者殺傷事件の犯人と変わらないと思う。心失者っていう言い方を犯人はしているけれど。それはもしかしたら、木村さんの中の「おじさん性」に対する自己嫌悪がブーストがかかりすぎて、親父どもは殺したほうがいい、っていう過剰な攻撃性になってしまったのかもしれない。駄目な人間が駄目な人間なりに頑張ろうとするけどずるずる落ちていく。でも、繰返しの中でなんとか変身しようとしている、そうしたこれまでの努力からすると、危険なところに踏み込んだのかもしれない。不信心者めが、っていう言葉の不気味さとか。よく映画の『ジョーカー』との類似性が言われたりもするんだけど。

藤田　危ないところがある気がするけど、そこがいいって気もするんですね。冒頭の血と悲鳴と殺戮と、死と生のこの性的な官能的な感じってあるじゃないですか。なんか、この作品それが全面的に出ていて、ある種の性的なエクスタシーみたいなこのシーンにいかに至るか、みたいなところの手前でいかに寸止めするかって構造になっていると思う。この感覚は常に木村さんにあって、それをどう抑制するかがわりと主題になっているんだけど、今回開き直って出してると思うんですね。出すってことに関してちょっと突き放してコメディみたいにすることで、距離を持っているから、相模原的なものとは違うと思うんですよ。相模原はなんかコンピュータ的な合理性で殺しているけれど、こっちは有機物的で非合理な陶酔に近いと思うんですよ。

叛乱する人たちの共同体？——ヘテロトピアは可能か

藤田　リーダーが信用できるかどうかの話ですが、「野良ビト」だと、ホームレスが追いやられて餓えさせられている、そして主人公がお前たちに飯やらないぞって言い出す、そういう統治の権力を行使してしまう、対立していた相手と同じになってしまう。そこで、作品の視点が変わるんですけど、なんかここで逃げている感じがするんですよ。その立場になったことを、どう受け止めるのか？　だから辞めるのか？　そういう立場になってしまう相手を理解するのか？　その引き裂かれた状態こそが、叛乱の次のフェイズと言うか、叛乱の政治学の重要なところじゃないですか？　そこをもうちょっと掘ってほしかった。単純に、食い物を配る、福祉的なことをやる政治というか、お前には飯を食わさないぞみたいな家父長的な権力に反抗するんじゃなくて、あるとき自分もそれになってしまったということの意味をもっと掘ってほしかった。ここは多分、ずっと杉田さんがこだわる、星野さん的な、ファシズムに対抗する人がファシズムになって、どんどん自滅していく話と重なると思うんですよ。このあたり、杉田さんはどう思われました？ ぼくは星野さんがこれに反応したのよくわかったって感じがしました。でも、これじゃあ出口がないよ。責任を担わず、暴力性を行使しない立場に常に降り続ければいいのか、って話になりそうな感じがするんですよ。

杉田　世直しのためのテロ的な暴力というオブセッションが日本近代史にずっとあったと思うんですね。橋川文三が右翼テロリズムの問題を論じていますが。そうしたモチーフは木村さんの中にもずっとあって、リアリズム的な生活の鬱屈を積み重ねていくと、最終的にロマン的なものが出てくる。でもそこにも分岐があって、ラディカリズムとロマン主義の違いというか、人間が動物に変身するという方向に行くのか、何らかのテロリズムに走っていくのか。それと同時に、ロマン主義的な情熱を滑稽化し、空回りさせるというシーンもしばしばありますね。最初の『海猫』でも主人公の鬱屈が最高潮に達すると、ギャグ調の、チェーンソーをぶんぶん振り回してゲロを吐いて、みたいな。スラップスティックな感じですね。そういう『海猫』の感覚は『幼な子の聖戦』にも流れ込んでいますよね。それでいえば、こうしたパターンから一つ抜け出す、踏み出すことを試みたのが『野良ビト』だったような気もするんです。文学史の中にも社会主義リアリズムと革命的ロマン主義の対立がずっとあったわけですけど、『野良ビト』では、多摩川の河川敷に、ユートピアともディストピアともつかない、様々な周辺層・底辺層の人々が各地から流入してくる難民キャンプのようなヘテロトピア（混在郷、異他郷）を描いてみせた。それは『聖地Cs』の農場にあったけれど、『野良ビト』では東京のど真ん中でやってみせた。それは中年男性の鬱屈が爆発する、というパターンとは異なる試みだったように思います。

藤田　あそこにユートピア性がありましたか？

杉田　多様な人々が支え合ったり憎みあったりしながら、オルタナティヴな共存の形を見出そうとするような、そのきっかけみたいなものは感じました。

藤田　なるほど。ユートピアかはともかく、杉田さんがおっしゃることは分かりますね。排除された人たちが集まって暮らすという、具体的な集団性に踏み込んでいるところを評価する向きは分かります。イスラムの人が豚肉食わされるとか、中で金もらって裏切って火をつけるとか、もっと醜悪的な状況に次々となっていく感じですが。ぼくの不満としては、杉田さんとも近くて、そこでの具体的な「政治」「共存」を描いてほしかったんですよね。

杉田　ヘテロトピアって別に美しい共存関係ではないんですよね。人間の暗い情念とか憎悪とか、ドロドロしたものが化学変化を起こしながら、今までとは異なる関係性が立体的に作り出されていく、みたいな。

藤田　虐殺が起きて、燃え上がるところっていうのはどうですか？　共同体を描こうとしたんだったら持続しないといけないけど。

杉田　『野良ビト』は作品として短いと思うんですよね。あのモチーフを丸ごと表現して、持続的な協働性を描くには、長編小説の長さがいる。

藤田　それが一瞬成立するけど、でもなくなる。やっぱり、排除された者たちの共同体というのは、ロマン主義的な、一時的な共同体にすぎないのかもしれない。荒木さんとの話にも繋がるけど。その夢と、その実現不可能性に突き放される殺伐とした感じこそが、木村さんの作品の味なのかな。

杉田　最後に中心人物のおじさんが動物のように咆哮して終わるのは、『イサの氾濫』と同じようなロマン的な光景ですよね。あの多摩川の共同体をたとえば武田泰淳の『森と湖のまつり』とか『富士』みたいな大きな作品として描いていたら、どうなっていたか。そのための助走という感じがするんですね。一方で、「超越系」と呼ばれる作家たちがいる。上田岳弘さんとか村田沙耶香とか。人間を超越する存在の誕生を書く作家たち。他方にヘトロトピア的なものを描こうとする一群の作家もいて、それを政治的な形で描こうとしているのが木村さん。言語実験的にやろうとしているのが、たとえば室井光広さん。

藤田　多分、そういう意味では木村さんが描こうとしているのは政治ではないんじゃないのかなって感じがするんですよ。政治ってのは、長期的な視野が必要ですよね。持続性が大事で、そのためにはシステム化とか構造化をするし、安定させる必要がある。そもそも、文明というものが、そういう時間のスパンを見て、未来のために現在を規律化し、他者と協力行動をしていくように出来ていますよね。木村さんが叛乱してのは、それ自体に対してなんだと思うんですよ。だから、継続したり、集団を生かすことはできない。叛乱は一瞬しか続かない。震災後の直接民主主義みたいなものだけど、輝かしい瞬間は持続しないわけですよね。だからどうするか、みたいなところを探っている気がする。たとえば、ビルの清掃は都会の中にある持続的な仕事なんだけど、いつ死ぬかわからないようなその瞬間瞬間を生きることもできる環境なんですよね。

杉田　社会的持続性という点では、『聖地Cs』から『野良ビト』へという流れがある気もするんですね。原発公害事故で放置された牛たちの生命を維持するための活動でしたよね。

藤田　それを探ろうとしている気配は確かにありましたね。でもやっぱ、体質的に、脱落していってしまうんだろうなぁ。持続性があるのは、多分野良猫のほうで、去勢されて死んじゃうんだけど、野良猫を飼い続ける行為の中にそれを見出そうとしている気配はありますね。

杉田　木村さんを彷彿とさせる中年男性がアパートで生活していて、連れ合いの女性がいて、猫たちがいて、職場がある、っていうのがリアリズム系の木村作品の生活圏ですよね（それを超えるものとして猫的なロマン主義がありますが）。そういう生活圏に対して、『聖地Cs』とか『野良ビト』は、ある種のオルタナティヴコミュニティみたいなものを描こうとする衝動があると思う。でもやっぱり、さっきの武田泰淳にせよ、あるいは大江健三郎にせよ、長編小説という「器」を必要とした小説家だと思うんだよね。それってすごく大事なことで。構造的には結局、大江さんの作品も同じかもしれない。だいたい宗教的で行動的な人物がいて、理想的なコミューンを作ろうとするんだけど、時間の持続に負けて共同体が破局を迎えて崩壊していくみたいな。でもたとえそうだとしても、藤田さんが言ったような、生活の持続としての政治性をきっちりと、必要な長さを通して描くことで、現在の日本全体をもっと厚みをもって描き尽くせるのかもしれないね。

藤田　震災後の一時的な共同体の話なんですよね。初期の頃の作品は親族とか嫌でも続けなきゃいけない共同体のつながりだけど、最近の作品は震災後の国会前デモとかシェアハウスとか、ああいうのに近いような、直接的な縁のない人たちの再帰的な共同体ですよね。新しい直接民主主義的な生活空間を作ろうという、オキュパイ・ウォール・ストリートのような、ああいう集団を描こうとした小説でもありますよね。「ツリーハウス」もそういう象徴のようにも思いますよね。一時的な地面と空中の上で、人が住めるか住めないかわからない。あれもどうせ朽ち果てるから美しいみたいな表現がありましたっけ。続かない、住居ではないっていうのは示唆的で。宙に浮いている一時的な居住区の集まりみたいなものの生成と崩壊が、確かに常にテーマかもしれませんね。

杉田　東京湾の微妙な空間とか、多摩川の河川敷とか、ビルの上の労働者たちとか、都市空間の微妙な隙間やアジールみたいな場を創って……という感じなのかな。

藤田　杉田さんはご存知だと思うけれど、そういうオルタナティヴスペース作るとか、シェアハウス作るとか、そういう運動をしていた若い人と付き合いあったけど、まあボロボロになりましたよね。輝かしいのは一瞬だけ。フランス革命からずっとそうだと思うんですね。叛乱の輝きがあるのは一瞬で、腐敗していきましたね。なんかそういう経験と近い感じを受けるんですよね、『野良ビト』には。

杉田　『聖地Cs』にも過激なエコテロリストみたいな若い夫婦が出てきますよね。動物の腐った死体を東京の政治家とか資本家たちに送りつける。そういう過激派志向の若者たちも木村作品にはよく出てきますね。

藤田　震災後って変なテンションの人が出てきますよね。小森はるかさんの『息の跡』では、種屋をやっていた人が被災して種屋が流されて、そこに種屋を再建して手で掘って井戸を作ったりして、何カ国語も学んで自分の経験を翻訳して本にして、そんな目覚めてスイッチ入った感じがする人を描いていました。それは木村さんの作品にも近いし、希望の牧場の主にも近いと思う。なんかスイッチ入った感じを、どう文学に定着させるのかの勝負をしている感じがして。そのスイッチは何か、みたいな問いがあると思う。

杉田　聖人なのか聖痴愚なのか香具師なのかわからないような、不思議なカリスマ性を持った中高年男性に惹きつけられつつ、微妙な違和感も持っている、という感じがありますね、木村さんには。

藤田　一番肯定的な共同体って、ぼくは窓拭きの人たちの仲間の共同体だと思うんですよね。

杉田　そうかもしれないですね。労働組合とはまた別の、労働者たちの連帯と資本主義に対する抵抗を描いている。

藤田　一応そういう連帯感があるという描き方で。まあ最終的に崩壊してしまうんだけれど、持続的で、派手に壊れないのはあれくらいな気がしますね。

方言で書くとは、どういうことか

杉田　もう一つは、東京と東北の間の、ある種の階級問題みたいなラインをあらためて引き直した面があると思いました。統計や社会学で計測可能な、経済格差とか、地方から東京への人口流出の問題とかよりももっと深刻な、致命的な切断線が走っているんだと。それこそライフラインとかエネルギーとか文化のレベルを含めて、決定的な切断線と共に見出される「東北」があると思うんです。たとえば「ひのもとのまなか」の中では、倭国と日本は元々違ったんだという話がある。元々「日本」っていうのは東北を指す言葉だったんだけど、倭国が日本という言葉を簒奪してナショナリズム的な日本国家を作っていった。あるいは『幸福な水夫』だと「津軽弁」「南部弁」などの「弁」という地方語はすでに国語(日本語)に回収されていて、本当は「津軽語」「南部語」なんだって言うんですね。日本国内の外国語、別言語なんだと。「なんとか弁」っていう言い方は、すでに東京中心的な国語とか日本語に囲い込まれた言葉にすぎない。

藤田　日本として統一される以前にあった多様なもの、覆い隠されたものが叛乱しているようなイメージですね。弥生人ではなく、縄文人。さっきも触れましたが、縄文系の遺伝子って、東北に多くて、アイヌも縄文系らしいんですよ。昔の「蝦夷」と言われてきた人たちの文化や遺伝子を継承しているのだとすると、日本という国家が成立して以来の抗争ですよね、「征夷大将軍」というぐらいですからね。能の中でも、そういう地方の「野蛮人」を文化的に統一していくときの葛藤の話が出てきます。そう思うと、木村さんの作品は、弥生人的な農耕民族の価値観の支配に対する、狩猟採集民的な生の感覚の叛乱だと言ってもいいのかもしれない。梅原猛的な話ですが、縄文人の方が、弥生人よりも、狩りをするので、ヒエラルキーのない共同体を好んでいたという説があります。木村さんが取り戻そうとしているのはそれなのかもしれない。言葉については室井さんも似たようなことを言っていましたね。デンマーク語とかはヨーロッパで言ったら方言みたいな差くらいだから、日本もそれぞれ○○語って言っていいんじゃないかみたいな説を。

杉田　そうそう。オランダ語とドイツ語で話し合えば六割くらい話が通じるけど、琉球と津軽の言葉で話したらほとんど通じないだろうみたいな。でも同じ「日本」「日本人」とされるわけですよね。むしろ、そうした言語の差異を同一の国語で囲い込むこと自体が暴力なんだと。

藤田　柳田が、方言の定義を「笑われる」としていましたが、東北はそうですよね。むしろ、関西と東京の方言は今でも許される、片方は標準語と呼ばれていますが。これは、政治的・経済的権力と明らかに対応していますよね。この不公平っての は今でもあって、東北語で書いても売れないし、中央で話題になりにくいですよね、読まれにくいから。だから、何か書くときには、ほとんど外国語みたいな標準語で書かなきゃいけなくて、そうすると不慣れだから頭悪く見えてしまうし。心情に近いものも表現できないし。若竹千佐子さんはまさにそのことを書いていて、標準語だとよそから見た客観的な言葉しか出てこないけど、方言だと本心の言葉が出せるっていう、その二重構造を表現していましたね。やっぱり、その地域で長い間使われてきて、今も使われている生きた言葉じゃないと表現できない思考や感情の襞って、あると思う。

杉田　古川真人さんも九州の福岡の言葉ですね。

藤田　言葉、方言が結びついていた生の長い時間、地域と生活の長い根みたいなものを取り返すということが、最近の一つ重要なトレンドだと思うんですよね。室井さんもその一人だと思うし。それは、伝統への回帰であり、アイデンティティ化なんだけど、「日本」という標準化されたものには回収されない、もっとそれが覆い隠した多様なものの叛乱ですよね。ちょっとゼロ年代とか、郊外論とか、いろいろなものがフラットだと言い過ぎた時代への適切な反論であり、叛乱であると思いますよ。それじゃあ、様々なものが見えなくなるし、豊かなものが消えちゃう。

杉田　同じ「日本」「日本語」の中にも、「地方」とか「方言」という言い方をする時に隠蔽されてしまう諸言語があって、それを塗りつぶしていく暴力性に木村さんはすごく意識的だと思います。たとえば『幸福な水夫』では、東北地方を開発して地均し（じなら）していく原子力的な暴力と標準語的な暴力はつねに一体的であるんだと。それならば、じつは複数言語が混在している木村作品を読むとはどういうことなのか。そうした問いが読者の側にも求められてくると思うんですね。ただ、例えば若竹さんや古川さんみたいに、全面的に東北的な語りを展開することもしませんね、木村さんは。半分はわかりやすすぎるほどにわかりやすい標準語の文体。それは、東京にも東北にもどちらにも完全には安住できない、という木村さんの屈託を示しているのかもしれない。

藤田　登場人物の方言の書き分けが上手いんですよ。ずっと地元にいたおじいさんおばあさんと、東京に出て行った人と戻っていった人と、他の世界を知っている人とかで、「海猫ツリーハウス」はかなり人物によって方言の度合いの使い分けのレイヤーがありますよね。

杉田　僕はその違いがうまく読みとれな

いんですけれどもね。

藤田　結構方言論みたいなことを言い合ってますよね、地元の言葉で喋れとかそういうことを。方言とは笑われる言葉だという、さっきの柳田國男が言った言葉を言う人物もいるんだけど、それに対して地元のおじいちゃんとかお父さんがそんなことはないと言うやり取りがあって、結構言葉遣いの違いのレイヤーがいくつもある人たちが方言論をやっているところが、この木村さんの、特に初期の作品の豊かなところだと思うし、彼の文体の方法論を明示している箇所だと思うんですよ。作品は、政治的であると同時に、標準に対する地方語の叛乱でもあって。だから、言葉も五層ぐらいになっていて。ただそこにあって、それで誇らしく生きてるんだという主張もあるけど、中央に叛乱しなければいけないという主張もあって。それは文芸誌に書くということの意味でもあるよね。その文体の衝突が、ひとつの祝祭性を持つし、言語的な、文化=政治的な叛乱にもなっていると思う。

杉田　クッツェーやアフリカ文学を翻訳しているくぼたのぞみさんが『幼な子の聖戦』の書評を書いていたんだけど、クッツェーとかドストエフスキーと木村作品を横並びで読んでいくんですね。たとえば世界文学って、別にグローバルに多数の人々が読むものとは限らず、具体的な翻訳過程の中にこそ世界文学性が宿るんだ、というような議論があります。木村さんはそういう身体的=言語的な軋みをつねに描いている。たとえば木村作品では「変身」が一つの大きなテーマなんだけど、翻訳だって言葉が変身することですよね。その点では木村さんの小説をある種の翻訳文学というか、翻訳としての世界文学として読まなければいけないのかもしれない。

藤田　ぶっちゃけどれくらい読みにくいですか？　授業で東北文学が出てくる震災後文学を扱うと、学生が本当に読めないんですよ。ぼくはそこまで読めなくないんです。

杉田　意味を追うことはできるけど、本当は黙読では駄目なんでしょうね。音読すべきなのかな。

藤田　多分フラットな意味のレイヤーだけじゃない、わりと情緒とか呪術的なものにつながる音の層があると思うんですよね。それは確かに、ネイティヴじゃないと、分かっているのかが分からないですね。

杉田　単一国家を前提とする日本語=国語の内部に、実は無数の非日本語的な、複数的な諸言語が葛藤して息づいている。そうした混合言語を前提とするのが木村文学で、それは室井光広的な世界文学論とも通じるものがあると思う。でも僕なんかは、言語の物質性に触れずに、せっかちに物語や内容ばかり読んでしまおうとするから。それは読むことの暴力だとも思うんですね。その点では、もう一つ、動物の声の問題がありますね。日本語と地方語という非対称性だけではなく、人間の言葉と動物の言葉の非対称性。そもそも、動物の言葉とは何か。動物の言葉を人間の言葉に翻訳していいのか。あるいは人間が動物に生成変化すると言う時に、それ自体が人間のロマン的幻想ではないか。簒奪であり盗用ではないか。そうした葛藤の話になってくると思うんですね。
　たとえば「黒丸の眠り、祖父の手紙」っていう作品では、猫は何のために生きているんだろうとか、そういうことを考えるのは人間だけで、猫はそもそもそんなこと考えない。ただ全身全霊でそこにあるだけだと。言葉以前の世界に猫は住んでいるんだと。とはいえ、ここは難しくて、動物言語以前の世界に住んでいるから無垢であり、人間は言葉を持っているから不純だ、みたいな言い方そのものの「人間主義」ってあるでしょう。動物にも言葉はあるし、声があると思うんですね。とか。最近は動物論の本が多く出ているけれど、動物と政治の問題ってどう考えればいいんですかね。

藤田　「イサの氾濫」ではイサさんは「天然」だと表現されていますよね。それは人間が勝手に決めた規範を飛び越える何かで、剝き出しの自然というか、命そのものの奔放さというか。だから、多分それは、猫とか、さっきの方言の存在する意味みたいな話とつながると思うんですよね。

杉田　それは人間主義的なロマン主義に陥る危険もありませんか？

藤田　ロマン主義でもあるんですが、言語や知性を発達させすぎた人間の病への批判でもあると思うんですよ。イサが蝦夷だった、アイヌと繋がりがあるんじゃないか、天皇を中心とした日本が殺して征服していた人たちとイサが繋がっているんじゃないかという話とも重なるけれども。それはロマン主義的妄想じゃないかという突き放しもあるんだよね。この主人公が自分の人生上手くいかないからおじさんに興味持って、人生一発逆転みたいなロマンにすがっているだけかも……みたいな突き放しもあって。あの変身は、半分動物の方に変身してしまおうとすることのような気もするけど。

杉田　藤田さんが最初に言った、動物が特権的な存在とされることで小説の中にある種の図式性が出てくる、という側面は確かにあると思うんです。人間たちのどろどろした情念とか、争いごととか自己嫌悪、そうしたものを超越する言語以前の動物の素晴らしさ、美しさみたいな。「動物ロマン主義」というか。そうすると、人間として考え続ける、という倫理性がそこで思考停止になってしまう気もして。

藤田　考え続けることの病もあると思うんですよね。けど、それはある気がするというか、言語や争いのない動物の状態を、一つのユートピアみたいにしていますよね。でも、人間も動物として書いてないですかね。人間が動物性剝き出しにするのを、ネガティヴなこととしてだけじゃなく書いている感じもするんですよね。

杉田　『聖地Cs』はその点でも重要な作品だと思います。どろどろに腐敗した牛たちの遺体が積み上げられている。糞尿とかとも一緒にぐちゃぐちゃになって。その圧倒的なマテリアル。物自体としての動物の死体というか。「遺体」とも呼べない「死骸」ですよね。木村的主人公は、猫に憑依するんだけど、牛の死骸には憑依できない。『聖地Cs』の女性主人公にとっても、夢の中で襲いかかってくる不気味なものなんですね。同じ動物と言ってもやっぱり複数のレイヤーが走っている。身近な愛すべき隣人としての猫、というだけではない動物性が描き込まれているわけですね。『幼な子の聖戦』にちらっと出てくる、福島から避難してきた無垢な女の子の目に射貫かれるっていうシーンがあるんだけど、あの女の子の目線もちょっと猫の眼差しっぽい。でも、やっぱり猫的な存在で動物の全体を代表させられないと思う。

藤田　動物解放っていうのは動物に対しても倫理的になることで、人間にもより倫理的になりましょうという感じだったり、あるいは動物を食べると植物食べるよりも二酸化炭素増えるからやめましょう、効率悪いから。そういう理屈だと思うんですけれど。木村さんは、人間に近づけるというよりは、人間が動物に降りていこうとしている。人間そのものとか、人間が織りなす秩序が揺らぐ感じがあって、ちょっと西洋の最近の流行りのエコとか動物倫理に近いように、位置づけることはできるけど、文脈に違う感じがあるんですよね。そんなに地球環境守ろうって感じもないですからね。そういうSDGs的なタイムスパンとスケールで物事を考えていないというか。

杉田　進化論の共進化みたいな話があるけど、人間と共に生活することで猫はある種人間化されるし、人間もある種猫化されるみたいな。人間中心的な関係が揺るがされて、お互いが別の存在になっていくというか。釜ヶ崎で野宿者支援活動をしている生田武志さんの動物論『いのちへの礼儀』って、タイトルが『聖地Cs』の中の言葉から取られているんですね。生田さんと木村さんの相互批評関係は面白いと思うんだけど。

藤田　ちょっと木村さんポン・ジュノに似てるところありますね。『パラサイト』もだけど、その前の『オクジャokja』っていう作品も。アメリカのすごい豚を飼育することで儲けようとするエコ企業みたいなのと、韓国の山奥で豚と暮らしていた女の子で、どっちのほうが自然を考えているかという対比で、韓国の女の子がいいってなるんだけど。あれも、無垢な森に生きている少女が一番いい、という話。

杉田　最初の作品も猫の話だし、『グエムル』も川に流された公害の毒で異形の進化を遂げた『シン・ゴジラ』みたいな生命体の話だから、そういうモチーフはあるのかもしれないね。都会と田舎の描写がつねに共存している感じとか。

藤田　『パラサイト』の異質な綺麗な洗練されたものと、貧乏で汚いものが衝突する感じも似ていますね。

杉田　木村さんの作品は映画原作向きだと思うんですけどね。カンヌとかアカデミー賞を狙えるんじゃない（笑）。

藤田　『グエムル』もそうですが、『幼な子の聖戦』はかなりポリティカルフィクションですよね。現実を想起させるフィクションを書くことで、現実とか政治に影響を及ぼそうというタイプのフィクションで。

杉田　『幼な子の聖戦』の設定は事実に基づくんですか。

吉田　かなり事実が盛り込まれていると聞きました。仁吾のモデルになった方もいて、その方から取材したようです。

フィクションの要素も高いと思いますが、青森県の新郷村の選挙戦の事実がほぼ書かれていて村の人たちが困惑しながら読んでいるという地元紙のウェブ記事が出てましたね(笑)。

藤田 へえー！(笑)

杉田 現地で読書会とかできないのかな。

吉田 地元の人が読んで嬉しい内容ではないとは思いますが、青森の方がどれだけ読んでくれているのかは気になります。

藤田 自分の地元舞台だったら通常は買いますよね。

武蔵小杉と二子玉川

藤田 全体に意見を振ってみたいと思います。今までの話を聞いて、ツッコミとか、ここも触れろよとかあったら、是非おっしゃっていただければと。

参加者 僕山形出身で、東北でそういうアートの、山形ビエンナーレとか、上手くいってるのもあるんですけど。そのさっき藤田さんに振っていただいた『野良ビト』の感想で言うと、僕も『東京干潟』を見ていたので、リアルから一歩やばい世界に入った描写として面白いなと思って読んだ感じですね。ただ現実としては、上手く行ってる部分もあり、「野良ビト」の方も政治が法律を作ることでどんどん状況が悪化していくことで、ある種現実の方がマシかなみたいな感じで、意外と悪くないかなと思ったのが、見た感想ですね。で、ちょっと僕の中で思ったのが、多摩川の描写は面白いと思っていて、最近は磯部涼が『ルポ川崎』を書いたりとか、その繋がりで「DEVILMAN crybaby」も川崎の描写があったり、もう一個面白かったのが、『Noise ノイズ』っていう秋葉原の殺傷事件を元に作った映画があって、その監督の松本優作が『日本製造メイド・イン・ジャパン』って映画を作っているんです。それが川崎の多摩川沿いで、青年たちのいじめの中で青年を燃やしちゃう描写があったので、川崎で火ってなったときに、僕はパッとそれが出るところがあったので、僕としては川崎とか多摩川が大きいのかなと思いましたね。

藤田 ぼくは住んでいるのが多摩川沿いなんですが、多摩川っていろいろあるんですね。川崎国という少年グループがメンバーを殺してしまったり。度胸試しで橋から飛び降りた少年が死んでしまったり。西部邁さんも入水自殺したし。都市の中にある自然というか、監視なり光が届かない場所という雰囲気は感じますね。

杉田 武蔵小杉を舞台に『パラサイト』日本版を作るとかね。街が水没して金持ちと貧乏人が戦うという。そう言えば、川崎市周辺で行なわれていたヘイトデモも武蔵小杉まで北上してきたし、『シン・ゴジラ』でも武蔵小杉はゴジラに踏み潰されていたし……。

藤田 ちょっと前の台風で水が溢れたエリアを見に行ったんですよ。戦後に不法占拠されたエリアらしいのですが。確かに、そこは、本当にバラックみたいな感じになっていた。武蔵小杉とは全然違う世界だった。川崎はしかし、工場が多いから移民も多いし多文化主義的な政策をとっていますよね。ヒップホップも盛り上がっているし。経済的にも文化的にもすごい発展してるという印象ですね。

杉田　南部のダーク川崎はそうだけど、中央から北部になるとまた違うんですよね。南北問題ならぬ南中北問題とか言われるけど。それも川崎市の面白いところですけどね。

参加者　そういう作品で川崎をいっぱい見ていたので、また川崎かとある種既視感を感じたのはどこかにあって。

杉田　僕が住んでるのは武蔵溝ノ口と武蔵新城の間なんですけれど、高校は武蔵小杉に通っていた。近年は映画を最寄りの二子玉川のシネコンで観てるんだけど、一番相応しくないところで『パラサイト』を観た（笑）。

藤田　ぼくの親父は東芝に勤め始めたころ、川崎の東芝の工場にいたらしい。最近上京してそのあたりを見て、全然違うと驚いていましたね。新しく綺麗になっていくのは基本的にいいことかもしれないけど、古いものや感覚がなくなっていくことが絶対的に善ではないと思うんですよね。不潔で下品だけど、労働者の文化だって文化だろう、とも思うんです。少なくとも、それに対する郷愁というものは存在する。綺麗なつるっとしたショッピングモールができて清潔でいいんだけど、汚い焼き鳥屋とかも美味かったりするし、地元のじいさんがずっとワーワー猥談やってる焼き鳥屋なんか、猥雑な生命感を感じるし、共同体が生きているなって感じがして、ぼくは好きなんですよね。

杉田　武蔵小杉はタワーマンションもあるけどいろんな闇が残っていて。二子玉川は本当に人類の最先端というか。タワーマンションに自然もスマートに取り込んで、お金持ちたちのエスタブリッシュな空間ですね。バラードのＳＦ的というか。

藤田　あそこ楽天の本社があるんですよね。ＩＴ系ですよね。

参加者　木村さんはずっと青森で現地を書かれたりしてて、なんで東京都のそのあたりを書かれたのかなと。

杉田　どうしてでしょうね。

参加者　ホームレスの取材から、多分そこなんじゃないですかね。

藤田　最近、あんまりホームレスを多摩川で見かけなくなっているんですよね。台風もあるんだけど、その前からいなくなっていて。どこに行ってるんだろう。

杉田　オリンピックもあって、路上生活者の存在そのものを「なかったこと」にしていますよね。

藤田　でも、物理的にはどこかにいなくてはいけないので、それがどこなんだろうとは思うんです。そういえば、多摩川が増水したときに、我々は「生き物だ」ってスイッチ入る感じありましたもん。その感じなんですよ、木村さんの作品は。災害ユートピアな感じも若干あるけど、生きるか死ぬか、という状況で生命や意識が覚醒する感じがあるんですよ。

方言に宿るものと、グローバルな文体と

スズキ　方言の話ですが、方言の文学も地の文は標準語じゃないですか。普段の言葉に関係なく、書くときって日本のどこにいても地の文は標準語、という強制があるから、地の文で書かれている言葉

と、セリフとしての方言みたいなもののレベルがすごく気になるときがあります。私は普段短歌にふれることが多いのですが、文語を旧かなで書く人と、口語で書く人がいて、現代の人にとって文語旧かなはコスプレだみたいな感覚があるという人がいてなるほどと思うことも。でもそれじゃないと自分の思いが書けないみたいな人もいるわけですよね。方言と標準語との混ざり方が、個人的には悩ましいんですが。

藤田　言語学の実験で見たんですが、母語ではない、後から習得した言語で書くと内容変わるみたいなんですよね。たとえばぼくらは後から英語を学んでるわけですが、英語で書くと、論理的になるらしくて。村上春樹はそれを利用して英語で書いてから日本語にするっていう技を使ったわけですよね。後から習得した言語を使うと客観的で論理的な文章になるということは、逆に言えば、主観的な、感情的で情緒的な深いレベルのことは、母語じゃないと言えなくなってしまうということがあるんだなと思いますよ。それはぼくも実感することで、北海道弁じゃないと出せない感じってのは結構あるんですよ。親戚同士の集まりの感じとか、やりとりの細かいニュアンスとか、そういうのは標準語で表せる気がしない、けど、方言で書いたとしても同じ言語を共有している人以外には読みとってもらえないだろうと、最初から諦めてしまう部分はあります。そこで欠落が、標準語によって形成されている人々の認識の中に生じているっていう感覚は、実感としてあります。木村さんは、地の文と方言のバランスを、かなり作品ごとに試行錯誤している感じですね。最近は、会話は方言にするけど、地の文はエンターテインメント的な、異様に平易な文体にしていますね。

吉田　そこはいつも気にしていますよ。木村さんは伝わらないかもしれないと不安になられていて悩んでいますね。どうですか？　って聞かれても、僕も青森だから客観的に判断できないときもあって「いいんじゃないですか伝わりますよ」って言ってしまう(笑)。

藤田　エンターテインメントって芥川賞の選評で言われていましたけど、でも、それは、伝わるように書こうとしたがゆえの努力の結果でもあると思うんで、それを批判するのも痛ましい気もする。これは、方言を使う地方の人たちの構造的な不利であるといつも思っているんですよね。下読みでも、テレビドラマみたいな不自然な会話文になってしまっている小説ばっかりで、やっぱりそれは評価できないんですよ。でも、それぐらいしか標準語のモデルがない人はいっぱいいるからね。

スズキ　方言も、字で書かれてるものと耳で聞くものとは感じが違うから、ひらがなでばーっと書いてあると、自分の知っている方言だとしても一瞬読めないみたいなことがあります。遅れて、ああ、あれのことかってなる感じとかがあって。

藤田　わかります。活字になった方言というのは、微妙な立ち位置ですよね。やっぱり、身体を伴った音声の方が、情緒とかを喚起する力が上だなと正直感じます。そういう、イントネーションとか響きの次元に宿るものは多いんだなと、東北の旅で痛感しました。文字の人間として、反省するところでもあります。

杉田　たとえば戦後文学の文体破壊ってすごいじゃないですか。そういうラディカルな文体破壊と、地の文と会話を使い分けるというのは、やっぱり少し違うことだとも思うんですね。そういうレベルで文体破壊したのは、多和田葉子とか室井さんとかはそうだと思うけど、やっぱり外国語の翻訳から来ているんだよね。あれくらいのことをやると……でも売れないんだろうな。

藤田　読者が限定されますからねぇ。

杉田　村田沙耶香さんや上田岳弘さんは、ポストヒューマン的な内容だけど、基本的にはわかりやすい文体ですよね。グローバル文体というか。

藤田　だから流通する。しかし、こういうグローバルで平明な文体には宿らない豊かさをどうやったらもっと活かせるんだろうか、伝えられるんだろうか。

杉田　地の文のわかりやすさを破壊すると何か異形の文体が生まれて、文学的には面白くなるけど、ますます売れなくなるっていう。

藤田　でもなんというか、木村さんがそれをやると、文体レベルで内容裏切っちゃってる感じがするよね。文体が二子玉川になっちゃうみたいな。やっぱり、文体レベルで闘争しているっていう感じあるな、木村さんは。

杉田　自分は多和田さんや室井さんの小説って、結構「読めない」んですね。わかんないってことじゃなくて、短い文章を読むにもすごく時間がかかる。

吉田　木村さんのはどうですか？

杉田　木村さんの小説は、物語を追って読み流そうと思えば読み流せますよね。そういう配慮がなされているから。すごく構築的な作家だと思う。地方の言葉を使っているところも、読者が読みやすいように配慮されている。

吉田　木村さんは〝翻訳〟が絶妙に上手いと思います。方言って標準語で説明しづらいところがあるんですが、ルビの使い方が本当に上手い。

藤田　例えば？

吉田　「いがんど（おまえら）」とか。これを標準語にするとこう言うんだっていうのが結構ある。翻訳家としても才能があるんじゃないでしょうか。

藤田　震災後の日本の政治的に不穏な状況も含めて、いろんな課題を組み込んで書かれた作品であることは確かなんだよね。でも、それでどういう出口かというか。ある種ここに書かれているロマン的な瞬間には魅力を感じるけれど、それが現実の政治に有効性があるかはわからないけれど、感覚レベルで人を変えようとしているっていうのはぼくは応援したいというか、やっぱり、描かれている内容そのものの具体的な政治的現実への対応というよりは、言語・感性・美学、そういう次元での政治的闘争として評価した方がいい気がする。

二〇二〇年代の文学は どうなっていくのか

杉田　文学の世界は最近面白いなって思ってますよ。今年は小説をたくさん読もうと思います。

竹田　最近の文学が政治的というか、社会問題を掲げるものが話題になりがちじゃないですか。普通の話ってなくなっちゃってて、それもたまにいいのかなってあるとは思うんですけれど。ちょっと飽きてきたというか、食傷気味になってきたところがあるので。文芸誌を読むと。もうこういうパターンはいいんじゃないかって気もしなくはない。まあテーマはなんでも、いいからもっと物語を練り込んだ話が読みたい。

杉田　たぶんいずれ三島由紀夫とか石原莞爾みたいなカリスマ的な右派が出て来ると思うんですよ。宗教と政治と経済と進化論とを全部融合させて思想化したようなやつが。落合陽一だとやっぱり足りないんだよね。

藤田　すでにそうなってると思いますけどね。神話の時代になってしまった。なんかヤバいでかいファシズムに繋がりそうな気がするけどなぁ。そういえば、この間のムーンショットで、人類は身体から解放されるとか目標を出したわけですよ。あれにも小説家が関わっていましたね。

杉田　三島的なもの、石原的なものに対抗する小説って何でしょうね。想像力の勝負がシビアになっていく。身体性とか言語性に基づく想像力が重要な気がしますね。やっぱり、現代の読者も武田泰淳を読んだ方が絶対にいい。現代のマイノリティ問題に関心があるんなら。

藤田　最近、庄野潤三を読んでるんですが、日常的な話を書いてていいんですよ。庭の木の話とか(笑)。第三の新人ですけどね。こういう話最近読んでないなって思って。先日、庄野潤三の家まで行ってきたけど、郊外の山の上にある閑静な環境でね、こういうところで仙人みたいに暮らすのもいいかなって思った。なんか生活空間自体が美しいんですね。整っててね。今そういう作家とか作品なくなってるなって感じがするんですよね。かといって、60年代の革命の頃みたいに乱雑で汚く生きてるって感じでもない。庄野的感性のまま、社会変革をしようとしているというか。ＳＤＧｓ的と言ってもいいと思うけど。そこにあるのは、余裕ってことなんですよね。距離と余裕と言うかな。あまりにも政治的な糾弾の言語ばかり飛び交うＳＮＳを見てたら、なんかこういう場所に住んでデジタルデトックスしたいという気持ちが分かるようになってきたというか。それは木村的自然観とは違いますけどね。

杉田　最近、山本昭宏『大江健三郎とその時代』（二〇一九年、人文書院）や村上克尚『動物の声、他者の声』（二〇一七年、新曜社）を読んだんですが、研究と批評の狭間くらいで、大きな小説家に堂々とぶつかっていて、好感を持ちました。そういうのって最近あんまりなくなかった？『動物の声』も対象が小島信夫と大江健三郎と武田泰淳なんですよ。

藤田　そういえば、最近『文藝』がアジア文学とフェミニズム文学と中国ＳＦですごい盛り上がってましたね。で、フェミニズム系の韓国文学とか、『82年生まれ』とかすごい売れてますよね。アジア文学とか、アジアのエンターテインメントと等身大的なものが急に来てて、すごい面白いですね。大東亜共栄圏みたいになったら困るんだけど、アジアの文化的な交流とか、アジア単位で物を考えたときに無視できない気がするんですね。震災後の日本って考えると暗いんだけど、アジアで考えると違う展望が見える気も最近するんですけどね。木村さんの「自然」の感覚は、そっちとの回路につながるかもしれない。

杉田　『対抗言論』の2号では、在日文学の読書会をやりたいんですね。3号ではアジアの思想や批評の翻訳も載せたいって話になってるんだけど。

藤田　全六回の連続トークで、震災後の文学だけではなくて、二〇一〇年代の日本文学の状況をまとめて、様々な論点や問題提起ができてとても有意義だったと思います。なんとなく、東京にいると、震災後文学も、いろいろある流行の一つとしか感じないという受け取り方もある気がします。でも、現地の人たちには、そうではない。そのギャップをどう考えるかを改めて考えさせられました。ぼく個人は、その人にとって重要なことを真剣に書いた作品が、何十年かかってもいいから書かれるべきで、これは一時の流行じゃないと考えるべきだろうと感じています。『東日本大震災後文学論』にも書いたけど、「震災後文学」に傑作はない、それがこれから書かれることに期待する、それはきっと未来の人類にとって必要なものだろうから、と繰り返して締めくくりたいと思います。

震災後文学　年表　作品リスト

震災後文学　年表　作品リスト

二〇一九年七月十三日　藤田直哉作成、二〇二一年十月十二日追記

2011年3月11日　東日本大震災

2011年

和合亮一『詩の礫』『詩ノ黙礼』
古川日出男『馬たちよ、それでも光は無垢で』
瀬名秀明『希望』
しりあがり寿『あの日からのマンガ』
川村湊『原発と原爆』
川上弘美『神様　2011』
島田荘司『ゴーグル男の怪』
綿矢りさ『かわいそうだね?』
高橋源一郎『恋する原発』
辺見庸『眼の海』
エルフリーデ・イェリネク『光のない。』

2012年

辺見庸『瓦礫の中から言葉を』
早稲田文学編『それでも三月は、また』
伊坂幸太郎『仙台ぐらし』
金菱清ゼミナール『3・11　慟哭の記録』
若松英輔『魂にふれる　大震災と、生きている死者』
萩尾望都『なのはな』
高橋源一郎『さよならクリストファー・ロビン』
古川日出男『ドッグマザー』
黒川創『いつか、この世界で起こっていたこと』
柴崎友香『わたしがいなかった街で』
神林長平『ぼくらは都市を愛していた』
園子温『希望の国』

2013年

佐藤友哉『1000年後に生き残るための青春小説講座』
佐伯一麦『還れぬ家』
いとうせいこう『想像ラジオ』
玄侑宗久『光の山』
絲山秋子『忘れられたワルツ』
津島佑子『ヤマネコ・ドーム』
筒井康隆『聖痕』
高橋源一郎『銀河鉄道の彼方に』
宮崎駿『風立ちぬ』
重松清『ファミレス』
綿矢りさ『大地のゲーム』
橋本治『初夏の色』
福嶋亮大『復興文化論』
大江健三郎『晩年様式集』
木村朗子『震災後文学論』
小林エリカ『光の子ども』
佐々木敦『シチュエーションズ』
クリストフ・フィアット『フクシマ・ゴジラ・ヒロシマ』

2014年

松波太郎『LIFE』
池澤夏樹『アトミック・ボックス』
古井由吉『鐘の渡り』
星野智幸『夜は終わらない』
加藤典洋『人類が永遠に続くのではないとしたら』

小林エリカ『マダム・キュリーと朝食を』
赤坂憲雄『ゴジラとナウシカ』
木村友祐『聖地Cs』
絲山秋子『離陸』
岡田利規『現在地』
多和田葉子『献灯使』
上田岳弘『太陽・惑星』
中村文則『教団X』

2015年
山本昭宏『核と日本人』
田中慎弥『宰相A』
金原ひとみ『持たざる者』
筒井康隆『世界はゴ冗談』
塚本晋也『野火』
滝口悠生『ジミ・ヘンドリクス・エクスペリエンス』
島田雅彦『虚人の星』
小森はるか『息の跡』
藤谷修『あの日、マーラーが』
深田晃司『さようなら』

2016年
天童荒太『ムーンナイト・ダイバー』
滝口悠生『死んでいない者』
上田岳弘『異郷の友人』
金菱清ゼミナール『呼び覚まされる霊性の震災学』
土方正志『震災編集者』
桐野夏生『バラカ』
古川日出男『あるいは修羅の十億年』
木村友祐『イサの氾濫』
岩井俊二『リップヴァンウィンクルの花嫁』
森達也『FAKE』
庵野秀明『シン・ゴジラ』
笠井潔、野間易通『3・11後の叛乱』
新海誠『君の名は。』
室井光広『わらしべ集』

2017年
沼田真佑『影裏』
若竹千佐子『おらおらでひとりいぐも』
村上春樹『騎士団長殺し』
限界研編『東日本大震災後文学論』

2018年
北条裕子『美しい顔』
多和田葉子『地球にちりばめられて』
木村朗子『その後の震災後文学論』
辻原登『不意撃ち』
日上秀之『はんぷくするもの』

2019年
坪井秀人／シュテフィ・リヒター／マーティン・ロート編『世界のなかのポスト〈3・11〉』
赤松利市『藻屑蟹』
円堂都司昭『ディストピア・フィクション論』
李琴美『五つ数えれば三日月が』
瀬尾夏美『あわいゆくころ――陸前高田、震災後を生きる』

2020年
柳美里『JR上野駅公園口』
木村友祐『幼な子の聖戦』
岡田利規『未練の幽霊と怪物　挫波／敦賀』

2021年
木村朗子編著『世界文学としての〈震災後文学〉』
佐藤厚志『象の皮膚』
石沢麻依『貝に続く場所にて』
木村朗子『震災後文学論2021――あたらしい文学のほうへ』
いとうせいこう『福島モノローグ』
くどうれいん『氷柱の声』

あとがき

本書の狙いや趣旨は「まえがき」で語った。しかし、そのような公的な狙いだけではなく、私的な意図もある。その私的な方を、あとがきでは書いておこうと思う。

文学という表現の面白いところは、私的なものと公的なものとが重なるところにあると思う。批評もまた、私性と切り離さないというのが、日本の伝統的な文芸批評のありかたである(小林秀雄しかり、江藤淳しかり)。震災という経験もまた、集団的なものであると同時に、個人的なものでもあるだろう。だから、本書もまた私的な動機によっても駆動され作られたということは、正直に言っておいてもいいだろうと思う。そこをなかったことにしては、文学についても、震災についても、語ったことにならないだろうと思うのだ。

本文にあるように、ぼくは原子力産業に従事する父の元に生まれた人間である。だから、東日本大震災と福島第一原発の事故には、単なる政治的・社会的な関心というのを超えた、私的な、出生や家族、アイデンティティも関わるような情動を持たざるをえなかった。

だから、それを言語化したり、他者と理解可能な言葉に公共化することが全然できなかったことに、フラストレーションを感じていた。SNSなどでそれをしようとすると、政治的な攻撃を受けることも頻繁にあった。なので、安全に語る場が欲しかったのだ。私的なことが、政治的・社会的な状況と骨絡みになっているので、イデオロギーや党派性だと誤解されることも多かった。そうではないのだが、という気持ちは、SNSなどでは説明しても無駄だった。文学という表現がなぜ存在しているのか、改めて分かったような気がした。

SNSなどでは語れない言葉がある。本書に書かれている内容の中には、倫理的・政治的に、現在のネット環境の中では問題にされかねない部分があるだろうとも思う。現在の価値観や倫理観それ自体を外側から問うのが、人文学や批評の役割である以上、そこにまで踏み込む必要はあるはずだ。そのような信念で本書を作っている。

しかし、そのことで、たとえば誰かを傷つけたり、差別や偏見を助長したり、政治的な悪影響を起こすことが良くない、という価値観を筆者も共有している。

このジレンマをどう克服するかを考えた結果として、「小さな、私的な、影響力の少ない場で語る」ことを選択することとなった。つまり、この本のあり方が、その回答である。

『らほら』は「地域アート」的に文芸誌を作ろうとするプロジェクトであり、言い換えれば、東日本大震災のあとの被災地で多く見られた手法を本づくりに応用するプロジェクトでもある。本書では被災地で多く実践されていた「哲学カフェ」などの、皆が自由に話し傾聴し議論を深めていくことで、民主主義、公共性、そして相互の癒しやケアを行なっていく方法論を導入することにした。公的な言葉で言えば、「SNSなどでの憎悪や分断を乗り越えるために、公共性を作り直す試み」である。それを行なうことで、我々自身が——いや、ぼく自身が、救われたかったのかもしれない。

このやり方は、震災後のみならず、憎悪と分断に見舞われている世界中のネット社会や、多くの者が傷ついているコロナ禍後の世界にも有効なはずだ、とも感じている。

このような議論を書籍にすることで公共化することが、誰かの思考や感情を触発することになればいいなと思う。それが何か癒したり、カタルシスを起こしたり、現状を変えるアクションにつながるといいなと思う。そこには決して癒しきれない深い悲しみが存在しているということを承知の上で、対話の持つ力に希望を託して、本書を世に送る。

本書は双子のライオン堂の竹田信弥さんのご提案により、編著者の藤田と双子のライオン堂さんとが刊行のための資金を出し、投資する形で作った。リスクを共に負ってくださった竹田さんに、深く感謝する。

少なくともぼくに関しては、刷った分の大半が売れても利益はあまり出ないのだけれど、しかしそれでもこの議論を活字化し公共化し後世に残しておくことの社会的意義を考えると、それでもいいと考えた。ある意味で、本書を作ることが、ぼく自身の社会貢献であり、東日本大震災に対するボランティアのようなものであり、神に何かを捧げるようなことなのだ。こういうことができるのも、教員として生計を立てられているからであり、実質的に本務校の日本映画大学が本書を支援してくださっていると言えるのだろう。感謝を深く申し上げる。

非常に少ない出演料で登壇し、原稿の修正をしてくださった登壇者の方々、そして、会場に駆けつけて、対話に参加してくださった発言者の皆様にも、本当に頭が上がらない。皆様の力のおかげで、本書が出来上がった。重ね重ね、深くお礼申し上げる。また、『ららほら』一号をクラウドファンディングで支えてくださった皆様、本書や前著をご購入いただいた皆様にも深く感謝する。皆様からのご支援が、本書を通じて世界を少しでも良くしていくことに繋がればと願っている。

二〇二一年八月三日　東京オリンピックのさなかに

藤田直哉

藤田直哉　ふじたなおや

批評家。日本映画大学准教授。著書に『虚構内存在』『シン・ゴジラ論』『攻殻機動隊論』（作品社）『新世紀ゾンビ論』（筑摩書房）、『娯楽としての炎上 ポストトゥルース時代のミステリ』（南雲堂）、『シン・エヴァンゲリオン論』（河出新書）、編著に『地域アート　美学／制度／日本』（堀之内出版）、『3・11の未来　日本・SF・創造力』（作品社）、『東日本大震災後文学論』（南雲堂）など。

ららほら2　震災後文学を語る

二〇二一年十二月二五日　初版第一刷発行

編　者　藤田直哉

発行所　双子のライオン堂出版部

〒一〇七-〇〇五一

東京都港区赤坂 六-五-二一

電話　〇五〇（五二一七六）八六九八

印刷所　株式会社シナノ

装　丁　中村圭佑

組　版　平本晴香

定価は表紙に表示してあります

ISBN978-4-910144-06-1　C0095